JN089039

〈つながり〉の戦後史

尺別炭砿閉山とその後のドキュメント

嶋﨑尚子／新藤 慶／木村至聖／笠原良太／畑山直子

青弓社

〈つながり〉の戦後史——尺別炭砿閉山とその後のドキュメント

目次

第1部　炭鉱コミュニティでの「縁」の集積——尺別の戦後史

カバー写真——集合写真：尺別炭砿中学校の炭山見学［一九四九年四月、奈多内坑口］（二木友榮氏提供）
鯉のぼりの写真：緑町三丁目社宅前広場［一九六六年五月］（菖蒲隆雄氏提供）
炭住の写真：緑町二丁目社宅前広場［一九五四年秋］（須貝静子氏提供）
坑内の写真：ソ連製ペーカー七型［一九六八年十二月、掘進現場］（鳥海良明氏、鳥海良晴氏提供）

装丁——神田昇和

凡例

[1] 炭鉱とは、石炭や亜炭を採掘している鉱山のことを指す。それに対して炭田は、採炭の有無にかかわらず、採掘できる石炭が豊富に埋蔵されている地域のことをいう。

[2] 本書では、一般名詞として「炭鉱」を、固有名詞では原表記にのっとって「炭鉱」と「炭砿」を用いている。

[3] 雄別炭砿株式会社は雄別炭砿社と略記する。

[4] 本書で登場するインタビュイー・語り手の名前はイニシャルで統一した。アルファベットは各章で共通していて、同一人物を指している。

[5] 引用の際に原文の一部を省略する場合は、（略）とした。

[6] 引用文中で引用者が補足する場合は〔 〕でくくった。

[7] 引用文中の（ ）は原文のままである。

はじめに

嶋﨑尚子

本書は、いまからちょうど五十年前の一九七〇年に閉山した尺別炭砿（北海道旧音別町）を題材に、ヤマの誕生から閉山、そして現在までの百年を、尺別で暮らした人びとが紡いできた〈つながり〉を手がかりに再現するモノグラフである。本書の執筆者五人は、産業、労働、地域、家族、文化に関心をもつ社会学の研究者であり、本書は二〇一四年から進めてきた尺別炭砿研究の成果である（経緯については本書「おわりに」を参照されたい）。

われわれは二十世紀の日本社会を、労働者・家族による基幹産業への転換と地域移動の過程と捉えて、その過程を石炭産業に注目して観察している。石炭産業は戦後復興期まで基幹産業であり、その過程で九州や北海道を中心に大規模産炭地が形成された。特に北海道の産炭地は、全国から移動してきた労働者・家族を受け入れることで成立した。敗戦後には、政府による傾斜生産方式体制のもとで、鉄鋼業とともに戦後の経済復興の主軸を担った。具体的には、政府が石炭産業に大量な労働力と鋼材などの資材を重点的に配分し、石炭の増産体制を整えて、増産した石炭を鉄鋼業に優先的に配分するという仕組みであった。

しかし、石炭産業は、一九五〇年代後半から衰退へと転じて、政府の石炭政策下で長期をかけて終焉した。その過程では、九州や北海道から膨大な数の炭鉱労働者とその家族が、製造業を中心とする新たな成長産業へと業種転換して都市部へと移動した（一九五六年度以降の閉山炭鉱数は九百二十八、離職者数は二十万人を超えた）。ときは高度経済成長期だった。これまで、高度経済成長やその象徴だった東京オリンピックを支えた労働力としては、若年者たち「金の卵」の集団就職や、農村からの出稼ぎ労働者がもっぱら強調されてきた。しかし、盤石な基幹労働力を担ったのは、産業転換とともに半ば強制的に移動させられた炭鉱離職者とその家族でもあることを忘れてはならない。石炭産業の盛衰過程は、大規模な労働者の移動・移住の歴史といっていい。

本書のねらいは、戦後日本がたどった産業転換と労働力移動という歴史の内側を、「移動」「つながり」「故郷」をキーワードに、炭鉱労働者とその家族が遭遇・経験した個々の物語を用いて描くことにある。その際、高度経済成長末期の第四次石炭政策（一九六九年度から七二年度）下での動きに注目する。この時期には、第一次石炭政策である「スクラップ・アンド・ビルド政策」でビルド鉱・維持鉱とされた大手炭鉱の閉山が相次いだ。本書が対象にする尺別炭砿もその一つだった。尺別炭砿は、雄別炭砿社の「企業ぐるみ閉山」という形で、友山である雄別炭砿と上茶路炭砿とともに一九七〇年二月に閉山した。この三山での閉山離職者は三千九百六十九人に及んだ。彼らは一斉に道内・道外へと移動して、成長産業の基幹労働力へと転身したのである。彼らとその家族の「移動」が本書の第一のキーワードである。

次いで第二のキーワード、「つながり」についてみてみよう。常識的に考えれば、構成員の移動性が高い集団は連帯や結束が弱い。とりわけ職場での「職縁」は、「選べない縁」「動けぬつきあい」であって、拘束的側面が強く、かつ形式的な関係に陥りやすいとされる[1]。しかし炭鉱の職縁は、「一山一家」精神に象徴されるように、連帯が強い。それは、炭鉱労働の特殊性、つまり地底でおこなう作業の危険性が高いことを背景に、労働者たちが互いの命を預けるほどの信頼関係を求めたためと説明できる。むろん命をかけた関係は、同時に強い統制を必要とする。その象徴が炭鉱労働組合の強い連帯と強固な統制である。そこでは日常の作業場面での強い危険意識と、協働への高い価値が共有され、炭鉱労働者たちの〈つながり〉が醸成される。本書では、労働者やコミュニティのメンバーが、危機的で不安定な状況に直面した際に、多様な「縁」を自覚的に結び合わせて対処する動的側面を、〈つながり〉と表現している（詳細は第1章「「縁」の集積からみる炭鉱コミュニティ――ねらい」〔木村至聖〕）。

こうした〈つながり〉は労働現場にかぎらずコミュニティ全体でみられた。たとえば、炭鉱労働のもう一つの特性である「二十四時間三交代制を一週間単位でシフトする」という働き方は、妻たちに固有の使命感と〈つながり〉を育んでいた。危険性が高い坑内労働を、一週間ごとに時間帯を変えて担当するという日常は、妻たちに、夫の生活時間と子どもの生活時間という二つの時間のマネジメントを強いる。[2] 戦後の大規模炭鉱の妻たちが専業主婦だったのは、二重の生活時間のマネジメントという役割分担上、必須だった。同時に、妻たちは主婦会を組織して、地上での日常生活全般の対応や改善も担ってきた。炭鉱主婦会活動の正確な理解は、炭山で性別役割分業が浸透した理由を把握してはじめて可能になるのだ。[3] 加えて彼女たちの〈つながり〉の物語は、デビッド・プラースが、『日本人の生き方』で描いた、女性たちがごく近しい者たちとの長い付き合いのなかで成熟していく過程とも合致している。[4]

尺別炭砿の〈つながり〉は、主に「職場」「家族」「学校」「地域」での「職縁」「血縁」「学縁」「地縁」を活用して紡がれ、「縁」の集積である炭山コミュニティの日常生活を支えた。その様子は、本書第1部「炭鉱コミュニティでの「縁」の集積——尺別の戦後史」で活写している。とはいえ読者諸氏は、本書で描出される炭山コミュニティでの労働と家族、地域社会のあり方に違和感もしくは困惑を抱くかもしれない。困惑の一つは、採取産業である石炭産業は、第一次産業か、第二次産業かという問いに集約できる。石炭産業を含む鉱業は、第一次産業的側面としては、土着性という点で農業と、採取作業とその危険性という点で漁業と類似している。他方で、炭鉱労働は、製造業と同様に、企業の労務管理下で統制され、かつ労働集約的作業であるにもかかわらず、常に合理性を要請されてきた。日本の石炭産業は、第一次産業の特性を保持すると同時に企業資本主義の徹底を模索し続けたが、最終的には成功しなかった。伝統的産業から近代的産業への転換という直線的かつ段階的な産業の近代化論・都市化論では説明できない過程をたどったのである。

さて、尺別の炭山コミュニティは一九七〇年の炭鉱閉山によって瞬時に崩壊し、四千人に及ぶ尺別の人びとが日本全国に散っていった。炭山からの移出場面でも尺別の〈つながり〉が機能した。その衝撃的な経過は、本書第2部「炭鉱閉山と「縁」の離散——一九七〇年二月」のとおりである。この第1部・第2部までが、本書が射程とする百年の前半部分である。通常の炭鉱モノグラフであればここで終わるが、本書には第3部「「炭鉱の縁」の展開——故郷喪失からの五十年」がある。尺別の〈つながり〉は、移動先での定着でも活用された。それ

写真1　街の面影はみられない（2016年8月、笠原良太撮影）

から五十年を経て、尺別の人びとは故郷の消滅という残酷な形で「故郷喪失」したにもかかわらず、その「縁」をいまでも〈つながり〉として紡いでいる。しかもそれは単なるノスタルジーではなく、新たな〈つながり〉に形を変えていた。〈つながり〉の担い手はかつての「ヤマの子ども」たちに引き継がれ、尺別炭砿は彼らを中心に現在も生きている。尺別を故郷にもつ子どもたちも、本書の重要な登場人物である。

　本書の三番目のキーワードは「故郷」である。炭鉱閉山後、尺別を含む道内の多くの産炭地では産業転換が進まず、炭山コミュニティの消滅という事態に陥った。尺別炭砿は、北海道東部の音別町（現・釧路市）にあったが、閉山後は完全に消滅してしまった。現在は写真1のように、街の入り口から坑口があった最奥部まで、道の左右は自然に還っている。はじめてこの地を訪れた人は、「北海道の大自然」という印象を抱くだろう。しかし、かつてそこは、二十四時間体制で石炭が掘り出され、鉄道が走り、四千人が暮らす炭鉱街であり、人びとの故郷だったのだ。五十年を経た現在でも、元住民たちはこの地を訪れると「ここが尺別の中心で、協和会館があって、よく映画を観にいった。石原裕次郎の映画だけ値段が高かったんだ」「メーデーには、お父さんたちのデモにくっついて歩いた」と、半世紀前の生活を克明に語りだす。

　一九七〇年に突然に故郷を追われた経験は、とりわけ子どもたちの心に深い傷を残した。ある人は、閉山直後からの半年間の記憶がすっぽりと消えていた。またある人は、「根無し草」の感覚と強い不安感を抱いてきたと吐露する。「自分が帰る場所はいま、どこにもない。そうなると自分の心のよりどころはどこか、何か自分が絶対に安心できる、自分がすがることができる、場所でなくてもモノが必要だった」と語る。個々の物語を通して、われわれは炭鉱閉山の真の残酷さにふれた。

当時、閉山という危機的状況に直面して、誰もがそれを説明する言葉をもっていなかった。大人たちはひたすらに、新たな故郷創生を目指して進んだ。他方で、子どもたちは故郷喪失に傷ついていた。閉山、再就職、移住は大人たちの出来事であって、子どもたちはそうしたことの当事者になりきれなかった。コミュニティのメンバー全員が、それぞれの立場でこの危機と格闘していて、互いの傷に気づきあう余裕さえなかったのだ。われわれの研究が、尺別炭砿元住民のみなさんに何か貢献したのならば、それはそれぞれの立場での経験を説明する「言葉」の端緒を提供したことだろう。本研究で集まった「言葉」を通して、各自が胸にしまっていた「自分だけの経験」を、実はみんなと共有していたという事実を知るのである。

むろん五十年後では、遅すぎた。しかし、われわれは彼らの経験を、同時代の他炭鉱の閉山離職者とその家族にも当てはめ、戦後史という文脈に位置づけて一般化することはできる。強制的に「故郷」を追われた人びとが、「縁」を手がかりに〈つながり〉を紡ぐ物語は、一つではない。たとえば、三菱端島炭砿（通称「軍艦島」、長崎県）は閉山後に尺別とは対照的な経過をたどった。一九七四年の閉山後に人口島端島の住民たちが一斉に離島し離散した一方で、無人になった端島は軍艦に似た姿形を風雨にさらしたまま現在も残っている。定期船の廃止によって元島民たちは再訪を許されず、朽ちていく島の姿をただ遠く眺めるという「故郷喪失」を体験してきた。彼らがようやく公に上陸できるようになるのは、二〇〇九年だった。現在、私たちは同時代の出来事として、東日本大震災（二〇一一年）での原発事故に遭って移動と「故郷喪失」を強いられた人びとの経験に思いを寄せている。私たちは、こうした予期しない危機的状況に直面した際に何が起こるのかを想像し、それに対処する方法として先人たちの経験を生かさなければならない。

本書は、二〇一四年からの調査研究の成果である。具体的には、以下の研究助成を得て六種の広義の追跡調査を実施した。個別ヒアリングには五十二人、六回の座談会には四十四人に参加していただいた。本書では、これらのデータを用いている。なお、調査結果についてはリサーチ・ペーパーを参照されたい。

研究助成

・科研基盤研究C「第4次石炭政策下での閉山離職者家族のライフコース——釧路炭田史再編にむけた追跡研究」（二〇一六―一八年度：研究代表：嶋﨑尚子）

・科研基盤研究B「高度成長下での産業転換と労働者家族の移住過程——石炭産業における大規模移動の動態」（二〇一九―二三年度：研究代表：嶋﨑尚子）

・早稲田大学特定課題研究二〇一五「再発見される釧路炭田——産業政策・教育・交流の歴史的経路と現代的意義」2015B-071（嶋﨑尚子）

・早稲田大学特定課題研究二〇一九「尺別炭鉱の閉山と離職者家族のライフコース——釧路炭田史再編」2019C-081（嶋﨑尚子）

調査

①「尺別炭砿で暮らした人びと調査」（質問紙調査）：東京尺別会会員・尺別炭砿中学校卒業生を対象に実施。調査方法は複数方法を採用（二〇一六年度東京尺別会・中学校各期同窓会での集合配布、それ以外には郵送配布、回収はすべて郵送回収）。最終回収票数は四百三十一票（配布数九百八十三票、有効回収率五〇・一%）。

②「尺別炭砿で暮らした人びと調査」（生活史調査）：質問紙調査回答者から抽出した対象者に実施。調査内容は、ヤマの暮らし（階層、友子（ともこ）など共済システム、戦後の復興、引き揚げ者、炭鉱病院、女性労働など）。

③「尺別原野と尺別炭砿」調査（生活史調査・座談会形式調査）：炭砿開基以前からコミュニティを形成していた

尺別原野・尺別岐線地域と炭鉱との関連を立体的に整理する。中心人物の生活史調査（二〇一七年八月、一八年三月）、座談会形式のヒアリング二回（二〇一六年八月：八人出席、一七年九月：四人出席）を実施。

④「尺別炭砿の教育」調査：北海道学校教育史上に特筆すべき教育実践例と位置づけ、閉鎖的な炭鉱コミュニティでの学校教育の意義に焦点を当てた記録化作業。尺炭小学校・中学校元教員へのヒアリング調査（二〇一七年度：元教員五人、一八年度：四人）を実施。関連資料を収集し、教育実践例を確認した。

⑤尺別炭砿閉山と再就職・移住分析（福山市沼隈地域）：閉山前後の対応に関する元職員、元労働組合幹部へのヒアリング調査。最遠の福山市に集団移住した二十六家族（六十八人）の移住とその後の定着に関する事例調査。元職員（一人）、中心人物へのヒアリング（二〇一六年七月、一七年一月）を実施したのち、移住家族への座談会調査を実施（二〇一七年一月、一八年三月）。

⑥尺別炭砿閉山と尺炭中学校の卒業生ヒアリング調査（座談会形式）：閉山時に中学生だった子どもたちを対象。釧路と東京での座談会形式の調査。調査内容は、閉山後の移動、学校生活と閉山の影響、尺別炭砿の記憶と絆についてなど。尺別炭砿中学校二十一期、二十三期・二十四期・二十五期卒業生座談会を開催（二〇一七年八月：釧路、九月：東京）。

リサーチ・ペーパー（「JAFCOF釧路研究会リサーチ・ペーパー」）、いずれも早稲田大学リポジトリからダウンロードできる。著者名は省略した。）

・「尺別炭砿の閉山と子どもたち――元尺別炭砿中学校教頭松実寛氏による講演の記録」二〇一六年（「JAFCOF釧路研究会リサーチ・ペーパー」第七号、産炭地研究会〔JAFCOF〕）

・「炭鉱閉山がもたらす子どもの生活と意識の変容――尺別炭砿閉山前後の中学生の作文・手紙を通して」二〇一六年（「JAFCOF釧路研究会リサーチ・ペーパー」第九号、産炭地研究会〔JAFCOF〕）

・「尺別炭砿で暮らした人びと調査（1）――二〇一六年度東京尺別会調査報告書」二〇一七年（「JAFCOF

釧路研究会リサーチ・ペーパー」第十号、産炭地研究会〔ＪＡＦＣＯＦ〕）
・「ふたつの故郷の喪失：樺太からの引揚げと尺別炭砿閉山――岩崎守男氏による講演の記録」二〇一八年（「ＪＡＦＣＯＦ釧路研究会リサーチ・ペーパー」第十三号、産炭地研究会〔ＪＡＦＣＯＦ〕）
・「中学生からみた尺別炭砿の学校生活と閉山の影響――尺別炭砿中学校23・24・25期生の座談会記録」二〇一八年（「ＪＡＦＣＯＦ釧路研究会リサーチ・ペーパー」第十四号、産炭地研究会〔ＪＡＦＣＯＦ〕）
・「尺炭教育史――尺別炭砿地域における独創的な教育実践の記録」二〇一八年（「ＪＡＦＣＯＦ釧路研究会リサーチ・ペーパー」第十五号、産炭地研究会〔ＪＡＦＣＯＦ〕）
・「尺別炭砿閉山後の移住と定着――尺別炭砿から広島県への移住者のインタビュー・座談会記録 改訂版」二〇二〇年（「ＪＡＦＣＯＦ釧路研究会リサーチ・ペーパー」第十六号、産炭地研究会〔ＪＡＦＣＯＦ〕）
・「尺別炭砿で暮らした人びと調査（2）――最終集計結果集〔内部利用版〕」二〇一九年（「ＪＡＦＣＯＦ釧路研究会リサーチ・ペーパー」第十七号、産炭地研究会〔ＪＡＦＣＯＦ〕）

注

（1）天野正子『「つきあい」の戦後史――サークル・ネットワークの拓く地平』吉川弘文館、二〇〇五年、一〇―一一ページ、伊藤登志夫「サークル前史への試み」、思想の科学研究会編『共同研究 集団――サークルの戦後思想史』所収、平凡社、一九七六年、六六ページ

（2）生活時間のマネジメントへの着眼は、以下からヒントを得た。柳下実「世帯のマネジメントという家事労働――「生活時間のやりくり・組み立て」に着目して」、日本社会学会編「社会学評論」第七十巻第四号、日本社会学会、二〇二〇年、三四三―三五九ページ

（3）西城戸誠「産炭地における中間集団としての炭鉱主婦会――北海道赤平市、芦別市を事例として」、北海道社会学

会編「現代社会学研究」第三十三巻、北海道社会学会、二〇二〇年、四三―六二ページ

（4）D・W・プラース『日本人の生き方――現代のおける成熟のドラマ』井上俊／杉野目康子訳、岩波書店、一九八四年

第1章 「縁」の集積からみる炭鉱コミュニティ

――ねらい

木村至聖

炭鉱のまちで生きる、という経験はどのようなものだったのだろう。そこで人びとはどのように働き、暮らし、互いにどのように関わり合い、何を思っていたのだろう。日本の近代産業の発展のために欠かせない存在だった石炭を生産し、戦後の復興を支え、やがて国の石炭政策の転換とともに姿を消していった炭鉱だが、それは単なる産業史の一ページというだけではなく、一人ひとりの人間たちが関わり合いながら生きた場所だったのである。産業としては終わっても、炭鉱によって支えられたまちは消えても、そこで生きていた人びとは続きの人生を歩まなければならなかったし、その人生は子や孫の代にみえない足跡を確実に残している。

炭鉱で暮らした人びとの研究をしてきた私たちにとって、何よりも印象的だったのは、近年は大きな歴史のなかのほんの一ページとして語られがちな「炭鉱」という文字の足元に、人びとがさまざまな物事を感じ、考え、身を寄せ合って生きてきた小さな日常が無数にあり、その一つひとつがいま現在の私たちにも実はつながっている、ということだった。いまや「歴史」となりつつある炭鉱・石炭産業から、現代を生きる私たちが何を学ぶことができるかについては、中澤秀雄／嶋﨑尚子編著『炭鉱と「日本の奇跡」――石炭の多面性を掘り直す』で具体的に展開されているが、なおそれに付け加えるべき重要なものとして、本書では炭鉱ならではの人びとの〈つながり〉を挙げる。すなわち、炭鉱という場所で生き、石炭産業の盛衰を経験した人びとが生きるために取り結んできた〈つながり〉は、ただ懐かしまれるだけの過去の思い出では決してなく、混迷する現代社会を生きるための希望の道しるべでもありうるのである。

そこでここでは、炭鉱のコミュニティでの人びとの〈つながり〉がどのような特徴をもっていたのか、まず概観してみよう。

1　炭鉱コミュニティの存立基盤

日本の炭鉱は、アメリカやオーストラリアなどの海外の大規模炭鉱と比較して、炭層が深く、かつ地層の状況が複雑な場合が多い。そのために、かつては労働条件が決していいとはいえず、その改善のための試行錯誤が繰り返されてきた。主な産炭地としては、北海道・福島県・山口県・福岡県・佐賀県・長崎県が挙げられ、そのなかでも山間部や離島などさまざまな自然条件があり、それぞれの産炭地域の特徴になっていったと考えられる。

こうした観点からの分析は、地理学の分野で主に展開されてきた。ロバート・S・プラットは北アメリカ大陸の諸鉱山地域を対象にして、地下資源の獲得に伴う労働力、食糧、燃料、動力、輸送、鉱業施設などの機能的組織の類型を分類し、それぞれが世界の経済的変動に対応しながら、鉱山が立地する自然条件に適合して形成されると指摘した[1]。同じく地理学者の川崎茂は、こうした機能的連関性をもつ土地占拠形態を前提として、「主要坑口付近の鉱山事業機能（選鉱・製錬ほか）を核として、住宅機能、さらにそれらを対象としたサービス諸機能など」の結合を基礎とした「自己完了性に富む空間的領域」を「鉱山集落」と定義している[2]。つまり、石炭を生産することが炭鉱社会の基本の要素であるのはいうまでもないが、その生産施設を中心として、労働者やその家族の住宅、さらにその住民の生活のために必要な商店や病院、学校など（すなわち再生産施設）が集まって一つの自己完結した集落を形成しているのが、炭鉱集落の特徴なのである。

ここでみられる炭鉱コミュニティの資源への依存という特徴は、資源へのアプローチが可能であれば、山間部や離島など、住環境としては必ずしも有利とはいえない場所にも集落がつくられるということ、そして逆に資源が枯渇したときにはその地域に住み続ける根拠がなくなり、集落が急激に衰退あるいは消滅するという可能性を常にはらむ。つまり居住者にとってのリスクは非常に大きいといえる。また、生産機能を中心にしてその他の再生産機能（住宅やサービス施設など）が集約された集落であるということは、それだけ密度が濃い人間関係が営まれる要因にもなっていると考えられる。

それでは、こうした自然条件、経済的基礎のうえに、生産施設を中心として形成された鉱山集落で、人びとはどのようなコミュニティを築いて生活していたのだろうか。炭鉱での暮らしを直接知らない人びとにとっては、テレビドラマや映画で描かれる炭鉱コミュニティの姿が数少ないイメージの源泉の一つだといえるだろう。特に二〇〇〇年代には「昭和三〇年代ブーム」も相まって、ちょうどその前後の時代の炭鉱を（回想も含む）舞台とした映像作品が複数発表され、高い評価を受けた。たとえば、『フラガール』（監督：李相日、二〇〇六年）、『東京タワー――オカンとボクと、時々、オトン』（監督：松岡錠司、二〇〇七年）、『信さん――炭坑町のセレナーデ』（監督：平山秀幸、二〇一〇年）などがそれである。[3] それらが描くのは、長屋式の炭鉱住宅（炭住）に住み、近隣や同僚が一つの家族のように身を寄せ合って暮らしている様子である。さらにいえば、実際にこれらの作品が描いているように、仕事を求めて異質な人びとが集まってきたという点で都会的でありながら、村落的な親密さを併せ持った、まさに歴史的には過渡期的な地域コミュニティのイメージを、これらの炭鉱コミュニティは表しているのである。

こうした特徴について、社会学者の三浦典子は以下のように言及している。

炭住社会は、一面では、生産から消費にいたるまでの共同性と地域性を合わせ持ち、村落コミュニティに類似しており、他面では、ほとんどの炭住が坑口近くに建てられることから、土着的住民はまれで、大部分が外社会からの流入者であり、しかも炭住社会間の移動は激しく、高度に都市化された社会との類似点を持っている。[4]

それでは、一方で都市的である炭鉱社会の親密性・共同性の源泉とは何だったのだろうか。

炭鉱労働者は、炭鉱という特殊な自然的、社会的諸条件のために、一定地域で集団的な定住生活を営んでいる。これらの集合住宅は炭鉱住宅と呼ばれ、その地域の生活諸条件は周辺の農村や一般市街とは質的に異なっており、その為に、事実上、独立した地域共同社会をなしている。この地域社会を結合している意識は、炭鉱労働の特殊性からくる独特な連帯感情である。[5]

ここでは、農村と都市との異質性と独立性が言及されていて、その社会の背景にあるものとして、「炭鉱労働の特殊性からくる独特な連帯感情」を指摘している。「炭鉱労働の特殊性」は、地下坑内の危険な命がけの労働環境で、労働者たちが互いに信頼し合い助け合わなければならないということからきている。さらに、局在する限られた自然の資源を採掘する産業であるため、一度炭層を掘り尽くしてしまえば、労働者たちは仕事を失い、また別のヤマ＝労働現場を求めて移動しなければならないという事情もあった。近世に発生したとされる、親分・子分関係を軸とする労働者の自発的な結合関係、いわゆる「友子(ともこ)制度」は、労働者たちが互いに支え合いながら、炭鉱（鉱山）労働特有のリスクに対処するための仕組みだった。[6]そしてこの制度が労働者同士の関係を親と子に擬したとおり、その支え合いの仕組みは親密な連帯感情を伴うものだったことは想像にかたくない。

とはいえ、炭鉱コミュニティを構成するのは、炭鉱で働く成人男性だけではない。そこには、その家族、すなわち妻や子、高齢の親などが同居して、またそうした家族の生活を成り立たせるための商店などもつくられていた。武田良三らは次のように指摘する。

炭砿家族の生活は、稼ぎ手である炭砿夫の労働力の再生産という機能が前面に押し出され、それがきわめて支配的な生活の原理となっている。炭砿住宅が生産施設の性格を濃厚にもつという特質は、炭砿家族の生活構造を規定する最大の要因であるといいうる。これに関連して、主婦会や世話所などに家族本来の機能が吸収されていることが、個々の炭砿家族の生活様式をいっそう単純化し、また画一的なものにしているといえよう。(7)

生活の場としての炭鉱コミュニティという点に注目したとき、その基礎になるのは炭鉱労働者とその家族が居住する炭鉱住宅だった。大手炭鉱では、大正時代に労働者の直轄管理化がおこなわれたことを契機として、福利厚生施設としての炭鉱住宅の整備が進んだ。こうした炭鉱住宅は家賃が無料かきわめて格安であり、電気・水道代が無料だったということもあり、とりわけ戦後の住宅・食料難のなかで、引き揚げ者や農家の次三男といった労働力を大量に吸収していったのである。そして炭鉱住宅の周りには、会社によって共同販売所や医療施設、学校、共同浴場などが整備されていった。たとえば地場大手の貝島炭砿の場合、一八八八年に従業員子弟の教育施設として私立小学校を開校し、一九一〇年に従業員医療のために貝島鉱山病院を創設、一二年には婦人稼業者の幼児を二十四時間体制で保育できる保育所を設置している。(8)

労働経済史家の市原博は、労働者同士の自律的な結合関係がとりわけ第一次世界大戦後に、大手炭鉱で経営側の労務管理施策の拡充によって包摂されていったとしている。

この新たに形成された各炭鉱を単位とする社会関係は地域的に封鎖された性格を強めつつ、鉱夫たちの間の人格的結合関係の伝統的な緊密性を引き継いで成員間の強い結びつきを維持することになった。これが戦後に形成される「炭鉱社会」の歴史的前提であり、戦後の「炭鉱社会」はこうして構築された炭鉱を単位とする社会関係が労組主導で編成替えされたものと位置づけることができる。[9]

こうした炭鉱社会での福利厚生施設の充実には、一方で経営側による家族擬制的な「温情」としての側面[10]と同時に、労働者の管理という側面があった。だがそれによって、かつての労働者相互の連帯意識は消えてしまったのではなく、それは労働の現場や、戦後には労働組合活動のなかにつながっていった。生活の場としての炭鉱コミュニティでは、会社による管理・包摂と、労働者とその家族による自律的互助が互いにせめぎ合っていた。そのことがよくわかるのが、先の武田ほかの引用にもある世話所（詰所という場合もある）と主婦会の存在である。

世話所とは、会社が設置する施設であり、「就業督励」など「一般鉱員の労働時間以外の日常生活を管理する機関」[11]だった。しかしその管轄する範囲は非常に幅広く、たとえば一九五八年時点の常磐炭砿（福島県）では、①就業関係、②採用解雇関係、③組合関係、④世話人会・主婦会・青年会などの指導、⑤住宅関係、⑥生活指導関係、⑦冠婚葬祭関係、⑧市役所駐在員などの機能をもっていた。さらには、赤字世帯の実態調査、貸付金制度、伝染病の予防、家庭不和の仲裁、青少年の補導、苦情処理、投票所までの交通費の実費支給といった役割まで担うことがあり、生産・生活に加え、地域の末端行政機能も担っていたと考えられる。つまり会社の側としては労働力をコントロールするために、家庭・家族の機能を部分的に請け負っていたのである。

これに対して主婦会は、炭鉱で働く男性の妻たちが自発的に結成したもので、夫たちが働く現場での保安改善や、各戸別の水道やトイレの設置を会社に要求するなど、「生命と暮らしを守る」ために積極的な活動を展開したのである。さらにこうした主婦会は生活改善のために学習会を開いたり、他地域の炭鉱主婦会とのネットワークを築いて交流するなど、会社に要求するだけでなく生活や地域の問題に対して連帯して対処していこうという創造的な性質をもっていたのである。[12]

このように、地理的・経営的な理由から生産施設を中心に集約された高密度の集落のなかで、人びとは産業側の論理によって形成された枠組みだけでなく、独自に連帯したりネットワークを築いたりして、生活を営んでいたのである。

2 炭鉱コミュニティの多様性と〈つながり〉の生成

特殊な諸条件に規定されながら、独自の連帯・社会関係を築いていたことが炭鉱コミュニティの特徴ではあるが、注意すべきは数ある炭鉱コミュニティの間にも多様性が存在したということである。地理学者の山口彌一郎は以下のように論じている。

石狩炭田に於ては常磐炭田に於ける如き、炭礦集落の発達をみる以前既に地方的聚落があり、後世的没交渉に起つた炭礦聚落に影響させられたものとは異なり、最初より純炭礦集落として起り、むしろ他の聚落が炭礦集落に調和追従して発達してゐる。(13)

つまり、炭鉱が開発される以前に農業集落などがあった常磐炭田のような場合と、純粋に炭鉱集落として開発されてからほかの要素が加わっていった石狩炭田の場合のように、炭鉱コミュニティには多様性がある。また、自然条件としての地下の炭層についていえば、層の厚さや傾斜の緩急といった要素は炭鉱の規模や機械化の程度を規定し（層が厚いほど、また傾斜が緩いほど機械化は容易である）、そうした炭鉱の規模や機械化の程度は会社と労働者たちの関係性を規定する。こうした地理的・自然的要素の差異が、炭鉱コミュニティの規模や親密性の程度、そして周辺の集落との関係性、すなわち開放性／閉鎖性といった特徴の多様性を生み出すのである。

だが、これに加えて重要なことは、炭鉱コミュニティの開放性／閉鎖性などの性質は、単に諸条件に規定されて機械的に決まるものではなく、そこに暮らし働く人びとの能動的な行為によって柔軟に乗り越えられていくものだということである。炭鉱コミュニティがそこで暮らし働く人びとの生活の場である以上、内的・外的な要因によって生活が危機にさらされたとき、人びとは既存の条件や資源を柔軟に組み替えることでそれに対処しようとするのである。

たとえば、北海道岩見沢市にあった朝日炭砿では、一九五〇年代に炭鉱が一時休山してしまうという危機に際して、女性たちが近隣の農家での「出面取り」に従事することで家計を支え、炭鉱の再開にまでこぎつけたという事例がみられる。(14)「出面取り」とは、北海道の方言で日雇いのアルバイトのような仕事を指す言葉である。この朝日炭砿があった朝日という集落の近くには栗山や上志文などの農業集落があり、住民の間で石炭と米の物々交換もおこなわれるなど、もともと行き来があったという。五四年四月、土砂崩れ事故によって朝日炭砿は資金繰りが悪化し、労働組合は賃金未払いに対して五月からストライキ、ロックアウトに入る。これに対して、会社側は五月三十一日、全員を解雇し、一時閉山を余儀なくされ、人びとは突如として生活の危機に直面したのである。一方で、五〇年代は米の増産への強い社会的要請がありながら、農家では人手不足の状況が続き、岩見沢でも問題は深刻だった。農業機械もまだ一般的でない時代、稲刈りなどの作業は人力に依存していて、臨時雇い・季節雇いである「出面さん」への需要は高まり、「出面賃」も高騰していた。こうした時代背景のなかで、ちょうど近隣の農家から炭鉱へ嫁いできていた女性が地域の女性たちを取りまとめて「出面」集団を組織したのである。

この事例は、農業集落に近いという朝日の地理的特徴や、ちょうど機械化が始まる前だったという日本の農業の歴史的状況が絶妙にかみ合ったからこそ可能になったものではあるが、ここから読み取れることはそれだけではない。そこには農作業や農家の人びとの性質を熟知したまとめ役の女性がいて、農作業にまったく不慣れな炭鉱夫の妻も仲間に加えながら、農家の需要に応えられる大人数を動員できたという、ミクロな努力と工夫、助け合いがあったのである。その後、朝日炭砿が再開して近隣農村でも作業の機械化が進むにつれて、こうした出面の規模は縮小していったわけだが、それは炭鉱コミュニティの性質が固定的なものではなく、あくまでそこで暮らし働く人びとの生活の必要に応じて柔軟に変化するものであることを示すものだろう。

3 〈つながり〉が果たす役割

ここまでみてきたことから明らかなのは、たしかに炭鉱コミュニティは独特の親密さや連帯の強さ、その一方で自己完結的な閉鎖性といった特徴をもつ傾向はあるものの、実際にはその地理的・自然的条件などによっても多様であり、何よりそこで暮らす人びとの生活の必要に応じて柔軟に変化するということだった。これも先にふれたように、炭鉱労働はしばしば命の危険も伴うものであり、また産業そして地域社会の存続そのものも資源に依存するという不安定さを伴うものだった。

とりわけ戦後日本の歴史を振り返ったとき、産業の構造転換による石炭産業の合理化と閉山は大規模な労働力の流動化をもたらした。こうした変化のただなかで職業移動や都市移住をした炭鉱離職者の生活歴を研究した髙橋伸一らのグループは、生活の安定化要因として本人の資質はもちろんのこと、離職年齢、ライフステージ、社会的ネットワークの質と量、職業と移住に対する考え方（人生設計）が重要な構成要素であることを明らかにしている。[15] ここで重要になってくるのは、やはり移動・移住の単位としての家族である。進学を控えた子どもがいる家族、高齢の親と同居している家族、移住とともに引退を考えている労働者の家族など、それぞれに事情は異なる。こうした異なる事情の家族ごとに、どこに移住するか、どのような仕事に再就職するか、その際にどのようなつてを頼りにするかも異なってくる。

本章でみてきたように、炭鉱社会は、仕事を求めて異質な人びとが集まるという意味で都会的でありながら、労働の特殊性からくる独特の連帯感情に基づく村落的な親密さを併せ持っていて、そこには地域や条件によって多様ではあるが実にさまざまな種類の人間関係＝「縁」が存在する。たとえば、同じ炭鉱集落あるいは長屋式社宅に住むという「地縁」、同じ炭鉱、あるいは現場で働くという「職縁」、そしてきょうだい関係や婚姻などによる「血縁・姻縁」、さらには同じ学校に通ったという「学縁」など、さまざまな「縁」が重なり合っている。しかしながら、こうした多様な「縁」は、当事者たちにとって必ずしも常に意識され、自覚的に利用されているとはかぎらない。先述の朝日炭砿の「出面取り」を例に挙げれば、ストによる炭鉱の機能停止という事態に直面した人びとは、すでにあった近隣農業集落との関係という「地縁」を最大限に生かすことで、生活の危機を乗り切ったのである。本書では、このように不確実・不安定な状況に対して、多様な「縁」を頼り、たどり、新たに結び合わせる（自覚し、活性化させる）ことで対処するという動的な側面に注目し、それを〈つながり〉と表現することにする。

以降、尺別炭砿の概要について述べる第2章「尺別炭砿――戦後のあゆみ」（嶋﨑尚子）に続いて、第1部では炭鉱コミュニティでの多様な「縁」が、尺別炭砿でどのように展開されていたかを紹介する。第3章「炭鉱労働での「職縁」――〈つながり〉と信頼」（嶋﨑尚子）では「職縁」、第4章「炭鉱家族の「血縁」――〈つながり〉と暮らし」（嶋﨑尚子）では「血縁」（家族・親族の縁）、第5章「炭鉱の学校と「学縁」――子どもたちの〈つながり〉」（笠原良太）では「学縁」、第6章「炭鉱コミュニティの「暮らし」――尺別の地縁の多層性」（新藤慶）では「地縁」についてふれる。第2部「炭鉱閉山と「縁」の離散――一九七〇年二月」では閉山とそれに伴う生活拠点の移動という危機のなかで、これらの「縁」がどのように解体・再編されたかに注目する。第7章「尺別炭砿の閉山と地域崩壊――閉山ドキュメント」（笠原良太）では閉山による地域崩壊のプロセス、第8章「閉山後の再就職――離散からの再出発」（畑山直子）と第9章「尺別からの転出――「縁」を活用した再就職と移動」（嶋﨑尚子）ではその後の移住や再就職で尺別のさまざまな「縁」がどのようにして〈つながり〉として機能したかを紹介する。第3部「「炭鉱の縁」の展開――故郷喪失からの五十年」は、それから五十年を経ての展開を示す。第10章「「地縁」のゆくえ――同郷団体にみる新たな〈つながり〉」（新藤慶）では移住先で新たに〈つながり〉として活性化する尺別の「地縁」、第11章「「学縁」の展開――閉山時高校生・中学生の五十年」（笠原良太）では「学縁」について紹介する。第12章「継承される炭鉱の「縁」と文化」（木村至聖）では、こうした〈つながり〉がいま現在どのような意味をもち、今後どうなっていくかについて展望する。第1部・第2部での〈つながり〉が「横」に伸びていくつながりだとすれば、この第3部の〈つながり〉はそれに時間的な厚みが加わり、次の世代に受け継がれていくような性質をもっている。さらに、尺別炭砿で暮らした方々へのインタビューをもとにしたコラムを七編置いた。このなかでも、尺別の「縁」や〈つながり〉が当事者の言葉で生き生きと語られている。

このように本書では、尺別炭砿で生まれた「縁」がどのように活用され、また再編成されていったのかについて、〈つなぐ〉〈つながる〉無数の実践を通して明らかにしていきたい。

注

（1）Robert S. Platt, "Mining Patterns of Occupance in Five South American Districts," *Economic Geography*, 12(4), 1936, pp. 34-50.
（2）川崎茂『日本の鉱山集落』大明堂、一九七三年、一〇ページ
（3）『フラガール』は第八十回キネマ旬報ベストテン・邦画第一位、第三十回日本アカデミー賞最優秀作品賞受賞、『東京タワー』は第三十一回日本アカデミー賞最優秀作品賞を受賞している。
（4）三浦典子『流動型社会の研究』（社会学叢書）、恒星社厚生閣、一九九一年、一五六ページ
（5）徳本正彦／依田精一『石炭不況と地域社会の変容』法律文化社、一九六三年、一〇七ページ
（6）村串仁三郎『大正昭和期の鉱夫同職組合「友子」制度——続・日本の伝統的労資関係』時潮社、二〇〇六年
（7）武田良三ほか「炭砿社会と地域社会——常磐炭鉱における産業・労働・家族および地域社会の研究」「社会科学討究」第二十二・二十三号合併号、早稲田大学社会科学研究所、一九六三年、二二一ページ
（8）吉田秀和「離職家族と生活ネットワーク——移動家族と非移動家族の比較分析」、髙橋伸一編著『移動社会と生活

ネットワーク――元炭鉱労働者の生活史研究』所収、高菅出版、二〇〇二年、三三五ページ

（9）市原博『炭鉱の労働社会史――日本の伝統的労働・社会秩序と管理』多賀出版、一九九七年、三七六ページ

（10）前掲「離職家族と生活ネットワーク」三三六ページ

（11）前掲「炭砿社会と地域社会」七〇ページ

（12）西城戸誠「産炭地の女性たち――「母親運動」の評価をめぐって」、中澤秀雄／嶋﨑尚子編著『炭鉱と「日本の奇跡」――石炭の多面性を掘り直す』所収、青弓社、二〇一八年

（13）山口彌一郎『炭礦聚落』古今書院、一九四二年、六七―六八ページ

（14）木村至聖「生活戦略からみる炭鉱社会像の再考――北海道岩見沢市朝日町における「出面取り」の事例から」「甲南女子大学研究紀要 人間科学編」第四十九号、甲南女子大学、二〇一二年

（15）前掲「離職家族と生活ネットワーク」一四八ページ

第2章　尺別炭砿
——戦後のあゆみ

嶋﨑尚子

1　尺別炭砿の概況と特徴

「山峡の炭鉱」の成立

本書の研究対象である尺別炭砿は、北海道東部の太平洋に面した釧路炭田の北海道白糠郡音別町字尺別（現・釧路市音別町）、尺別川上流の奥地に開かれた（図1）。開基は一九一〇年にさかのぼる。採掘は三鉱区三百七十八万余坪[1]（千二百五十万平方メートル）でなされ、坑口は、根室本線尺別駅から北西約十キロに設置された。一八年の営業採炭開始から七〇年の閉山まで、五十二年間稼働した。閉山時の居住者は四千人、その全員が閉山半年後までに尺別を離れた。無人になった尺別跡地は五十年を経た現在、文字どおり自然に還っている。元住人でなければ、往時の炭鉱街は想像できない。この百年間に「人が入って丸裸にし、その後再び自然に還った[2]」のである。

尺別炭砿は、一九二一年から北日本鉱業株式会社が経営していたが、二八年には雄別炭砿鉄道株式会社に買収合併され、同社雄別砿業所の支坑と位置づけられた。同社はもともと北海道炭砿鉄道株式会社だったが、二四年

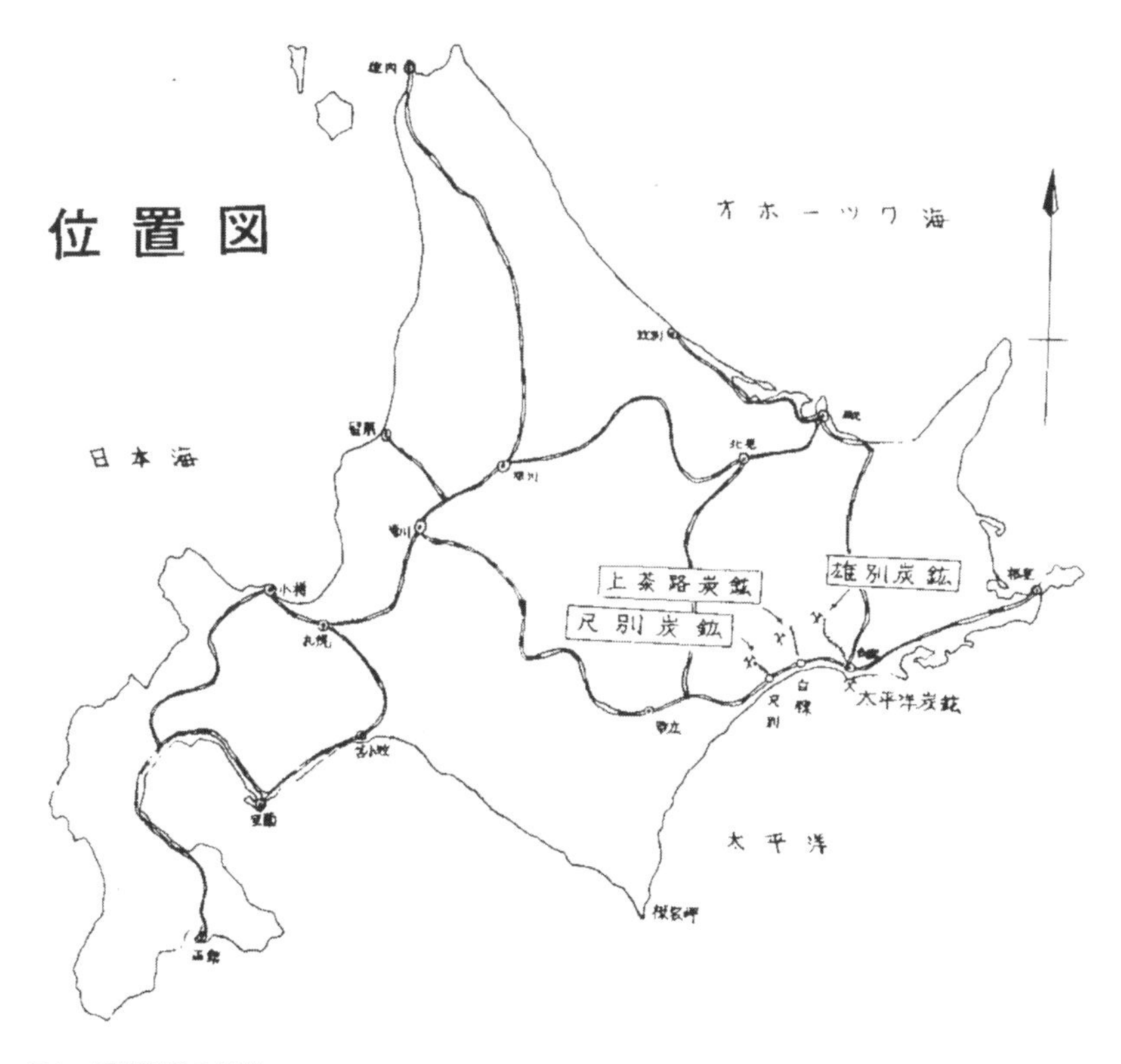

図1　尺別炭砿の位置
（出典：尺別炭鉱労働組合編『労働組合解散記念誌 道標――山峡の灯』尺別炭鉱労働組合、1970年、50ページ）

に三菱鉱業株式会社に買収され、社名を雄別炭砿鉄道に変更し、二七年には三菱鉱業の全額出資子会社になっていた(3)。尺別に続いて三五年に茂尻炭砿、翌三六年に浦幌炭砿を買収して、雄別三山（雄別・尺別・茂尻）体制を整え（浦幌は尺別炭砿の兄弟炭砿という位置づけだった）、戦時増産体制へと移行した(4)。戦後、財閥解体によって、四七年五月に三菱鉱業から分離独立した(5)。尺別は、四九年に雄別砿業所から分離して尺別砿業所になった。その後、雄別炭砿鉄道は五九年六月に「雄別炭砿株式会社」（以下、雄別炭砿社と略記）に社名変更した(6)。

　政府は、一九五五年に石炭鉱業合理化臨時措置法を制定し、スクラップ・アンド・ビルド政策を開始した。この政策は、非能率炭鉱を閉山（スクラップ）し、高能率炭鉱を増強（ビルド）するもので、石炭鉱業調査団が各炭鉱を判定した。その結果、茂尻と尺別がビルド鉱のうち「B増強群」、雄別が「C一部増強を含む現状維持群」に指定された。[7] 六八年度からの第四次石炭政策は、石炭会社に抜本的な再建計画を求める内容だった。そうしたなか六九年、茂尻炭砿でガス爆発事故が発生して死者十九人、負傷者二十四人を出したのである。茂尻は同年五月三十日に閉山を余儀なくされた。この事故を受けて、雄別炭砿社は、政府資金を当て込んでの再建計画が頓挫して再建不可能と判断された。[8] その結果、七〇年二月二十七日、同社は「企業ぐるみ閉山」を選択し、上茶路（一九六四年開坑）を含む三山が閉山、会社解散したのである。

尺別炭砿は山間に位置するため、奥部にある坑口から尺別駅までの運炭体制の整備が必須だった。当初は馬や軽便鉄道を用いたが、出炭の増加に伴って専用鉄道を敷設した。それが尺別炭砿専用鉄道である。鉄道敷設を含む開発は、一九三六年に買収した浦幌炭砿との「尺・浦綜合開発計画（尺浦統合）」として進められた。浦幌炭砿は、釧路炭田最西部にある十勝地域唯一の炭鉱であり、尺別炭砿とは白糠丘陵を挟んだ位置にあった。[9] この計画では、浦幌で採掘した石炭を尺別で選炭し尺別炭と合わせて搬出するように、尺別と浦幌を尺浦通洞（六千メートル）でつないだ。尺別に当時東洋一といわれた綜合選炭機を設置するなど、坑内諸施設の合理化、坑外施設の完備も進められた。尺別炭砿専用鉄道は、四二年十月に尺浦通洞を含む十・八キロの運転を開始し、[10] これによって、炭山から釧路港の石炭積み込み船まで石炭を直送することが可能になった。六二年一月に地方鉄道（いわゆる私鉄）「尺別鉄道」に昇格した。[11] ちなみに六五年の時刻表によれば、尺別炭山―旭町―新尺別―八幡前―社尺別（国鉄尺別駅から四百メートル）を三十二分程度で結んでいた。[12] また尺別鉄道は従業員なども輸送し、尺別地域での主要交通手段となった。[13] 尺別閉山まで稼働したが、旅客は合理化の一環で閉山二年前にバス運行に切り替わった。

戦前・戦中期に、尺別炭砿は奈多内坑（一九三五年開坑）と奥沢坑（一九三七年開坑）、浦幌炭砿は第一坑（双運坑）と太平坑（一九四一年開坑）で採炭していた。尺別（浦幌含む）の出炭量（図2）は、尺浦統合以降に急増し

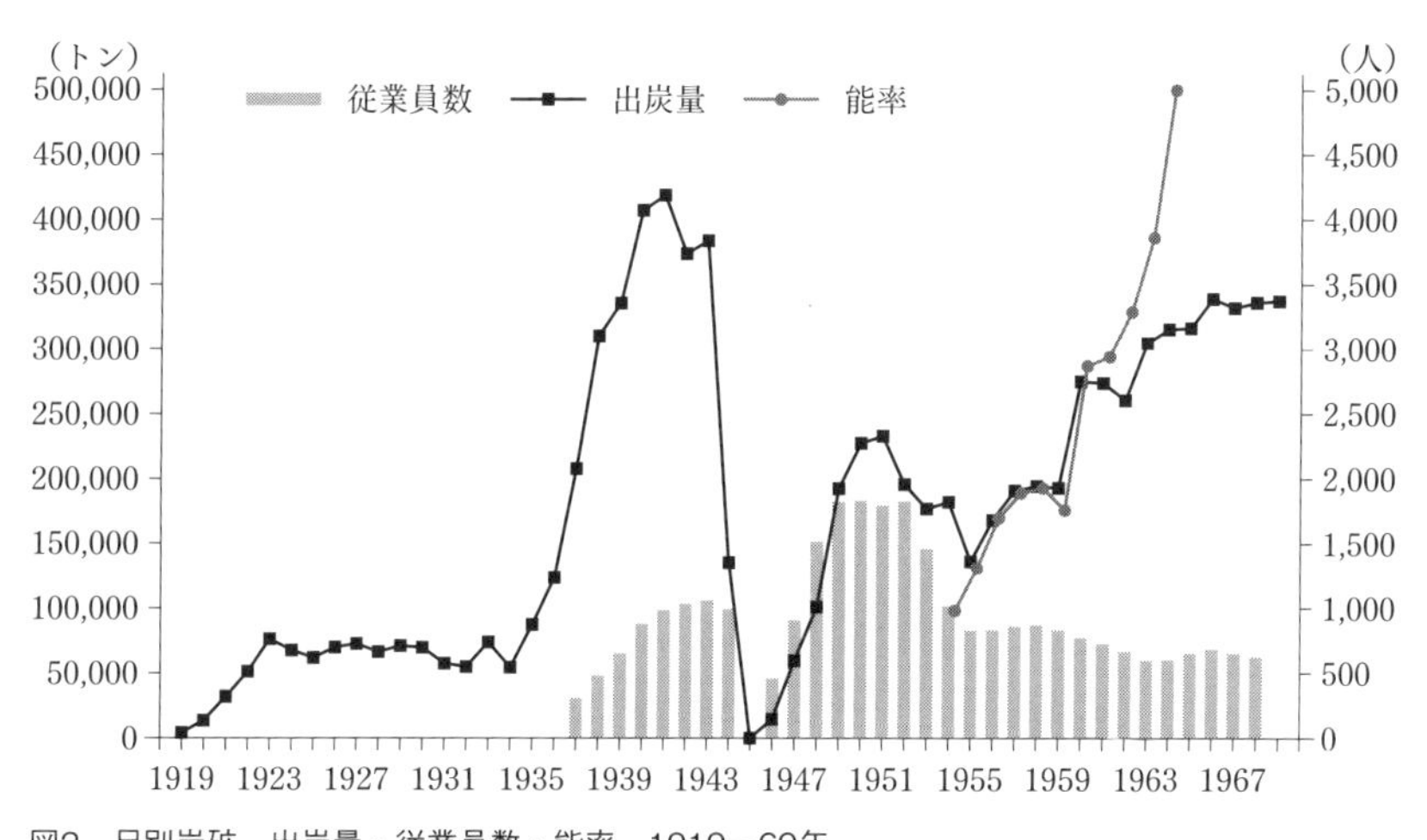

図2　尺別炭砿　出炭量・従業員数・能率　1919―69年
（出典：出炭量・従業員数とも1919年から44年は音別町史編さん委員会編集『音別町史』上〔音別町、2006年〕、1945年から70年は前掲『労働組合解散記念誌 道標』、能率1954年から64年は尺別炭砿『入社要綱』〔雄別炭砿株式会社尺別礦業所、1963年〕）

て[14]、戦前のピークは一九四〇年・四一年で四十万トンを超えた。この出炭量は、結果的に尺別の最大量になった。尺別は当時「道内炭鉱の異色児として、前途を期待され」ていた。しかし、四四年の「急速転換」によって一転、休坑になった[15]。

その経緯を詳述しよう。北海道炭は京浜地区に向けて海上輸送されていたが、第二次世界大戦の戦況悪化によって制海権を喪失し、輸送は困難を極めた。政府は一九四四年八月十一日、「樺太及び釧路に於ける炭鉱勤労者、資材等の急速転換の件」を閣議決定した。これによって、釧路炭田と樺太の炭鉱は保坑・休坑・廃坑になり、労働力（朝鮮人労働者を含む）と資材は本州（常磐）と九州（筑豊・三池）に強制移動させられた。これが「急速転換」である。釧路炭田からは約六千人が九州へ移動した[16]。

尺別・浦幌はその対象だった。尺別では奈多内坑が休坑、奥沢坑が廃坑になった。浦幌は第一坑と太平坑がともに休坑になった。尺別の労働者千四十七人中七百八十人が徴用令書を受けて、三菱鉱業新入（しんにゅう）炭鉱へ転換した。うち四百十人が朝鮮人だった。浦幌では九百五十人中六百九十人が三菱鉱業方城（ほうじょう）炭鉱に移った（朝鮮人は四百三十人[17]）。彼らは「九州増産尺別突撃隊」として、釧路から一週間汽車に乗り続けて陸路で筑豊へ移動した。尺別からの移転者は新入で四つの寮に分宿し、朝鮮人労働者とともに慣れない暑さのなか、二交代十二時間労働で採炭に当たった[18]。若い労働者のなかには、転換中に召集令状を受けて入営し、敗戦後にシベリアで抑留された者もいた。他方、尺別で近代的設備として誇った大選炭機などの坑内外諸施設や機械は、美唄や筑豊へ転換・移転された[19]。もぬけの殻になった尺別では、冬を迎えてヤマたき炭が不足して、休坑中の坑内で石炭を手掘りする妻や子どももいたという。

戦後復興の苦闘と短い最盛期

敗戦後の十月以降、急速転換で移動した者の多くは尺別・浦幌に戻ってきた。しかし、尺別・浦幌とも休坑状態で再開の目途は立たなかった。そのため、彼らは仕事を求めて雄別炭砿に再び移動した。雄別は急速転換では保坑指定であったので、敗戦後直ちに生産を再開していたのである。軍隊からの復員者も尺別へ帰山後、雄別へ移動した。再会の喜びもつかの間、再び尺別に残された家族の多くは、尺別海岸にある炭鉱直営の製塩工場で、海水を原料にした製品化作業に当たった[20]。

しかし一九四六年に入るとすぐに、尺別復興の動きが活発化した。復興促進体制づくりとして、まず一月に、尺別に残っていた三十人が労働組合を結成した[21]。結成大会は「家族を残して雄別・庶路・上芦別・赤平と、出稼ぎに行っている仲間たちを一日も早く呼び戻してやろうとの気魄が会場に満ち満ちていた[22]」とある。四月に、再開準備に必要な十数人の先発隊が尺別に戻ってきた[23]。彼らは尺浦復興促進会を結成して、すぐさま復興作業に着手した。その当時の様子は、次のようなものだった。「五月一二日、山神祭がおわって祝酒気分も醒めやらぬうちに従業員、家族、公職者、指定商、つまりヤマ中が、駐在さんも郵便局長さんも、店の親爺さんも一丸となって「奈多内竪入れ坑道の取分作業」を展開した。（尺別が息を吹き返すゾ…）みんな真剣だった。とりわけ他山転換者の家族は一生懸命だった。（早くお父ちゃんに帰ってきて貰いたい）スコップの一はね一はねに、力がこもった[24]」。こうして八月下旬には出炭千トンにまで回復して、ついに九月二十三日に復興式典を挙行するにいたった。

この式典では「従業員及び家族は感涙にむせび、全員心から復興を誓ったのであった」[25]。ちなみに、現在も尺別地域に残っている復興記念碑（写真1）はこの日に建立された。雄別からの転換は十月上旬にはほぼ完了し、従業員は三百人を超える体制になった[26]。

他方、浦幌では一九四七年四月に浦幌復興促進会が結成され、従業員家族は浦幌へ漸次転換して復興事業に当たった。四八年五月十一日に浦幌炭砿復興祭の挙行にいたった。前述のとおり尺別は、四八年四月に雄別砿業所から分離・独立し、尺別砿業所として十課一病院制を実現した[27]。「尺別礦業所独立記念祭」も浦幌炭砿復興祭と同日に開催された。これで尺別の戦後体制が整ったのである。

写真1　尺別炭砿復興記念碑（2014年6月、筆者撮影）

しかし、尺別・浦幌の復興は容易ではなかった。当時、石炭業界は「黒ダイヤ」の好況にあったが、尺別はその流れに乗ることはできなかった。一九五〇年四月・五月には賃金分割払い、遅払いの事態に陥った。同年十二月の尺浦合同経営協議会上で、尺別砿業所更生計画が提示され、尺別は五一年度上期までの改善を目指した。こうした尺別の苦境の背景には、「戦時中の休山という空白期間のため戦後の復興が遅れ、あらゆる条件が新鉱開発以上の経費と時日を要し、剰え（あまつさ）予期しない断層等の悪条件に災いされ」[28]（ルビは引用者）たことがあった。ヤマを挙げての苦闘の様子は、技術副長（技術のトップ）として復興を支えた人物の離任時（一九五二年四月）のあいさつ文からうかがえる。長文だが引用する。

この開発の歴史は、最初から全ての条件に恵まれなかったためと、何一つとして予想した条件より良かったことはないので苦闘の連続でありました。私は冷たい男だ、と、多分思われるほどの苦労を皆さんに強いたが、私自身に対しても皆さん方に強いた以上の苦労を身に受けて来たのも、尺別鉱業所の操業を、一日も早く安定させて、明るく喜び合う日を望んでいたからであります。しかし神様は予想通りの幸福を私達に与えてはくれなかったのです。最初から資金資材難は覚悟していましたが、あの復興融資の停止から、自売による炭質問題に絡む、開発途上にあった丹之澤第二捲卸区域の中止、南通洞区域における丹之澤断層の出現、第一坑採炭切羽の自然発火[29]、太平坑各鉱の走高断層の頻出等によって、全ての計画は足踏みしたため、坑内は、血の出るような努力を重ねなければならなかったのですが、皆さんの苦心の賜として、炭層状況も略々その全貌を知り得たし、坑内構造、機械化の基礎も確立したので、飛躍する日も近いことと確信しています。坑外においては各施設とも決して遜色のあるものではなく、特に厚生施設については、限られた資金の中から、僻地の生活を明るく、そして豊かに楽しむことができるように、一歩進んだものにすることに腐心した積りであります。[30]

こうした苦境下で一九五三年八月には、雄別炭砿社として最初の人員整理・合理化が断行された。会社側提案は、尺別では坑内二百七十七人、坑外百七十一人（浦幌含む）の人員整理だった。それに対して、従業員側は石炭産業の斜陽化に敏感に反応し、応募者は尺別三百二十八人（坑内二百七人、坑外百二十一人）、浦幌三百九人（同二百五十八人、五十一人）と、会社提案をはるかに上回った。[31] 図2のとおり、五〇年から千八百人に拡大していた従業員数はこれを機に縮小に転じた。しかし事態は改善せず、雄別炭砿社は五四年十二月、「可採炭量枯渇」を理由に浦幌炭砿を閉山した。雄別炭鉱労働組合連合会（雄労連）は、閉山提案をやむなしと受け入れて離職者の完全雇用を求めた。その結果、浦幌離職者のうち転換希望者は、三山（雄別百三十八人・茂尻八十七人[32]・尺別九十人）に受け入れられた。[33] 尺浦体制は終了した。

その後、尺別では安定生産の模索が続いた。まず、主力坑を奈多内坑から双久坑へ移した。一九五一年に着手した双久通洞は翌年三月に完成して東卸坑が開坑し、月産一万二千トン、その後五四年に北卸坑が開坑し、一万三千トンの出炭が可能になった。これによって、安定生産へと舵を切った。[34] ついで、六一年からベルト斜坑（千九百二十七メートル、傾斜十六度）の開発に着手した。[35] ベルト斜坑は、六六年三月に東卸二段卸に連絡してベルトでの出炭が開始された。尺別は、すでに六四年二月に「その努力の甲斐があり出炭能率に於いて全国第一位の偉業を成し遂げ[36]」ていて、大ベルト斜坑は注目されていた。その結果、図2のとおり、年産三十万トン体制を実現したのである。さらに、六四年からは新たな鉱区として南直別鉱の開発にも着手し、将来的には出炭十万トンを目指していた。[37] しかし、この最盛期は長くは続かなかった。斜坑ベルト設置の負担は大きく、さらに前述の茂尻炭砿でのガス爆発事故がそれに追い打ちをかけた。雄別炭砿社はついに会社解散を決意して、尺別炭砿は閉山したのだった。

2　尺別の社会的・空間的配置

尺別「炭山」社会

大正期に開かれた尺別炭砿は、炭山の住民全員が移住者である。炭砿従業員数は、数値を確認できる最初の一九三七年で三百四人だった（図2）。戦前に千人に達し、その後急速転換で皆無になり、戦後復興後に拡大して、一九五〇年には千八百人を数える。このように尺別には多くの人たちが移ってきたが、残念ながら、現時点で彼らの出身地に関する情報を入手できていない。しかしこれまでの炭鉱労働史研究では、北海道の炭鉱労働者の多くが東北・北陸地方の農村からの移住者であることと、九州筑豊の炭鉱労働者が挙家離村型、家族単位で移住したのとは対照的に、北海道では単身で移住し、炭鉱移住後に出身地から呼び寄せた女性と結婚して家族を形成したことの二点が指摘されている。[38]また北海道の大手炭鉱では、五〇年代に労働者の定着が急速に進み、炭鉱労働者家族からなる地域社会が形成された。[39]ちなみにわれわれのヒアリング対象者の多くは、祖父や父親が東北・北陸出身だった。

加えて敗戦後には、多くの樺太引き揚げ者が尺別に移住してきた。日露戦争以降、南樺太では、製紙業、石炭産業、農林水産業が栄え、最盛期にはおよそ四十万の日本人が暮らしていた。敗戦後一九四六年から四九年にその多くが本土に引き揚げた。公式引き揚げでは、二十六万三千八百七十五人、それ以外に密航などによる多数の引き揚げ者がいた。[40]彼らを受け入れたのが、炭鉱だった。当時の炭鉱での労働力不足と、炭鉱の福利厚生の手厚さ（「炭鉱に行けば仕事と飯がある」）が誘因だった。引き揚げ者のおよそ七〇％が北海道にとどまり、礼文島、利尻島、各産炭地に定着した。[41]実際、尺別炭砿にも樺太からの多くの引き揚げ者が移住し、定着したのである。[42]

移住者によって形成された尺別「炭山」社会は、炭鉱関係者を中心にした顔ぶれだったが、そこには階層構造がある。本書第3章「炭鉱労働での「職縁」――〈つながり〉と信頼」（嶋﨑尚子）で詳述するが、炭鉱の従業員は職員、鉱員、そして下請け（尺別では組夫）に大別できる。圧倒的多数を占めるのは鉱員である。たとえば一九四九年末の従業員千九百五十一人の構成は、職員百五十五人、坑内夫九百八十九人、坑外夫八百七人だった。[43]このほかに、役場職員や学校関係者などの公職者、会社指定商店（指定商）関係者、炭鉱停年者[44]も居住していた。後述のように閉山時の尺別地域の居住者四千七十人のうち、三千四百五十六人（八五％）が炭鉱関係者（炭鉱労働者とその家族）だった。

炭鉱での階層構造は、地域社会に直接反映された。写真2は、最盛期の頃の尺別「炭山」の全景写真である。炭山の空間的配置がわかる。最奥部に炭鉱施設（繰込所・安全灯室・綜合事務所・山元ボイラー・電気工場・機電工場・選炭工場・豆炭工場など）があり、坑口から三キロ下流の新尺別に炭住区が形成された。[45]炭鉱では炭鉱住宅は福利厚生施設であると同時に、三交代二十四時間稼働体制の維持に必須の生産施設でもあった。尺別の炭住区は、尺別川上流（奥部）部の炭鉱施設に近いところから、組夫用、鉱員用、職員用と配置されていた。具体的には、

写真2　最盛期の頃の尺別「炭山」の全景写真（E さん提供）

仲町（豆炭工場周辺、組夫）、旭町、緑町二区、緑町一区、栄町（独身寮「清風寮」と焼失後の「新栄寮」含む）、錦町（職員）である。このうち緑町と錦町の一部（一・三丁目）が戦前にすでに形成されていた。各区には詰所、購買会、共同浴場が設けられていた。このうち緑町が最大の炭住区だった（詳細は第4章「炭鉱家族の「血縁」――〈つながり〉と暮らし」〔嶋崎尚子〕）。尺別「炭山」の中心地は新尺別駅周辺で、福利施設の協和会館、音別町役場支所、警察署、郵便局、組合事務所、厚生会館、健保会館、病院があった。その下流には指定商商店街があり、三十四の商店（寺院を含む）などが軒を連ねていた[46]（詳細は第6章「炭鉱コミュニティの「暮らし」――尺別の地縁の多層性」〔新藤慶〕）。そして最下流の錦町が職員住宅であり、川を挟んで尺別炭砿小学校、尺別炭砿中学校、教員住宅が配置されていた。炭山で暮らすすべての人びとの生活が「炭山」地域内で展開されていた。閉山時の戸数は千十九戸、居住者は四千七十人、音別町内の最大集落だった[47]。

尺別炭砿と周辺地域――尺別原野との関係、音別町政への関与

尺別地域には、尺別炭砿に先んじて尺別原野が開拓され、農林業（畑作中心）地域「尺別村」が成立していた。尺別原野は一八九九年に、中川弥次兵衛らによって開かれた。一九〇一年には尺別教育所が開設し、のちに尺別小学校となる。〇二年、鹿島家（鹿島建設）が尺別の山林を購入して林業が開始される。一五年には白糠から分村して尺別村になった。尺別炭砿が営業採炭を開始した翌年の一九年時点で、尺別原野には百二十八世帯が暮らしていた。その後、尺別炭砿の急速な拡大と呼応して、原野の人口も拡大した。三四年の統計によれば、七十八世帯、四百九十八人だった。[48] また、国鉄尺別駅・尺別炭砿専用鉄道の社尺別駅の周辺にも集落があり、岐線地区と呼ばれていた。国鉄官舎と鉄道関係者が居住し、六五年頃には四十世帯（国鉄官舎十一、その他二十九）が暮らしていた。[49]

尺別原野世帯の多くは兼業で、世帯主が炭鉱で就労し、妻が農業を担当した。炭鉱からの現金収入と石炭支給が家計を支えた。農作物を炭山で売り、生活必需品を炭山で買い、映画や娯楽に興じるのも炭山の協和会館だった。尺別小学校は一九六四年に尺別炭砿小学校に統合され、尺別原野と岐線の子どもたちはすべての教育を炭鉱地域で受けることになった。本書第5章「炭鉱の学校と「学縁」――子どもたちの〈つながり〉」（笠原良太）と第6章で詳述するように、尺別炭砿が最盛期を迎えた六〇年代には、炭鉱地域の生活水準と文化水準は尺別原野ひいては音別町と比して圧倒的に優位だった。[50]

当然のことながら、炭鉱の勢いはその住人たちの地域行政への関心と影響力を拡大する。具体的には、労働組合が地方行政に積極的に関与し始めた。[51] 尺別では一九六〇年前後（昭和三十年代）に音別町政への発言や影響力が増し、町長や町議を出した。[52] 町長は尺別炭鉱労働組合元執行委員長（一九四八年度から五三年度）の千葉襄治氏が、六九年六月に急逝するまで三期十年、務めたのである。[53]

しかし最盛期から急転直下、一九七〇年二月の尺別炭砿閉山は、尺別原野と音別町を根幹から揺るがした。尺

別原野の多くの世帯は、炭砿閉山後に酪農に転換して長期間をかけて再生し、二〇二〇年現在、大規模酪農を営んでいる。音別町は人口が激減し、新産業の誘致もままならなかった（第7章「尺別炭砿の閉山と地域崩壊――閉山ドキュメント」〔笠原良太〕）。

3　研究対象としての尺別――〈つながり〉の炭鉱

われわれは、閉山から四十余年を経た二〇一四年に尺別研究に着手した。短期間に多くのインタビューなどの機会を得たが、そこからわれわれは四つの衝撃を受けた。それらはいずれも炭鉱閉山がヤマ・地域に及ぼした影響のありのままの現実を、われわれに突き付けた。第一は、『労働組合解散記念誌 道標――山峡の灯』（尺別炭鉱労働組合、一九七〇年）である。一定規模以上の炭鉱労働組合はどこも、閉山後に解散記念誌を発行している。内容はおおむね組合史に焦点を当てた炭鉱の歴史、往時の写真、解散時の組合員名簿（氏名、職位、再就職先、移転先住所、写真、家族構成など）である。尺別の『労働組合解散記念誌 道標』には、これらに加えて二十ページにわたる「道内再就職者めぐり」「道内他産業就職者訪問」記事が掲載されている。この記事は「道内走破三〇〇〇キロ　約二〇日間に及ぶ追跡調査は終わった。懐かしい顔、顔、顔…」で始まる。なんと最後の労働組合役員三人が、閉山から四カ月後の六月に、二十日間をかけて道内をめぐり、全員の再就職先を訪問し、そこでの苦労を共有して支援したというのである（詳細は第8章「閉山後の再就職――離散からの再出発」〔畑山直子〕）。

第二は、二〇二〇年現在でも毎年五月に開催されている東京尺別会である（詳細は本書第10章「「地縁」のゆくえ――同郷団体にみる新たな〈つながり〉」〔新藤慶〕）。同会は同郷会であり、直近の一九年度大会でも百二十人が参加している。一五年にはじめて参加した際には「大規模な親戚の集まり」という印象だった。尺別の〈つながり〉が世代間で継承されている実情との遭遇であった。そして第三に、この東京尺別会の発足には、東京近郊に移住した尺別炭砿出身者ばかりでなく閉山後も尺別にとどまった尺別原野・岐線地区の人びとも関わっていた事実である。尺別炭山社会は、周辺の尺別原野などの地域社会と同心円状に拡大する関係を形成し、その関係は長期にわたって相互補完的だったのだ。

そして第四に、そうした周辺社会との関係は、子どもたちや学校を介して浸透していたということだ。学校へのわれわれの着目は、尺別炭砿中学校閉校時の松実寛教頭との出会いから始まった。炭鉱閉山が子どもたちに深刻な影響をもたらしたという事実は、われわれの研究関心を広げ、さらにわれわれの調査を介して閉山当時の大人たちにも衝撃を与えることになった（詳細は第9章「尺別からの転出――「縁」を活用した再就職と移動」〔嶋﨑尚子〕）。

本書は、主に一九五〇年代以降の尺別炭砿を事例に、炭鉱で結ばれたさまざまな「縁」とそれらから醸成された〈つながり〉に着目する。われわれは、尺別炭砿が北海道の大手炭鉱の成立から衰退までの過程を考察するのに適切な事例と考えている。なぜなら本章でも数点指摘したが、炭鉱労働史の先行研究で指摘された北海道炭鉱の特性を追認できるからである。しかしわれわれが把握しているかぎり、他炭鉱と同じく、尺別炭砿には固有の特性がある。たとえば炭鉱規模が比較的小さいこと、財閥系炭鉱でないこと、閉山後に産業転換ができず完全に消滅したこと、隣接する尺別原野（農業のちに酪農）との相互補完的関係が存在したことである。これらの特性はいずれも、われわれの尺別研究の重要な動機づけになったが、同時に本書の知見を炭鉱研究として一般化する際の留意点でもある。さらに加えるならば、残念ながら尺別炭砿会社の経営に関する文書資料が圧倒的に不足している点も指摘しておかなければならない。とはいえ、われわれはそれを上回るほど豊かな資料・情報を利用する機会を得た。本書では労働者・家族が展開した炭山での暮らしと閉山後の五十年を再構成し、以下に三部構成で尺別炭砿の戦後史を四つの「縁」とそこから醸成された〈つながり〉に着目して編んでいく。

注

（1）試掘は十二鉱区七百七十四万余坪（二千五百六十万平方メートル）である。三菱鉱業セメント株式会社総務部社史編纂室編『三菱鉱業社史』三菱鉱業セメント、一九七六年、三一八ページ
（2）二〇一九年九月、浦幌町立博物館学芸員の持田誠氏の表現。
（3）茂尻炭砿五十年史編纂委員会編『茂尻炭砿五十年史』雄別炭砿茂尻礦業所、一九六七年、九八―九九ページ
（4）同書四〇一ページ
（5）雄別炭鉱労働組合『創立十周年史』雄別炭鉱労働組合、一九五六年、一八ページ
（6）前掲『茂尻炭砿五十年史』四〇一ページ
（7）「朝日新聞」一九六二年九月二十九日付
（8）音別町史編さん委員会編集『音別町史』上、音別町、二〇〇六年、六九二―六九三ページ
（9）浦幌町立博物館作成資料
（10）岡崎由夫／古川史郎／寺島敏治『釧路炭田――資源とヤマの盛衰』（釧路叢書）、釧路市役所、一九七四年、二三一―二三二ページ
（11）石川孝織編著『尺別駅と直別駅』（釧路市立博物館ブックレット）、釧路市立博物館友の会、二〇一九年、九ページ
（12）同書八ページ
（13）同書八ページ
（14）尺別炭砿社内報「やまの光」一九五一年新春更生号、尺別礦業所、一三―一五ページ
（15）尺別炭砿『入社要綱』雄別炭砿株式会社尺別礦業所、一九六三年、一ページ
（16）石川孝織／佐藤冨喜雄／福本寛「釧路炭田における戦時下「急速転換」――経験者の証言を中心に」、九州大学附属図書館付設記録資料館産業経済資料部門編集「エネルギー史研究――石炭を中心として」第二十七巻、九州大学附属図書館付設記録資料館産業経済資料部門、二〇一二年、四九―五〇ページ
（17）同論文五二ページ

(18)前掲『釧路炭田』二七六ページ
(19)同書二七五ページ、前掲「やまの光」一九五一年新春更生号、一三―一五ページ
(20)尺別炭鉱労働組合『尺労のあゆみ――二十年史』尺別炭鉱労働組合、一九六六年、一五―一六ページ
(21)前掲『釧路炭田』二一六ページ。なお、雄別炭砿では前年十二月に結成され、職員も加入していた。
(22)前掲『尺労のあゆみ』一七ページ
(23)当時の様子について、「四月に至り尺別炭砿復興推進委員会と雄別鉱業所、片岡良太郎氏との折衝が順調に進み、尺別鉱復興のきざしが見えてきた。両者の間に再開準備に必要な少数の人員を尺別に派遣する了解が成立したのである。こうして雄別労組とも連絡の上、転換についての対策が完了し、五月初旬に至って梅川佐次郎氏を中心に十数名が帰ってきた」とある。前掲『尺労のあゆみ』一八ページ
(24)同書一八ページ
(25)前掲「やまの光」一九五一年新春更生号、一三―一五ページ
(26)前掲『尺労のあゆみ』一九ページ
(27)前掲「やまの光」一九五一年新春更生号、一三―一五ページ
(28)尺別炭砿社内報「やまの光」一九五二年六・七月号、尺別礦業所、二ページ
(29)一九五一年十二月、第一坑坑内出水事故が発生して五人が殉職した事故を指す(前掲『尺労のあゆみ』三五ページ)。
(30)前掲「やまの光」一九五二年六・七月号、三ページ
(31)前掲『尺労のあゆみ』四二―四三ページ
(32)雄別・茂尻の値は前掲『創立十周年史』七八ページ。
(33)前掲『尺労のあゆみ』四六ページ
(34)同書二〇二ページ
(35)同書七八ページ
(36)前掲『入社要綱』一ページ

(37) 前掲『尺労のあゆみ』一〇四ページ
(38) 市原博『炭鉱の労働社会史――日本の伝統的労働・社会秩序と管理』多賀出版、一九九七年、三〇ページ
(39) 同書三四一、三五一ページ
(40) 笠原良太／嶋﨑尚子編「ふたつの故郷の喪失：樺太からの引揚げと尺別炭砿閉山――岩崎守男氏による講演の記録」(「JAFCOF釧路研究会リサーチ・ペーパー」第十三号、産炭地研究会〔JAFCOF〕、二〇一八年)三一ページを参照。
(41) 同論文三一ページを参照。
(42) 函館引揚援護局で樺太の塔路炭鉱関係者が、尺別炭砿での就職を斡旋していたという(Mさんヒアリング、二〇一八年六月)。
(43)「健康保険被保険者標準報酬月額」表から。尺別炭砿社内報「やまの光」一九五〇年二月号、尺別礦業所、一三ページ
(44) 一九五三年に正式停年制度が整い、坑内外とも五十五歳となった(『尺労のあゆみ』四三ページ)。炭鉱住宅は炭鉱勤務者用の社宅だったため、世帯主が退職すると退去しなければならない。その場合には、錦町にあった公営住宅に移った(尺別原野Jさんの例)。
(45) 前掲『釧路炭田』二六〇ページ
(46) 記念誌編集委員会編『尺別炭砿中学校閉校三十周年記念誌 あこがれ』記念誌編集委員会、二〇〇〇年、九五ページ
(47) 前掲『釧路炭田』二六〇ページ
(48) 前掲『音別町史』上、四一七ページ
(49) 前掲『尺別炭砿中学校閉校三十周年記念誌 あこがれ』九八ページ
(50) 同様の現象は、北海道内の他産炭地でもみられた。前掲『炭鉱の労働社会史』三五二ページ
(51) 同書三五八ページ
(52) 前掲『釧路炭田』二一八ページ

(53)前掲『音別町史』上、四五九ページ

第1部　炭鉱コミュニティでの「縁」の集積——尺別の戦後史

第3章　炭鉱労働での「職縁」
――〈つながり〉と信頼

嶋﨑尚子

1　炭鉱労働の固有性と階層性

「炭掘る仲間」の労働形態

「みんな仲間だ　炭（すみ）掘る仲間」で始まる「炭掘る仲間――三池炭鉱労組の歌」[1]は、炭鉱労働者にとどまらず全労働者の連帯、つながりと信頼を象徴する歌である。三井三池炭鉱労働組合歌として誕生したこの歌は、戦後最大の労働争議になった三池争議（一九五九年・六〇年）を機に全国に広まった。現在でも、かつての炭鉱関係者の集会では必ずといっていいほど歌われる。この歌（図1）は、採炭現場である坑内の暗さや深さ、切羽（きりは）でのつらい作業、そして炭鉱コミュニティの〈つながり〉を歌っている。「たてよこ結ぶ」には、職場の上下関係や労働者の父子世代間の縦の〈つながり〉、職場の労働者同士、他炭鉱労働者との横の〈つながり〉、そして世界の労働者たちへと展開する〈つながり〉が描かれている。炭鉱を含む鉱山労働は、この歌のように固有の慣行や固い結合を醸成し、独自の文化を創出した。産業社会学や労働社会学では、それを「伝統的な職縁社会」として、そこに固有な生活共同態・共同生活体を見いだし観察してきた。[2]特定の産業・職業・労働のあり方を契機に形成された社会構造へのアプローチが試みられてきたが、炭鉱社会はその中心的研究対象だった[3]。人びとが職を求めて移入し、「職縁」が集積された鉱山の職縁社会では〈つながり〉と信頼に基づく協調性が強調される。たとえば市原博は、炭鉱労働者を「もっとも労働者らしい労働者」と捉え、彼らが一般労働者とは異質な性格を有し、「競争主義的な日本の労働者のイメージから最も遠い存在であった[4]」とする。その根拠は、地域的閉鎖性と労働の過酷さにあった。炭鉱の職縁は、「丸ごとの人間」同士の信頼感、連帯感が求められる関係であり、現場に縛り付けられた人びとが営む「動けぬつきあい」と特徴づけられる[5]。むろん炭鉱での職縁の連帯や労働現場は、現実にはそれほど単純ではなく、むしろ内部にいくつもの対立をはらんでいた。炭鉱での明確な身分制・階層制は、階層間の構造的対立と葛藤を顕在化させた。また労働者同士の連帯であっても、外部からの圧力によって容易に分断された。三池闘争の最終局面での第一組合と第二組合の対立と闘いはその典型である。さらに、炭鉱社会はその独自性のために、周辺地域から異質と見なされ、隔離・排除される傾向もあった。

本章では、「職縁」の場である炭鉱労働の特性を概観したうえで、「職縁」による信頼と連帯を促す主体として労働組合に注目する。労働者は、石炭産業の発展期には、厳格な労務管理と手厚い福利厚生の両面からなる労働環境に対して能動的に関与した。しかし、ひとたび産業が衰退局面に転じて合理化へと舵を切るや否や、労働者は組合を核に結集し、全力で抵抗した。それは、まぎれもなく、過酷な生産現場での自分と仲間の命をかけた闘いであった。

石炭産業は、「総合産業」といわれる。炭鉱会社の鉱業所（いわゆる「ヤマ」に該当する）は、生産事業部門と鉱業所事業部門だけでなく、運搬鉄道・貯

1番　みんな仲間だ　炭掘る仲間
ロープ　のびきる　まおろし切羽
未来の壁に　たくましく
この　つるはしを　打ち込もう
2番　みんな仲間だ　炭掘る仲間
たたかいすすめた　おれたちの
闇を貫く　歌声が
おい　聞こえるぞ　地底から
3番　みんな仲間だ　炭掘る仲間
つらい時には　手をとりあおう
家族ぐるみの　あと押しが
明るいあしたを　呼んでいる
4番　みんな仲間だ　炭掘る仲間
煙る三池の　たてよこ結ぶ
旗に平和と　幸せを
三池炭鉱労働者
三池炭鉱労働者

図1　「炭掘る仲間」
（出典：前田和男「炭鉱仕事が生んだ唄たち（その19）――社歌と労働組合歌に刻まれた炭鉱の記憶①」「労働の科学」第70巻第4号、大原記念労働科学研究所、2015年）

炭施設・発電所などを含む一大プラントである。生産事業は、坑内掘（日本国内のほとんどの炭鉱が当てはまる）の場合、坑内部門と坑外部門に分かれる。石炭を地下から掘り出して製品として出荷するためには、坑内での採炭・掘進だけでなく、仕繰、運搬、軌道、測量、通気、機械修理、電機関係など坑内・坑外のさまざまな職種が必要だった。他方、鉱業所事業は、技術部門、事務部門（資材、原価管理、経理、人事、労務、総務）、計画部門、保安監督部門などからなっていた。

炭鉱労働の特性は、三点に整理できる。(6) 第一に、現場作業は、坑内・坑外とも人力に依存した労働集約的体制であり、共同作業を前提にしている。戦後主流になった長壁式採炭(7)では、大規模なグループ作業（共同採炭制）形態がとられた。先山（規模が大きい現場では大先山）をリーダーに中山、後山と呼ばれるメンバーが協同で作業に当たった。実際の現場作業の進捗は炭層の賦存状態に大きく依存し、かつ落盤やガス突出などの事故・災害に直結する危険性が高い。そのため、ほとんどの作業に高い熟練が求められた。人海戦術と専門性に基づく指揮命令系統の両面でグループ作業が必須だった。

写真1　尺別炭砿「出炭速報」掲示板（閉山時、O 教頭撮影）

第二の特性は、就労形態である。炭鉱は通常二十四時間操業体制をとり、労働者は三交代（一番方・二番方・三番方）で作業に当たった。さらに三つの番方を週ごとに交替で担当した。こうした操業・就業形態は、厳格な労務管理のもとでようやく実現可能であった。そのため会社は労働者とその家族を生産施設（坑口）に近接した炭住（炭鉱住宅）に集住させ、(8) 各炭住区に「詰所」（世話所・相談所）を設け、常駐の労務係員に出勤管理・賃金支払いなどを担わせた（詳細は第4章「炭鉱家族の「血縁」――〈つながり〉と暮らし」〔嶋崎尚子〕）。この炭住区が本書での「炭鉱コミュニティ」の基本単位である。炭住区自体が生産施設の一部でもあった。

　第三の特性は賃金形態である。ほとんどの炭鉱会社は、生産部門労働者に対しては生産量や仕事量に応じて賃金が決まる能率給を採用した。そのため、作業グループ内の協力がきわめて重要だった。さらにいえば、「労働者は高賃金を得るために保安よりも能率を上げることを優先せざるをえなかった」[9]。つまり、「生産第一・安全第二」になりやすく、「安全第一・生産第二」への移行は非常に遅れた。どの炭鉱にも写真1のような毎日の「出炭速報（「日産目標」「出炭実績」「増減」）」を掲出し、「生産第一」を強調していた。

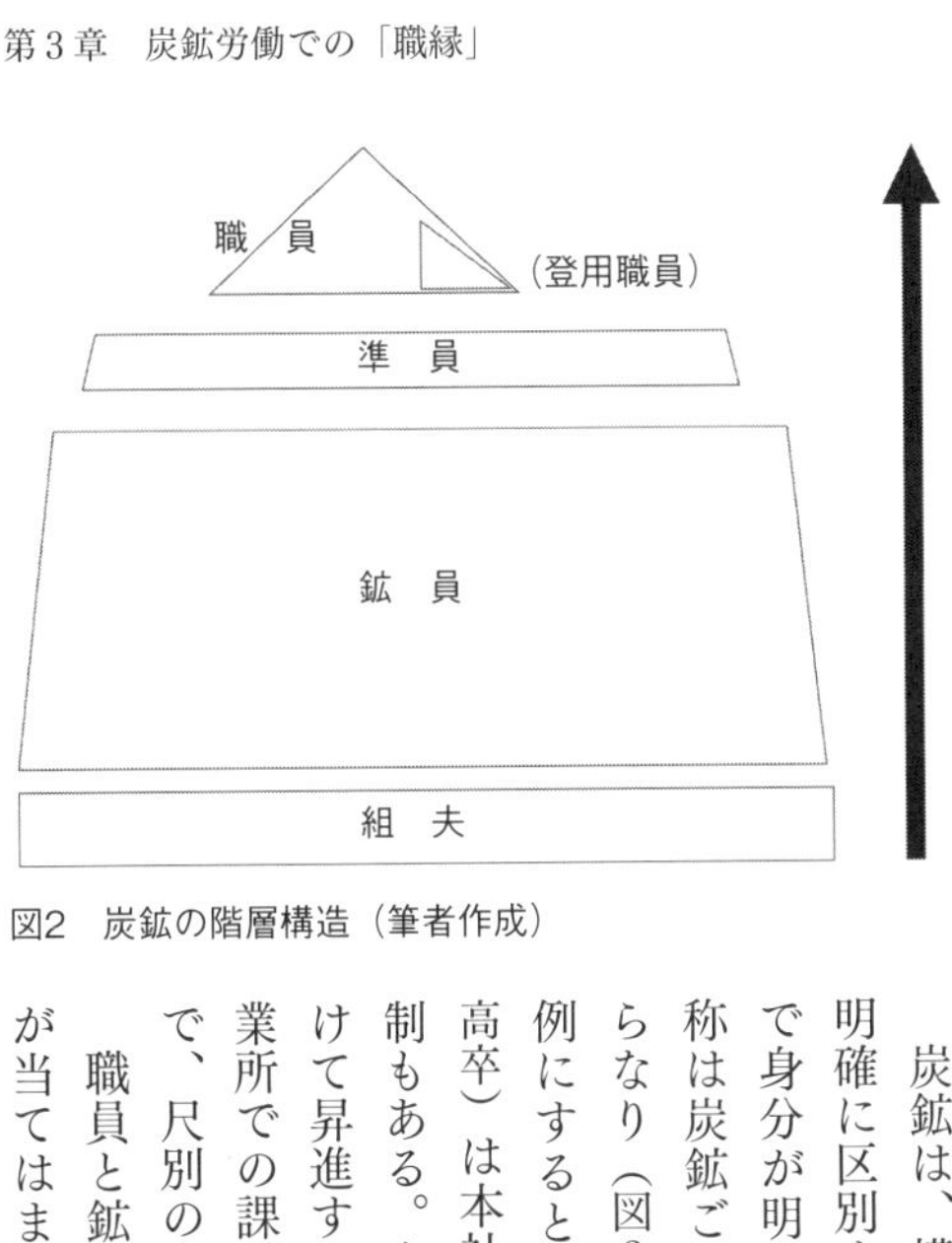

図2　炭鉱の階層構造（筆者作成）

　炭鉱は、構成員の身分制をもち、身分ごとに居住区や賃金体系などを明確に区別する階級社会だった。現場では、ヘルメットに線の本数や色で身分が明示された（これには保安上の理由もあった）。具体的な身分名称は炭鉱ごとに異なるが、主要には職員（職制）、準員、鉱員の三種からなり（図2）、職員と鉱員は異なる仕組みで雇用された。大手炭鉱を例にすると、鉱員は現地（いわゆる「山元（やまもと）」）採用、職員（通常は大卒・高卒）は本社採用だった。さらに職員には、本社採用とは別に登用職員制もある。多くは地元出身者で、彼らは鉱員から職員への登用試験を受けて昇進する。登用職員には配置転換はなく、また昇進は原則として鉱業所での課長職が最高位である。本社採用職員と登用職員の区別は明確で、尺別の場合、前者は金バッジ、後者は銀バッジを着けていたという。

　職員と鉱員の中間に位置する準員は、尺別炭砿の場合には、「助手」が当てはまる[10]。助手は、採炭や保安に関する有資格者（技術職員）で、

表1　尺別炭砿の人員と年齢（1970年2月27日閉山直後）

職種			人数（人）	構成比（%）	平均年齢（歳）	最小値（歳）	最大値（歳）
職員		男	95	11.7	43.7	27	58
		女	11	1.4	33.5	26	41
計			106	13.1	43.5	26	58
坑内夫	助手		77	9.5	39.0	22	54
	直接		353	43.5	39.5	19	55
	間接		128	15.8	37.3	19	55
	計		558	68.8	38.9	19	55
坑外夫	助手	男	33	4.1	43.2	31	55
	坑外夫	男	91	11.2	36.2	21	54
		女	2	0.2	45.5	37	54
	計		126	15.5	38.4	21	55
嘱託			10	1.2	56.0	55	57
組合役員・書記		男	9	1.1	40.9	25	50
		女	2	0.2	21.5	21	22
総計			811	100	39.5	19	58

（出典：尺別炭鉱労働組合『労働組合解散記念誌 道標――山峡の灯』〔尺別炭鉱労働組合、1970年〕巻末名簿から作成。年齢は不明を除く）

職員の係員とともに現場作業の指揮をとる立場にある。尺別で閉山まで助手だったYさんの話から、グループ作業の実態を確認しよう（コラム1「ヤマを、会社を、自分を守る「炭鉱人」——堀利男さんインタビュー」）。採炭の場合、担当係員の下に助手三人がついて、この四人で仕切った。その下に大先山がいるが、経験や知識面で助手も大先山には頭が上がらず、実質は助手が大先山を補助する立場だったという。全体で三十人ほどの体制だった。Yさんは助手の仕事について次のように話している。「炭鉱での仕事は、ダラダラしない。石炭ばっかり掘ってちゃダメなわけですから。掘ったところは空くから、天盤が落ちないように、掘るときに鉄柱を立てておかなきゃなんない。そこを掘り終わると、その鉄柱を抜いて、前に移さなきゃなんない。抜柱して、前に立柱する。そういうふうに、番方、番方で譲り合っていく。番方ごとに競争みたいなもんだから、そうやらない担当もいる。「あの野郎、仕事のやり方、汚い」ってことになる。お互いにやれば、最終的に同じ成績なのに、汚いやり方をすると、ヤマを荒らしちゃうわけですよね。きちんと守っていかないといけない。「片付けにはじまって、片付けに終わる」というのが炭鉱の仕事なんです。そのコントロールをするのが、助手の仕事。信頼関係を保てるように、安全に、共存共栄なわけですよ。ヤマを守る、会社を守る、自分の命を守る、その繰り返しのつながりが炭鉱人なんですよ[11]」

さて、炭鉱は厳格な身分制をもつが、鉱員が圧倒的多数を占めた。表1は、閉山時の職種構成と平均年齢、年齢範囲を示している。全体で八百十一人いるが、鉱員である「坑内夫」が六九％、ついで「坑外夫」「職員」と続く。平均年齢は鉱員よりも職員で高く、助手は総じて高い。なお、表中の坑内夫の「直接」「間接」は、前者が採炭・掘進作業者、後者がそれ以外の作業者を意味する。後述の組夫身分を表す「間接夫」とは異なる。

他方で賃金は、必ずしも職員のほうが鉱員より高いわけではない。表2は、尺別鉱業所の一九五〇年時点での職種構成と平均収入（月額）を示している。金額が高い順に「坑内夫・助手」「職員」「坑内夫・採炭夫」「坑内夫・掘進夫」である。「坑内夫・助手」は一万七千百三十一円と、群を抜いて高い。これは前述のように、能率給を反映している。また、職種間の収入差が非常に大きい点も注目できる。最も高額の「坑内夫・助手」に対し

表2　尺別炭砿の人員と平均年収（1950年1月1日現在）

職種			人数（人）	構成比（%）	平均収入（円/月）
職員			155	7.9	13,694
坑内夫	助手		50	2.6	17,131
	採炭夫		270	13.8	13,307
	掘進夫		203	10.4	11,957
	仕繰夫		138	7.1	10,969
	運搬夫		99	5.1	11,174
	雑夫		44	2.3	8,730
	軌道夫		46	2.4	10,627
	通気夫		31	1.6	9,083
	機械夫		32	1.6	11,673
	工作夫		76	3.9	11,487
	計		989	50.7	12,030
坑外夫	助手	男	85	4.4	11,653
		女	6	0.3	5,624
	準砿	男	83	4.3	7,958
		女	94	4.8	4,423
	機械夫		58	3.0	8,859
	工作夫		139	7.1	7,904
	運搬夫		46	2.4	7,756
	選炭	男	27	1.4	6,479
		女	38	1.9	3,897
	雑夫	男	142	7.3	7,242
		女	63	3.2	4,425
	臨時夫		26	1.3	6,066
	計		807	41.4	9,368
総計			1,951	100	9,820

（出典：尺別炭砿社内報「やまの光」1950年2月号〔尺別礦業所〕の健康保険被保険者標準報酬月額算定表から作成）

て、最も低額の「選炭・女」は三千八百九十七円にとどまる。この賃金体系では、坑内夫から登用職員への昇進は、多くの場合は、減収が前提だった。昇進によって鉱員住宅から職員住宅に移るなど身分・地位は上昇したが、経済面では厳しかった。そのため、昇進試験の受験理由は上昇志向によるものばかりでなく、坑内での危険な作業を回避したい、あるいはけがなどで坑内作業ができなくなったなど、さまざまだった。

さらに炭鉱には、この表には出てこない身分があった。当時は「組」と呼ばれた下請け関連会社に所属する鉱員「組夫」である。この身分は、現場作業で会社係員から直接統轄される鉱員「直轄員・直轄夫」と区別して、「間接員・間接夫」ともいう。組夫は相対的に年齢が高く、居住する地区も制限されていて、日常場面では差別的に「社外」と呼ばれることもあったという。組夫も坑内現場作業を担当したが、直轄の坑内夫とは別の場所で、危険度が高い箇所を請け負った。つまり炭鉱の生産体制は、会社直轄による生産と請負制（間接雇用）による生産を併用した二重構造であった。

尺別の場合をみよう。尺別には大きな組がいくつもあった。一九三〇年に十勝の農家次男に生まれたBさんは、三十歳を過ぎてから尺別の組に入った(12)。一つの組では多いときには五十人くらいを抱えていた。乱暴者、流れ者ばかりだったが、ケンカをすると炭鉱から出されてしまう。完全な請負のため、先山が圧倒的な力をもって作業を進めた。会社は条件がいい箇所を担当し、悪条件の現場を組に請け負わせた。そのうえ直轄の採炭では坑内支保に鉄柱を使ったが、組の場合は費用削減で木材を使うため、作業の危険度は一層高まった。とはいえ金にはなった。そこで体力がある者たちは一番方に続けて二番方と連勤することも多かったという。また、鉄道関係の作業を担当した時期には、一番方・二番方で入坑し、昇坑後に農作業もしたという。

むろん、炭鉱には女性も働いていた。長壁式採炭になるまでの残柱式（ざんちゅうしき）（本章の注7を参照）は、少人数グループでの作業で、筑豊などでは夫婦で先山・後山を組んでいた(13)。しかし、坑内女性労働は一九二八年に禁止され、それ以降、戦中を除いて女性は坑外作業を担った。主に選炭の作業である。尺別では、戦前には小学校卒業と同時に女子全員を選炭場に雇い入れていたという(14)。表2をみると、五〇年には坑外には二百人を超える女性が働いていたが、その後減少する。六〇年代前半（昭和三十年代後半）からは、女性の仕事は尺別砿業所総務課職員、購買店員、組合事務所の書記などの事務職になり、若年女子（多くの場合、鉱員の子女）と、既婚女性が勤めた。後者には殉職者の妻も含まれていた。そのほかに有資格者には、炭鉱病院の看護職があった（コラム3「「ヤマの女」がみた尺別の助け合い――米田冨美子さんインタビュー」とコラム4「看護婦として、炭鉱とともに――宗村達江さんインタビュー」を参照）。

2　労働現場での信頼とつながり

炭鉱の労働組合と労働運動

鉱員は階層組織内で大多数を占めるが、圧倒的に不利な立場にある。加えて彼らは、「生産第一・安全第二」を前提とする労働環境・条件での作業を強いられ、その労働は、労働集約的作業内容と危険性ゆえに信頼関係に基づく協同体制でだけ可能である。炭鉱労働者たちは、「八時間、地下で一緒に過ごす者たちの絆は命で繋がっている。一つの命を救うことは明日のわが命が救われることと同じだ。この特殊な環境の中で生まれた連帯感は、他のどんな社会の結び付きより強いだろう」[15]というように、作業現場で〈つながり〉と信頼を培ってきたのだ。

労働現場での賃金と労働条件改善の要求は強くかつ切実で、その実現には組合組織による集団運動が必須である。日本では敗戦を機にようやく組合結成が合法化され、その中核を担ったのが炭鉱の労働組合だった。とりわけ北海道の炭鉱では、敗戦の翌月に三井芦別炭鉱で組合が結成されたのを皮切りに、急速な組合結成と激しい労働運動が展開された。玉野和志はこの間の動きを簡潔に整理しているが[16]、本章ではそのうちの三点に着目する。第一に、他産業では身分差別撤回闘争や生産管理闘争の下で工（鉱）員と職員の合同組合が一般化したが、炭鉱では鉱員組合と職員組合の合同は稀有で[17]、炭鉱労働組合はあくまでも鉱員組合だった。第二は、炭鉱労働組合の闘争形態である。炭鉱労働組合の上部組織、産業別中央労働組合は種々の変遷を経たが、一九五二年の「六三スト」を契機に総評（日本労働組合総評議会）系の日本炭鉱労働組合（以下、炭労と略記）と同盟（全日本労働総同盟）系の全国石炭鉱業労働組合（全炭鉱）に分裂した。前者の炭労は最盛期五〇年には組合員数約三十万人を擁し[18]、国内の中核的組合として力を誇った。炭労は、具体的には「職場闘争方式」と「家族ぐるみ・町ぐるみ闘争」を導入した。前者は交渉と交渉決裂時のストライキ突入に際して、「組合執行部の具体的指令なくしてストに入る」独自の方式であり、後者は、各炭鉱に結成された炭鉱主婦会の上部組織である日本炭鉱主婦協議会（以下、炭婦協と略記）を中心に進められた。第三に、こうした闘争形態はとりわけ北海道の炭鉱が炭鉱開基に伴って炭山地域コミュニティを形成したという特質を活用していた[19]。つまり労働組合や労働運動が地域コミュニティの活動と混然一体になっていたのである。

玉野の指摘に加えて第四として、炭労は民主主義の原則をとりながらも、傘下の各炭鉱組合に対して厳しい内部統制をおこない、同時にそれは支部である各炭鉱労働組合内部での統制・連帯へとつながった。戦後復興から一九六〇年の三池闘争までは、相当に厳しく内部統制がなされた。過酷な労働条件のなかで、組合員の労働条件・生活環境を向上させるには、一糸乱れぬ連帯が求められたのだ。スト破りはもとより、合理化策としての希望退職に応じる組合員を除名にするなど[20]、その規制は非常に強かった。組合は、労働者の連帯と信頼の核心であると同時に、彼らを厳格に統制し続けたのだ。むろん内部統制は外部からの攻撃への防御でもあった。実際、組合は常に分断をねらう外部からの激しい攻撃にさらされた。闘争の最終局面では労働者同士の対立に陥った。尺別炭砿で六一年に勃発した尺別事件もその一例である[21]。

尺別炭砿の労働組合と主婦会

尺別炭鉱労働組合は、一九四六年一月に結成された。当初は職員も加わっていたが、三菱系職員組合の結成に刺激されて、同年十二月に職員が脱退し尺別炭鉱職員組合を結成した。両者は閉山まで別組織として活動した。

翌四七年九月に友山の雄別炭砿と茂尻炭砿の労働組合とともに雄別炭鉱労働組合連合会（雄労連）を結成した。尺別の組合員は、結成時には百三十人にとどまったが、四六年十一月以降は急増し、五〇年には千三百九十八人という記録がある。その後合理化などで減少し、閉山時は六百九十三人だった。[22] 七〇年二月二十七日の閉山後、四月二十六日に解散し、二十四年三カ月にわたる活動を終えた。労働協約上「全ての従業員が組合員である」とするユニオン・ショップ制をとった。[23]

第2章「尺別炭砿——戦後のあゆみ」（嶋﨑尚子）で詳述したように、戦時中の急速転換から帰還後に尺別の労働者は雄別炭砿に移動した。尺別に残っていた三十人が、一九四六年一月に尺別炭鉱労働組合を結成し、尺別炭砿の戦後復興に着手した。結成時のスローガンは、「①尺別炭鉱の復興促進、②働く者の生活安定と向上、③元尺別、浦幌坑の従業員復帰促進、④主食の完全配給、⑤社会機構の民主化」[24]であった。結成時の委員長などの幹部は坑外助手たちであり、彼らの人望が結成を後押しした。尺労の独自性の一つは、結成時の目標が「離山者の復帰と尺別炭砿の復興」だったため、社外の指定商[25]、寺社関係者（ただし役所関係者と教員は除く）も組合員に名を連ねていた点である。実際、結成時の組合規約には「第四条　この組合は尺別炭鉱従業員とその趣旨に賛する者を以って組織する」[26]（傍点は引用者）とある。指定商は、閉山まで組合員だった。このように、尺別労働組合はまさに尺別炭山全体で組織されていた。

尺別の労働組合でも先の特性四点を確認できるが、特に地域コミュニティと同心円的な広がりを有している点が注目される。この独自性は、組合が尺別炭砿の「復興」を目標に結成されたという背景だけでなく、組合に先んじて機能していた友子（ともこ）制度の影響もあった。友子は大正・昭和期に結成された鉱夫の同職組合組織であり、技能養成機能、相互扶助機能、自治的な集団機能を有する制度で、炭鉱にかぎらず鉱業全般にみられた。友子は同職組合であるため、企業に対して一定の自律性をもちえた。[27] 友子組織は、炭鉱労働者間で結ばれる個別の擬制的親子関係（親分・子分関係や兄弟分関係）によって成立した。制度としての友子は第一次世界大戦後にはその機能を失い、戦後には消滅した。しかし労働者間の友子関係は、その後も炭鉱コミュニティで維持され、当事者内にとどまらずコミュニティ内でも認知されていた。尺別炭砿にも友子制度があり、敗戦直後までは取立式もおこなわれていた。戦後も友子の親分・子分関係が世代間で継承され、人生上の大きな決断（たとえば結婚）に際して子分が親分に相談するなど、実の親子関係よりも機能したとの見方もある。[28]

組合結成時、炭鉱復興という目標を掲げたことと友子制度から影響を受けたという二点は、尺別炭山コミュニティが地理的にも産業的にも完結していたことを意味している。そのため尺別労働組合と会社の関係は、総じて対立的でなく、「全山一家」精神が強調される傾向にあった。しかし、後述のように一九五〇年代半ば以降、産業衰退へと転換して合理化が進展すると労使間の対立は深刻化していった。

なお、尺別炭鉱主婦会の結成経緯については正確に把握できていないが、一九四六年四月に青年部とともに婦人部が組織された。組合史『尺別のあゆみ』には婦人部は「職場婦人、家庭主婦との合同結成」[29]という記載がある。その後、家庭主婦部分が独立して主婦会に改組されたと考えられ、六七年十一月には尺別主婦会二十周年記念式典を開催している。[30]なお、尺別主婦会は、五二年に結成された上部組織である炭婦協に加盟していた。

3　合理化への抵抗と保安対策

戦後日本の石炭産業は、戦後復興と朝鮮戦争特需によるいわゆる「黒ダイヤブーム」で一時的な活況を経たのち、石油との競合、海外炭との価格競争などによるエネルギー産業の構造転換政策のもと、衰退が急速に進んだ。一九五五年の石炭鉱業合理化臨時措置法制定以降、政府は生産コストの引き下げと競争力の強化を目的に炭鉱のスクラップ・アンド・ビルドに着手した。六三年に第一次石炭政策を実施し、その後九次にわたる政策変転を繰り返して、ついに二〇〇一年度末に石炭政策は完了した。こうした長い過程で多くの炭鉱がつぎつぎに閉山していったが、残った炭鉱は急速に合理化を進めていった。そして合理化へと舵が切られるや労働者たちは組合を核に結集し全力で抵抗した。それはまぎれもなく、過酷な生産現場での自分・仲間の命をかけた闘いとなった。

炭鉱の合理化は、人員削減という形で労働者の眼前に現れる。尺別炭砿の場合、一九五三年に三山で千二百二十九人に及ぶ人員整理の発表ののち、団体交渉で希望退職を条件付きで認めたのを皮切りに、人員削減が急速に進行した。組合は団体交渉とストライキで抗った。続く五九年にはさらに三山で千百三十一人の首切り合理化提案が出された。労働組合は六月に職場・居住区を単位にストライキを打って反対し、八月、会社は大部分を撤回して妥結をみた。その後十一月に希望退職募集がかけられ、二十四時間ストライキののちに妥結し、結局三山で四百人が希望退職に応じた。[31] 合理化提案はその後も断続的になされ、組合はそのつど反対闘争で抵抗したが、ほとんどの合理化案を受け入れざるをえない状況に陥った。その結果、先にみたように組合員は五〇年の千三百九十八人から閉山時の六百九十三人まで、二十年間で半減したのである。

尺別の合理化反対闘争で注目すべきは、地域を巻き込んだ共闘体制が整えられた点である。一九六五年八月に、尺別地域共闘会議を発足、翌年七月には石炭産業危機突破産炭地防衛音別共闘会議を結成し、音別町も含んだ「ぐるみ闘争」体制へと展開した。しかし抵抗にもかかわらず、雄別炭砿社は、第四次石炭政策での特別閉山交付金を受けて、ついに七〇年に「企業ぐるみ閉山」にいたった。閉山前後の尺別での動きについては、本書第7章「尺別炭砿の閉山と地域崩壊――閉山ドキュメント」（笠原良太）で詳述する。

さて、合理化による人員削減は労働強化につながり、現場作業のリスク、すなわち鉱山災害の発生率を高める。尺別炭砿では一九四七年五月に落盤事故で死者が発生して以降、閉山までの殉職者は、労働組合関係三十六人、職員・組・家族関係二十四人、合わせて六十人に及んだ。[32]

表3は戦後二十年間の災害発生推移である。人員削減が開始された一九五三年から五七年にかけて、作業能率が急上昇し、それに呼応して災害発生率も上昇している。これが合理化による労働強化の結果である。その様子を組合は次のように記述している。「いつの時でも同じであるが、会社はこうした人員減をみたなかでも、採炭現場には一人でも多くの人を入れて、何トンでも余計に・（炭砿というところは奇妙なところで、何％生産縮小とい

表3　尺別炭砿復興後の災害統計

西暦年	昭和	出炭量	稼働延人員	能率	罹災者数				稼働延人員100万人当り罹災率
					死亡	重傷	軽傷	計	
1946	21	4,920	4,016		0	11	19	30	6.10
1947	22	49,600	13,012		2	73	108	183	140.50
1948	23	90,540			2	174	259	435	
1949	24	170,460			5	295	461	761	1.38
1950	25	226,600	568,951		3	2	3	8	
1951	26	223,900	579,333		5	20	42	67	
1952	27	206,400	642,614		6	188	408	602	
1953	28	192,500	561,937	9.9	8	150	203	361	640.00
1954	29	188,800	371,718	13.9	3	94	132	229	616.00
1955	30	138,900	264,871	14.1	2	86	123	211	797.00
1956	31	159,725	267,270	16.1	1	91	140	232	864.00
1957	32	187,900	284,799	18.6	1	93	208	302	1060.00
1958	33	190,600	323,879	18.2	0	83	86	169	522.00
1959	34	179,700	304,176	17.7	0	68	77	145	477.00
1960	35	267,400	304,144	28.7	3	65	81	149	490.00
1961	36	260,100	305,441	29.4	2	58	101	161	527.00
1962	37	275,900	283,689	34.6	1	65	92	158	557.00
1963	38	280,500	264,811	42.6	2	83	112	197	743.92
1964	39	329,500	262,886	42.7	0	75	186	261	988.26
1965	40	296,500	284,680	35.8	5	76	176	257	984.80

（出典：尺別炭鉱労働組合『尺労のあゆみ――20年史』〔尺別炭鉱労働組合、1966年〕203ページから一部抜粋。空欄は記録なし）

うときでも、払（はらい）に入ると一カケラでも多く炭をだそうとする。最も少ない人員で少しでも多くの出炭をという、宿命的なものをもっているが）・・だそうとしていた」[33]。労働組合は重大事故が発生するごとに保安闘争を展開して、保安対策を求めた。五八年・五九年には、職場闘争を通して、それまでの「上からの押し付けの保安」ではなく、現場の問題点を発見する「自主保安」の動きも出てきた。具体的には、「〔この時期は〕職場のなかで、「俺はこう思う」「俺の要求はこれだ」という具合に、自分の意見がだしやすくなり、いろいろと要求が苦情や不満と一緒にだされる年でもある。（略）職場のなかで自分の意見がだされるということは、労働者が全体と共に自分の職場の保安確立にもつうじて、災害件数は大幅に減少[34]」したのである。事実、表3では五八年・五九年は罹災率が大幅に低下し、かつ死亡者はゼロだった。残念ながらこの動きは一時的なものにとどまり、それ以降、能率の上昇と呼応して罹災率も再び上昇に転じた。

労働者は過酷な作業現場にあって「職縁」で横に〈つながる〉仲間と結束しながら、創意工夫を重ね、熟練技術を磨くことで、過酷な作業現場を生き抜いてきた。前出の助手Yさんの、「炭鉱の仕事は慣れてはいけない。常識外の世界ですよね。慣れなきゃなんないし、慣れちゃいかん」という言のとおり、その過程は容易ではない。炭鉱労働は「知的で精神の集中を必要とする職場であり、社会的な必要性を強く自覚しないかぎり、とてもやり通せる仕事ではないということがよくわかっている。だからこそ、誰も理解してくれなくても、自分たちの過去に自信をもっている[35]」のである。そのため彼らは、過去の経験として炭鉱労働を振り返る際に、とりわけ「炭掘る仲間」との〈つながり〉を強調するのだ。

最後に、尺別での献血のエピソードを紹介して本章を終えたい。「炭鉱の人間は、自分の命をかけて仕事をしている。情が厚いところがみんなあった。ケガをしたときに、輸血したり。全山放送で呼びかければ、アルコールを飲んでいようが、血液型が異なろうが、集まってくる。逆に「自分のときは頼むぞ」と[36]」

注

(1) 三鉱創作グループ作詞、小林秀雄作曲。前田和男「炭鉱仕事が生んだ唄たち（その十九）――社歌と労働組合歌に刻まれた炭鉱の記憶①」「労働の科学」第七十巻第四号、大原記念労働科学研究所、二〇一五年、五〇―五五ページ

(2) たとえば産業社会学の研究では、尾高邦雄「職業と生活共同態――出雲地方の鉄山について」（『職業と近代社会』要書房、一九五〇年、一四九―二一〇ページ）、労働社会学では松島静雄『友子の社会学的考察――鉱山労働者の営む共同生活体分析』（御茶の水書房、一九七八年）が代表である。

(3) 稲上毅／川喜多喬「「伝統的な」職縁社会――鉱山と町工場の社会学解説」、稲上毅／川喜多喬編集『産業・労働』（「リーディングス日本の社会学」第九巻）所収、東京大学出版会、一九八七年、二七―二九ページ

(4) 市原博『炭鉱の労働社会史――日本の伝統的労働・社会秩序と管理』多賀出版、一九九七年、四―五ページ

(5) 伊藤登志夫「サークル前史への試み」、思想の科学研究会編『共同研究 集団――サークルの戦後思想史』所収、平凡社、一九七六年、六六ページ

(6) 嶋﨑尚子「炭鉱閉山と労働者・家族のライフコース――産業時間による説明の試み」、岩上真珠／池岡義孝／大久保孝治編著『変容する社会と社会学――家族・ライフコース・地域社会』所収、学文社、二〇一七年、一五二―一七六ページ

(7) 残柱式採炭と長壁式採炭の区別がある。残柱式は、坑道保護のために炭柱を残しておく採炭方式で、切羽（採炭現場）が小規模のため少人数作業（多くの場合夫婦）だった。長壁式採炭は、長い切羽面を機械で採炭する方式で、大規模な共同採炭制を可能にした。

(8) 山口彌一郎『炭礦聚落』古今書院、一九四二年

(9) 島西智輝「炭鉱の歴史から学べること」、中澤秀雄／嶋﨑尚子編著『炭鉱と「日本の奇跡」――石炭の多面性を掘り直す』所収、青弓社、二〇一八年、五七ページ

(10) 会社と労働組合の覚書（一九六三年）では「助手は、保安管理組織、生産管理組織、事務管理組織のそれぞれの分野において、職場管理の権限と責任をもつ係員として上司の指揮に従い、職員である係員の職務内容を最高限度とし

て（略）職務を執行する」と規定されている。尺別炭鉱労働組合『尺労のあゆみ――二十年史』（尺別炭鉱労働組合、一九六六年）一九一ページによれば、坑内助手・坑外現場助手・事務助手の三種があり、一級から五級の格付けがある。助手の登用基準は、①年齢二十五歳から四十歳、②勤続三年以上、従事業務に対する知識と技能に秀れ成績優秀な者、③坑内助手は、鉱山保安規則が定める保安技術職員の資格を有する者、④人間性に対する十分な理解をもち円満な協調、協力精神の促進を図りうると認められる者、とある。

(11) Yさんヒアリング、二〇二〇年七月一日

(12) 尺別原野座談会、二〇一六年八月三十一日

(13) 西成田豊「石炭鉱業の技術革新と女子労働」、中村政則編『技術革新と女子労働』（国連大学プロジェクト「日本の経験」シリーズ）所収、東京大学出版会、一九八五年

(14) 尺別炭砿社内報「やまの光」一九五〇年二月号、尺別礦業所、二一ページ

(15) 高橋由紀雄「本社表彰」「芦別文芸」第四十五号、芦別ペンクラブ、二〇一八年、二四ページ

(16) 玉野和志「炭鉱と労働運動――何を大事にすべきなのか」、前掲『炭鉱と「日本の奇跡」』所収

(17) ただし太平洋炭鉱労働組合のように、長期にわたって鉱職合同組合が維持された事例もある。詳細は中澤秀雄「太平洋炭鉱労働組合の歴史と普遍性」、嶋﨑尚子／中澤秀雄／島西智輝／石川孝織編『太平洋炭砿――なぜ日本最後の坑内掘炭鉱になりえたのか』下（釧路叢書）所収、釧路市教育委員会、二〇一九年

(18) 三十万三千三百七十人。「炭労―激闘あの日あの時」編纂委員会編『炭労――激闘あの日あの時』日本炭鉱労働組合、一九九二年、二ページ

(19) 前掲「炭鉱と労働運動」一四六ページによれば、この形態は「もともと十九世紀イギリスの労働者コミュニティを基盤とした労働運動と同様の性質をもち、むしろ労働運動としては古典的だったともいえる」。

(20) たとえば三井芦別炭鉱労働組合での一九六〇年前後（昭和三十年代）の事例。

(21) 尺別事件は、一九六一年十一月会社側からの突然の「危険分子排除」通告で始まった。六七年十一月に該当者九人が職場復帰するまで六年間にわたって、労使だけではなく、労働者・地域メンバー内に深い断絶と不信感をもたらした。とりわけ労働組合は翻弄された。通告二カ月後に「尺労として該当者全員を守って闘う」という基本方針を提示

したものの、全山投票で否決されてしまう。四カ月後にようやく「法廷闘争を援助する」という炭労方針が承認され、従業員九人の法廷闘争の支援に着手できた。

(22) 尺別炭鉱労働組合『労働組合解散記念誌 道標――山峡の灯』尺別炭鉱労働組合、一九七〇年、一五ページ

(23) 労働協約第二条、前掲『尺労のあゆみ』一八一ページ

(24) 同書一七ページ

(25) 指定商については本書第6章「炭鉱コミュニティの「暮らし」――尺別の地縁の多層性」(新藤慶)に詳しい。

(26) 前掲『尺労のあゆみ』一八ページ

(27) 村串仁三郎『大正昭和期の鉱夫同職組合「友子」制度――続・日本の伝統的労資関係』時潮社、二〇〇六年

(28) たとえば、一九六五年頃に、老親にがんの手術を受けさせるべきかの判断に迷い、親分に相談して決めたというエピソードがある(Tさんヒアリング、二〇一七年二月)。

(29) 前掲『尺労のあゆみ』一〇七―一〇九ページ

(30) 前掲『労働組合解散記念誌 道標』九ページ

(31) 前掲『尺労のあゆみ』六三―六九ページ

(32) 前掲『労働組合解散記念誌 道標』二二ページ

(33) 前掲『尺労のあゆみ』一五五ページ

(34) 同書一五六ページ

(35) 木村至聖/玉野和志/西城戸誠/井上博登/平井健文「炭鉱の記憶にもとづく地域再生――赤平市を事例として」「JAFCOF生活・文化研究班リサーチペーパー」第一号、産炭地研究会(JAFCOF)、一六ページ

(36) Eさんヒアリング、二〇二〇年二月一日

第４章　炭鉱家族の「血縁」——〈つながり〉と暮らし

嶋﨑尚子

１　炭鉱住宅での家族の暮らし

家族・世帯の形態

北海道での石炭産業の発展は、未開拓地で石炭が発見され、そこに炭鉱が開基され、その数年後には大規模な炭鉱集落が形成されるという経過をたどった。当然、労働者はよそからの移住者たちだった。具体的には東北地方から男性たちが単身で移住し、定着後に出身地の紹介で同郷の女性と結婚して、炭山で家族を形成した。(1) 第３章「炭鉱労働での「職縁」——〈つながり〉と信頼」（嶋﨑尚子）冒頭で示したように、北海道の炭山は炭鉱労働を契機に人びとが移動して炭鉱集落を形成してできた生活共同体であった。そこでは、労働者と家族に対して「ゆりかごから墓場まで」の生活手段が会社から提供された。その中心が炭鉱住宅（以下、炭住と略記）だった。この炭住を拠点に、炭鉱労働者と家族は、三交代でかつ一週間ごとにシフトを替えて炭鉱労働に当たったのである。具体的には、一番方（いちばんかた）の就業時間は七時—十五時、二番方が十五時—二十三時、三番方が二十三時—翌七時で、この番方を三番方→二番方→一番方の順で週ごとに交替した。こうした変則的な就業形態は、当然のことながら

写真1　緑町3丁目の様子
（出典：記念誌編集委員会編『尺別炭砿中学校閉校30周年記念誌 あこがれ』記念誌編集委員会、2000年、63ページ）

家族・世帯の暮らし方に大きく影響した。

第2章「尺別炭砿——戦後のあゆみ」（嶋﨑尚子）で紹介したように、尺別には六つの炭住区があり、そのうち四つ（旭町・緑町一区・緑町二区・栄町）が鉱員用、錦町が職員用、仲町が組夫用だった。なかでも中心的な炭住区は緑町一区・二区（緑町一丁目から六丁目）である。写真1は緑町三丁目の当時の様子である。図1のように、一区には四軒長屋が四十六棟、二軒長屋が四棟、計百九十二戸、二区には四軒長屋四十七棟、計百八十八戸、両区で三百八十戸を数える。世帯人数を四人とすると[2]、住民規模は一区七百七十人、二区七百五十人程度であった[3]。また共同浴場が二つ、理髪店、美容院、緑町売店など日常生活関連の施設、線路脇の中央、協和会館向かいに緑町詰所、巡査派出所、郵便局、役場支所、労働組合支部所、集会所がある。これが緑町一区・二区の全容であり、この空間で千五百人ほどの労働者と家族の日常生活が営まれていた。

炭住は、給与住宅として炭鉱従業員に提供され、従業員とその家族は退職するまで住むことができた。家賃は光熱費とともに無償か大変安価であった。尺別の場合には、勤務状況がいい「優良鉱員」に対しては居住環境がいい「模範長屋」の提供もあったという[4]。炭住での暮らし方の特殊さは、炭住の条件を前提にすると理解できる。ここでは二点に着目しよう[5]。第一は、炭住の狭隘さである。通常の間取りは、六畳二間と台所だけであり、家族・世帯の規模を必然的に小さくせざるをえない。第二は、炭鉱労働者は結婚と同時に独立世帯を営むこと（新居制）である。つまり若い労働者は結婚時に炭住を提供され、

表1　閉山時の世帯類型

	N	Ⅰ 単身	Ⅱ 夫婦	Ⅲ 夫婦と子	Ⅳ 有配偶子を含む	Ⅴ 尊属（上世代）を含む	Ⅵ 直系尊卑属（上・下世代）を含む	Ⅶ 傍系親族を含む
全体	204	24.9	3.4	54.4	0.0	3.2	10.0	4.0
24歳以下	49	46.9	4.1	4.1	0.0	18.4	0.0	26.5
25-29歳	54	24.1	7.4	25.9	0.0	16.7	11.1	14.8
30-34歳	94	6.4	6.4	70.2	0.0	2.1	10.6	4.3
35-39歳	150	14.0	2.0	69.3	0.0	1.3	10.7	2.7
40-44歳	190	20.5	0.5	65.3	0.0	0.0	13.2	0.5
45-49歳	137	24.8	4.4	56.9	0.0	2.2	9.5	2.2
50-54歳	72	20.8	8.3	55.6	0.0	0.0	15.3	0.0
55歳以上	14	28.6	0.0	64.3	0.0	0.0	7.1	0.0

注1：全体には年齢不明58人を含む
（出典：尺別炭鉱労働組合『労働組合解散記念誌 道標――山峡の灯』〔尺別炭鉱労働組合、1970年〕掲載名簿から作成）

新生活を営むことができた。この二点を条件に、炭鉱労働者家族は、世帯での暮らし方（世帯構成）や世帯員の働き方に関して戦略を練ったのである。

まず世帯構成をみよう。表1は、閉山当時（一九七〇年）の世帯類型を年齢別に示している。ここでは、世帯主（炭鉱労働者）との関係に着目して世帯類型を七つに分類した。全体では半数が「Ⅲ夫婦と未婚子からなる世帯」、つまり核家族世帯である。年齢別にみると、三十歳代前半では七〇%を超え、それ以降の年齢でも半数以上を占める。また「Ⅰ単身世帯」（世帯主のみ）が全体で四分の一を占める。この世帯は、若年層と四十歳以降で高い。またいわゆる三世代直系家族に当てはまる「Ⅴ尊属（上世代）を含む世帯」と「Ⅵ直系尊卑属（上世代と下世代）を含む世帯」は全体では一〇%強だが、年齢によって比率は異なる。「尊属を含む世帯」は若年層で高く、「直系尊卑属を含む世帯」は高齢層で高い。さらに世帯主の兄弟姉妹を含む「Ⅶ傍系親族を含む世帯」は全体ではわずかにとどまるが、二十四歳以下、二十五―二十九歳では一定比率みられる。

こうした世帯類型の特徴は、先行研究で「炭鉱家族の発展経路」として指摘された特徴と合致している。[6] つまり炭鉱家族でみられる核家族世帯は、図2のように親世代（尊

属）や兄弟姉妹（傍系）を含む世帯へのサイクル上に現れる一類型であって、われわれになじみ深い結婚後に「夫婦世帯」→「夫婦と未婚の子」→「夫婦」→「単身」というサイクル上現れる類型ではない。言い換えると、近代的な夫婦家族制で出現する形態ではなく、直系家族制か親子中心家族の原理に基づいて出現する形態である。いうまでもなく、これは炭住の狭隘さと新居制に関連している。つまり年少の子どもたちは、年長の兄弟姉妹が結婚して得た炭住に移動して、親の世帯での狭隘な居住環境を改善する場合があったのだ。そのため、若い世帯主夫婦が、兄弟姉妹と同居する形態が生じやすいのである。

　たとえばVさんの例を挙げよう（図3）。Vさんは一九三七年に樺太で生まれた。四五年、敗戦後の九月に樺太から密航で稚内に渡り、その後函館に滞在した。小学校三年生のとき、兄二人が働いていた雄別炭砿に、父母と兄、姉の五人で移った。兄の扶養家族として雄別炭砿の炭住で暮らした。母は寝たきりで四七年に亡く

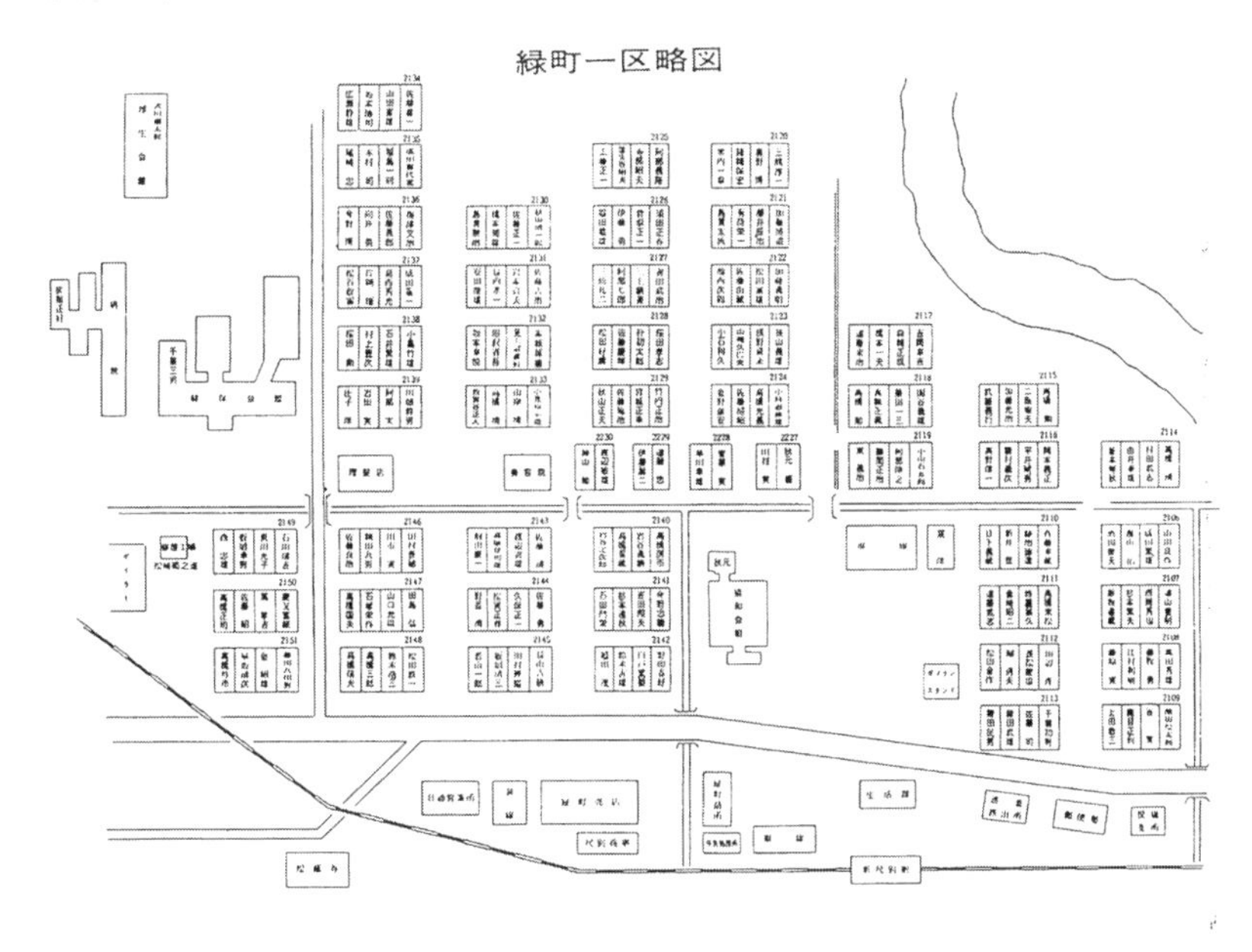

図1　緑町1区・2区の住宅図
（出典：前掲『尺別炭砿中学校閉校30周年記念誌 あこがれ』92―93ページをもとに作成）

なり、五〇年には父も亡くなった。父の死を契機に、姉が嫁いでいた尺別に三歳上の兄とその下の姉の三人で移った。中学二年のときである。その後、高校に進学するまで尺別の緑町に住んでいた。Vさん家族では、親の病気や死の影響で、兄弟姉妹のうち年少の弟や妹たちが長兄や婚出した長姉の炭住世帯を移動し、そこで学齢期を過ごしたのである。

この事例のように炭鉱労働者とその家族は、比較的頻繁に炭住の移動・転居や住み替えを繰り返した。たとえばMさんは、子ども期に母親と兄弟姉妹とともに樺太から尺別の緑町に転入した。その後結婚して旭町に移ったが、数年して彼ら夫婦と子どもたちは、再び親や兄弟姉妹と同じ緑町に戻ってきた。同居はしていないが、親世帯、兄弟姉妹の世帯と同じ炭住区で暮らして、日常的に行き来している。同様の住み替えは、老親扶養の場面でもみられた。年老いた親がどこに住むかは、長男同居を優先するという規範よりも「面倒をみられる子ども世帯が当たる」方式がとられ、老親が独立した子どもの世

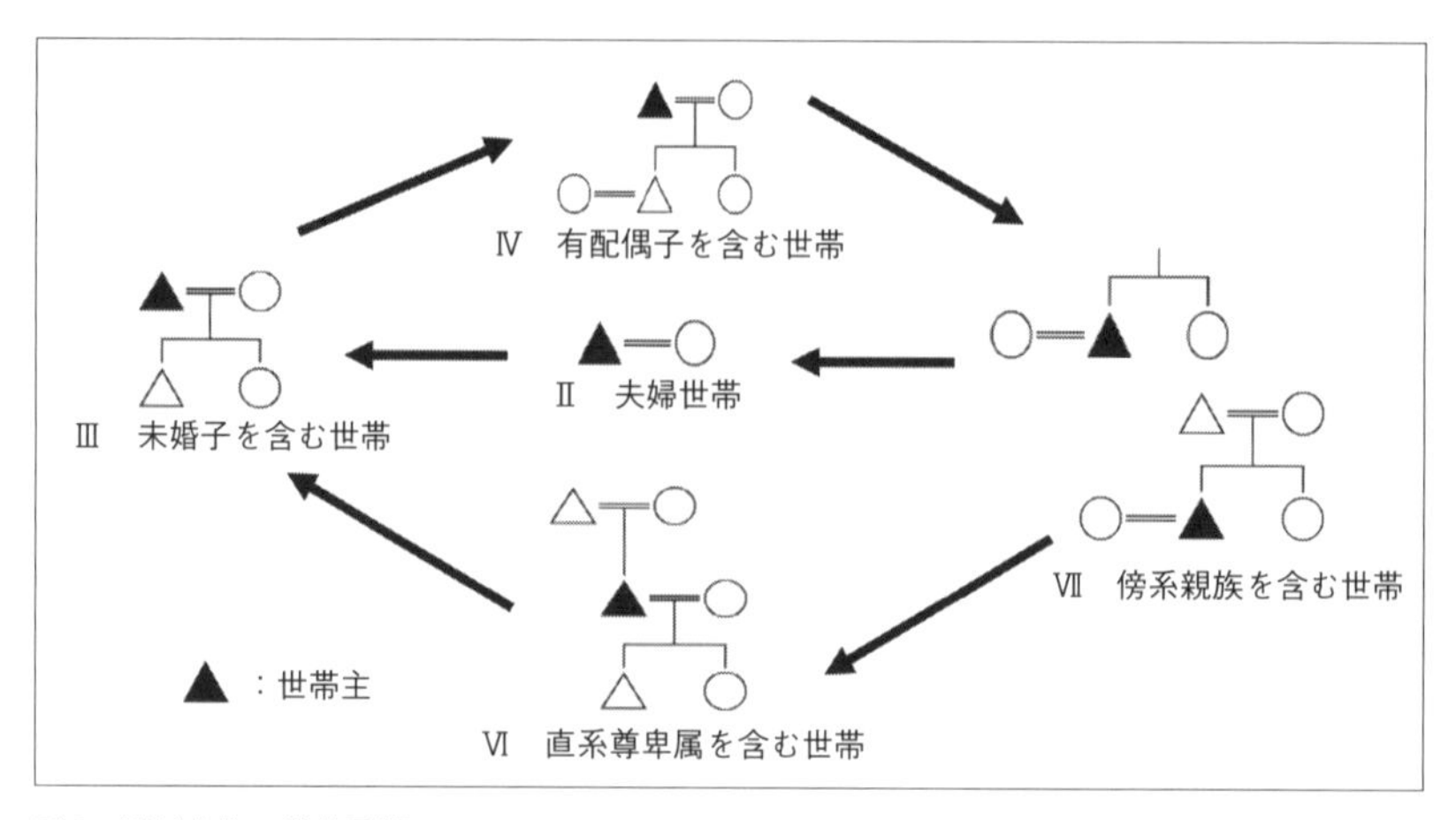

図2　炭鉱家族の世帯周期
（出典：武田良三ほか「炭砿社会と地域社会――常磐炭鉱における産業・労働・家族および地域社会の研究」〔「社会科学討究」第22・23号合併号、早稲田大学社会科学研究所、1963年〕177ページから作成）

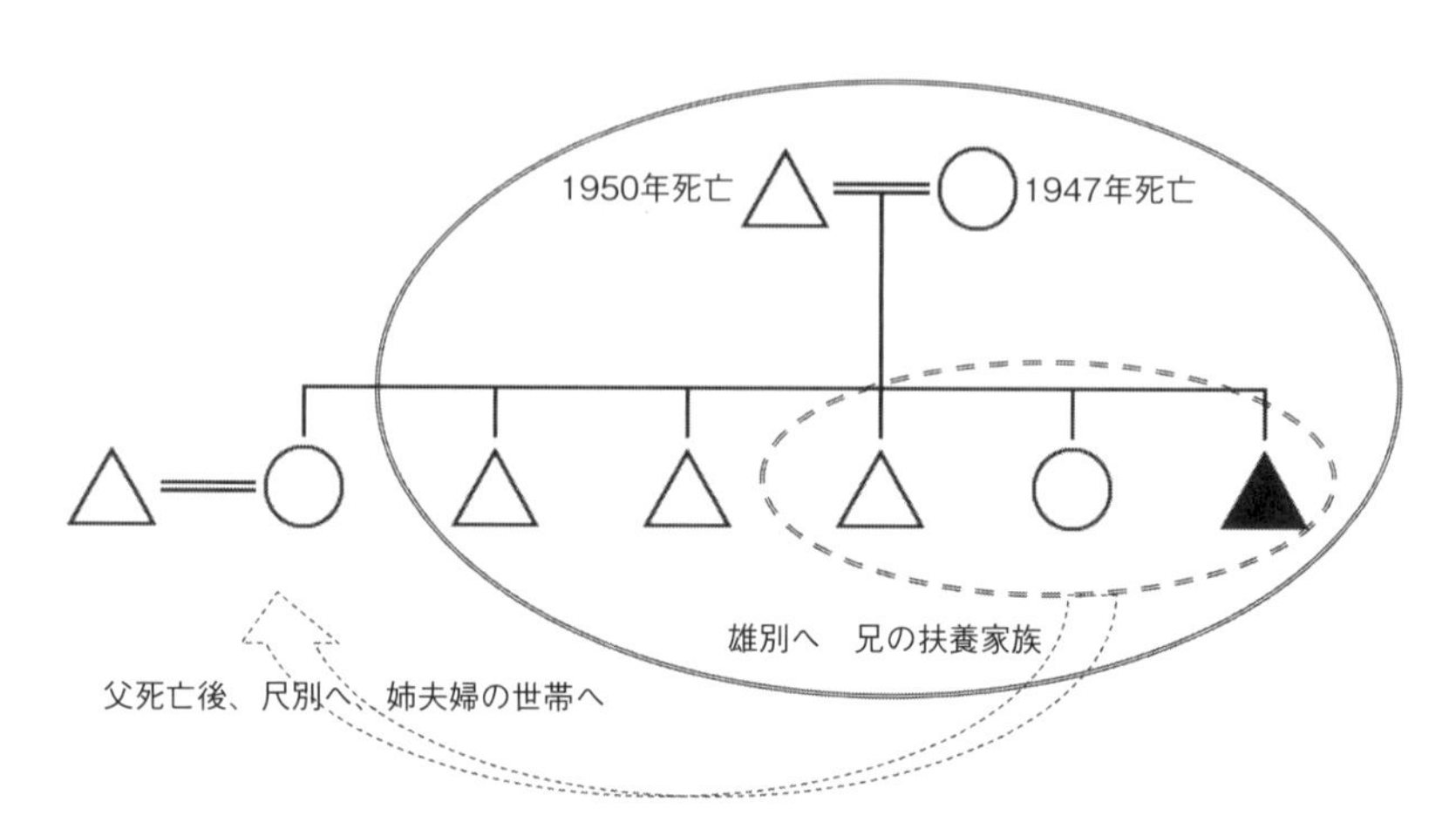

図3　子どもたちの世帯移動（Vさんの事例）（筆者作成）

帯を転々とする様子も確認できる。それは閉山後にも多くみられた。[7]こうした親族関係は「修正拡大家族」の典型であり、労働者家族が産業化・工業化地域へ移動し定着する際に選択する暮らし方の一つである。[8]特に石炭産業の場合は、それが労務管理方法と明確に直結していた。以下で具体的にみよう。

2　炭住での家族単位の労務管理

石炭産業では、炭鉱会社は坑口付近に労働者を集住させて労務管理をおこなった。そこでは、家族は日常的・安定的な労働力の供給源、再生産の場と位置づけられ、生産現場もしくは生産活動に組み込まれた。それは雇用面にとどまらず、空間的・物理的にも当てはまる。会社と家族を仲介する機関が、炭住区であり、労務課の外勤場所である詰所（つめしょ）（もしくは世話所など炭鉱ごとに名称が異なる）だった。図式化すると〈炭鉱会社―詰所―家族〉という統制が整えられていた。[9]炭鉱労働者の家族はこうした労務管理下で、持ち合わしている資源を活用して、個別の状況に応じて世帯の暮らし方や働き方を選択した。おのずと家族に関する規範や家族員各人の選好は最優先されるのではなく、条件が許す範囲で考慮された。つまり炭鉱労働者・家族の生活は、家族中心主義に立つ家族戦略に基づいて展開して、そこで活用されたのが血縁や姻縁、直系や傍系といった家族・親族の「縁」だった。

炭住区を管理する詰所には、区長と二十四時間常駐の三人の労務係員（外勤者）が、[10]出勤督励、地域諸活動、社宅保全、生活指導など広範な業務を担った。むろんその中核は出勤督励である。製造業と同じく、炭鉱での労務管理で最大の課題は、出勤すべき日に出勤する者の比率、すなわち出勤率を高水準で維持することに尽きる。炭鉱の場合、坑内労働の肉体的・精神的負担の大きさから、坑内直接部門の出勤率が特に低くなる。たとえば、一九七〇年代の太平洋炭砿での坑内直接部門の出勤率は、七九％から八五％だった。[11]番方別にみると、深夜から作業を開始する三番方では、採炭員の出勤率は七六％にとどまるほど低かった。[12]無断欠勤が多発したのである。

労働者は現場の危険性からゲン担ぎを強く信じる慣習があり、「夢見が悪くて不吉だから今日は休む」といった具合に、出勤直前になって欠勤することもしばしばだった。炭鉱会社は大いに苦慮し、出勤督励・満勤を強く推奨した。たとえば尺別の社内報「やまの光」表紙には、「いざ行かん今月も満勤で」（一九五〇年四・五・六月合併号）という具合に、満勤や出炭増産を奨励するスローガンを毎号掲載している。[13] また尺別では、五〇年に「坑内勤務者の予約制」を実施した。[14] 前日に坑内から上がった時点で、翌日の出勤欠勤を決めて予約するという方法である。会社はその予約に基づいて翌日の繰込と番割を決め、作業能率を確保し、現場別人員把握と適正配置をねらったという。この制度の実施状況は確認できていないが、この制度が必要なほど労働者の出勤状況は不安定だった。

労働者は欠勤する場合には詰所に申し出る。休業した人は出勤前日に翌日からの出勤を詰所に届け出る。無断欠勤の場合には、労務係員が住まいを訪問して欠勤理由を確認し、翌日の出勤可能性を確認するなど対応に当たった。そこでは当然、妻や家族にも相談や指導がなされた。

詰所の役割は、出勤督励以外にも広範にわたった。図4に、常磐炭砿での事例（一九五八年）を示した。これをみると、出勤督励以外に採用解雇関係、組合関係、さらに炭鉱労働に直接は関係しない周辺の諸団体に関する事項が続く。また住宅関係では、炭住の修繕などにかかる事項が重要だった。加えて、労働者と家族の生活指導面にも関与したことがわかる。尺別でも詰所は同様の業務を担っていた。当時の詰所区長の仕事ぶりや炭住区での様子を、Cさんの語りでみよう。Cさんは、尺別の友山雄別炭砿に閉山直前に職員として入社し、二十四歳で詰所区長になった。

炭鉱は暮らしやすいと皆さんおっしゃり、離れたがらない理由のひとつに詰所の存在があります。アメとムチも両方を持っていますが、アメは住んでいる面倒を全部みることです。風邪を引いたら詰所へいくと、ちゃんと世話をしてくれる。病院の手配などから何から。夫婦喧嘩だというと、詰所の人が呼ばれて解決す

1. 就業関係：出勤督励
2. 採用解雇関係
3. 組合関係
4. 世話人会、主婦会、青年会他各種団体関係
5. 住宅関係
6. 生活指導関係
   ①赤字生活者の調査補導
   ②生活合理化、貯蓄奨励の指導
   ③諸貸付金ならびに婚礼衣裳の貸付
   ④各種身上相談
   ⑤各種苦情処理
   ⑥青少年補導対策
7. 冠婚葬祭関係
8. 市役所駐在員関係

図4　常磐炭砿における世話所区長の仕事内容（1958年）
（出典：武田良三ほか「炭砿社会と地域社会――常磐炭鉱における産業・労働・家族および地域社会の研究」「社会科学討究」第22・23号合併号、早稲田大学社会科学研究所、1963年、72―73ページ）

る。ですから五〇代とか四〇代とか、一番若くても四〇ちょっと手前くらいの、ベテラン中のベテランが詰所に勤務します。そこへ二四歳の時に詰所勤務になりました。詰所は私以外はみんな鉱員の身分ですから、職員だということで私が責任者です。詰所の責任者は、区長と呼ばれていました。（略）区長というのは、すごく偉くて、結婚式だったら主賓。葬式なら喪主に代わって挨拶。（略）まずは毎日、出勤したか、出勤していない人は誰か必ずチェックをします。出勤率を確保しなければならないですから。休んでいる人のところへ行って「どうして休んでるの？」と言うわけです。「明日は出る」と返ってきます。

そういうのは楽だったのですが、一番嫌だったのは、私が行くと小学生か幼稚園くらいの子どもたちが逃げるのです。「区長さんが来た！」という声と同時に、遊んでいたのが皆逃げて、家の中に入っていくのです。（略）子どもが何かイタズラすると、奥さん方は「詰所に言う」と言います。一番効果がある言い方は「区長さんに言う」。もう裁判官から死刑判決を下されるのではないかと子どもは思うのですね。（略）楽しかったことは、いろいろな人から声をかけられることです。社宅を回ると奥さん方が声をかけてくれて、お茶を必ずご馳走してくれる。お茶を飲むのも仕事です。[15]

このように、詰所は炭住で暮らす労働者家族の生活全般に多大な影響力をもっていた。そのため、一九四七年に国を挙げて提唱され、五〇年代に大きく展開した新生活運動の担い手にもなった。炭鉱での新生活運動は、製造業の企業単位での動きに先んじて着手された。たとえば尺別の場合、四九年の社内報「やまの光」上に、図5のような「家庭生活の合

1. 冠婚葬祭の簡素化：結婚式の簡素、披露宴の簡略化、届出の迅速、式服の質素化
2. 社交贈答の節約：祝儀、香典、餞別等における虚礼の廃止、日常交際における贈答品の質素化或いは実質化
3. 家計簿による予算生活について：収入と支出を明瞭にし、収入の範囲内で生活をすること
4. 時間の励行：集会等における時間の厳守（非常に克己心がいる）
5. 家庭内労働の公平なる分担：家庭内の仕事の能率化、余剰時間の利用
6. 健全なる慰安と娯楽の勧奨：たとえば家庭音楽会（レコードコンサート、合唱）、家族遠足会等、明日の生活の希望とすること
7. 家庭の機械化：能率向上のために実用機械の備付け（調理器洗濯器等）
8. 生活の計画化：無駄のない生活とすること

図5　尺別炭砿での「家庭生活の合理化」の内容（1949年）
（出典：尺別炭砿社内報「やまの光」1949年12月号、尺別礦業所）

理化」を推奨する記事が掲載されている。ここで列挙されているのは、「冠婚葬祭の簡素化」「社交贈答の節約」というコミュニティでの日常的・非日常的な近隣との付き合い方の根本に関わる事項である。長年、人びとが培ってきた慣習や因習を見直して、当時の表現でいえば「近代的・文化的・科学的」なそれへの転換を紹介している。さらに具体的な家族生活場面では、経済の自立を目指す家計管理、時間厳守、家庭内の民主化（労働の公平な分担）、計画化、機械化が奨励され、加えて、慰安・余暇面からの労働力の再生産をも家族・世帯内で励行することが求められている。これは炭山を挙げて豊かな生活を追求しようとする動きであり、当然、労務管理と直結していた。

福利厚生と「一山一家」精神

Cさんの言にあるように、会社は「アメとムチ」の両方を使って労務管理をおこなった。言い換えれば、炭鉱会社は、肉体的・精神的に過酷な炭鉱労働への労働者自身の労働意欲を高めることでだけ、安定的生産の持続が可能になる。そのため〈会社―詰所―家族〉という絶対的統制であると同時に庇護的関係でもあることを明示化する必要があった。アメの部分では、福利厚生の拡充と、「一山一家」（尺別の場合には「全山一家」）精神、すなわち「愛山」精神の涵養を図った。[16]詰所担当を含む労務係員はその重要な担い手であった。尺別の例をみると、一九五〇年の「やまの光」には労務課長による「労務課員の心構えについて」と題する記事がある。そのなかで、

労務課の仕事は「健全経営」と「生活安定」の両者を調整して実現することとされ、そのために福利厚生施設の拡充、文化の向上、子弟の教育の促進の三点を強調している。[17] その際の基本姿勢は、親心すなわち温情主義的姿勢であった。「常に親の慈眼をもって人のために善かれかしと願わなければならない親切というのは親の切なる心である」[18] とある。同時にそれは強い統制「ムチ」を伴う。続く文章で「しかし甘やかしてはならない。子どもに好きなものをやり過ぎて腹をこわしたり悪い習慣をみにつけたりするようなものである。我々従業員は全員で同じ方向に向かって力を協せて舟を漕いでいるのである。一人でも反対に漕いではならない。思想的に方向の異なった人々には舟から降りてもらわなければならない。親切の心が親を切るようなことになる。（略）従業員に信頼される労務課員たれ」[19]（傍点は引用者）とある。実際、排除の強い力が作動する場面もあった。尺別の場合には、六一年に共産党排除のために会社が特定組合員を強制的に解雇しようと画策した尺別事件（第３章を参照）が、その典型例である。

多くの炭鉱では、「一山一家」精神を象徴する経営者が存在した。たとえば常磐炭砿の場合には、中興の祖といわれた中村豊氏が象徴的な家長として君臨し、彼のもとに労働者は結束した。彼の発案による常磐ハワイアンセンターへの転身は、映画『フラガール』（監督：李相日、二〇〇六年）にも描かれるように、「一山一家」の代名詞である。[20] あるいは、三井・三菱・住友といった大手財閥系炭鉱では、「三井」「三菱」「住友」の看板そのものが、労働者の忠誠心を育んだという。しかし、尺別の場合、調べたかぎりでは、「全山一家」を象徴する特定人物は存在しない。むしろ、既述のとおり戦後復興を会社・労働者・地域全体の協同体制で実現したという共通の経験が、「全山一家」の基底にあったといえる。

3　炭住での家族生活と〈つながり〉

誰が働くか

家族や世帯のなかで誰が働くのか、これは家族戦略の重要な要素である。一九五〇年代以降の炭鉱家族は、世帯主である夫だけが働き、妻は家庭役割を担うという「稼ぎ手一人家族世帯」が一般的だった。この形態はいうまでもなく、炭鉱の不規則な就業形態に由来する。一週間ごとに就業時間が変わるというローテーションで生活を営むことは、容易ではない。妻は、子どもには規則正しい生活習慣を身につけさせ、それとは別に、夫の不規則な仕事生活を管理・支援しなければならなかった。つまり、妻たちは夫の生活時間と子どもの生活時間の二つの生活時間のマネジメントを強いられた。必然的に炭鉱労働者の妻たちは、就業せずに専業で、世帯内のすべての家事・育児を担うことになる。これは、家庭責任、家族規範や意識を源泉にするというよりも、炭鉱労働の必要性から規定されたことにほかならない。世帯経済を補填する面では、妻の就労ではなく年長の子どもたちが期待された。彼らには義務教育修了後に進学せずに、炭鉱に働きに出て、彼らの収入を家計に繰り入れる、あるいは別の炭住を得て、兄弟姉妹と別世帯で暮らすといった選択がなされた。その際、男子よりも女子のほうが人生を攪乱するような選択を強いられる確率が高い。尺別の場合には、たとえば未婚が条件である看護職を得て炭鉱病院に勤め、結婚を遅らせた例などがみられる（コラム3「「ヤマの女」がみた尺別の助け合い――米田冨美子さんインタビュー」）。むろんこうした事例には、炭鉱社会で社会的・文化的に形成されたジェンダー規範が反映されている。とはいえ六〇年代に入り、炭鉱社会が相対的に豊かになると、「炭鉱のお母さんたちは優雅に暮らしている」という印象が広がることもあった。そのため当時の女性運動家たちは、炭鉱主婦が背負う石炭産業の存立条件に顧慮することなく、炭鉱主婦会運動を「男公認の女たちの戦い」と位置づけ、男性や会社に従属していると批判する姿勢さえ示したのである[21]。

家族内外の〈つながり〉

以上でみてきたように、炭住での家族の暮らしは、炭鉱での労働条件に強く規定された。では、家族内部の関係性はどうだったのか。これまでの研究では、興味深い知見が示されている。たとえば、炭鉱労働者家族では、筑豊に代表される石炭産業初期に普遍的にみられた夫婦の協同労働（夫と妻が組になって採炭する形式）に起因して夫婦の絆が強いこと、対照的に親子関係が相対的に希薄であることが指摘されている[22]。他方で、常磐研究では、炭鉱労働者はほかの製造業労働者と同様に、子どもに継承する資産をもたないため、長男志向や長子志向がみられず、複数の子どもに対して均等な役割を期待する傾向が明らかにされている[23]。あわせて、本章では、「子どもは親元で暮らす」という志向が必ずしも強くないことを指摘した。これらはいずれも、炭山での特殊な生活条件に由来することはいうまでもない。

他方で、「修正拡大家族」に当てはまる夫婦と親子にとどまらない親族関係、特に兄弟姉妹関係やおじ・おば―甥・姪関係といった傍系親族関係が、日常的に顕在化している現象もみられた。むろん、炭鉱では、親族関係にある者同士が同じ職場で働いている。そうした「職縁」内部の〈つながり〉、もしくは延長・拡張上に親族関係が位置づけられている。そのため、炭鉱社会を支える「一山一家」という「家族のように密接な人間関係」と「温情主義的な主従関係」が、実在する家族・親族関係と重なり合いながらもそこから拡張して成立していると説明できる。

さらに、こうしたつながりは近隣関係へも同心円状に広がる。炭住は四軒長屋形態で、隣との壁も薄く、「お互いに話し声や生活ぶりが手にとるようにわかる」ような環境だった。各家族・世帯の生活は内側に閉じているのではなく、隣近所、炭住区コミュニティに開かれていた。そのため隣近所は「他人だけれども家族のような関係」であった。むろん同時にそれは、同調圧力や小規模な派閥形成など、負の作用も含んでいたことはいうまでもない。まさに、炭住区は社会そのものだった。

本章でみたように、炭鉱労働者家族は、「稼ぎ手一人の専業主婦世帯」で、外形的には核家族世帯が主流である。はたして炭鉱の家族には、産業構造の近代化に伴って出現した〈近代家族〉モデルが当てはまるのだろうか。本章の最後に、〈近代家族〉を手がかりに炭鉱労働者家族の特性を整理しよう。

ヤマの家族の特性——炭鉱の家族は近代的か

そもそも炭鉱労働者家族には、企業・会社に全面的に管理されているため、企業から自立した私的領域としての家族の像はみられない。むしろ、炭鉱会社の強い統制下で成立した炭鉱コミュニティに有機的に組み込まれた家族像が当てはまる。この点は、高度経済成長期に、社宅を拠点に生活する大企業製造業の労働者家族と強く類似している。

木本喜美子は、この大企業製造業の労働者家族を、「日本型近代家族」として、その成立メカニズムを整理している。そこでは企業は、家族賃金としての年功序列賃金制度と、持家制度を中心とした高度な企業内福利厚生を整え、労働者と家族に長時間労働と不規則労働を強制した。さらに労働者に勤労意欲をも促して、結果的に昇進競争への主体的な参加を強いたというのである。その際、家族は物質的生活基盤を手にし、それと引き換えに、夫・父親の「苦患（くげん）労働」を受け入れたというメカニズムを説明している。[24]

これを、炭鉱労働者に当てはめると、炭鉱コミュニティで物質的に豊かな生活基盤を確保したという点は当てはまる。しかし、前提となる賃金体系と労働条件面では、大きく異なっている。炭鉱では、賃金は請負給・能率給、現場作業は労働集約的体制のグループ作業で、昇進もなかった。これは、機械化された労働現場で、固定給・家族給と昇進機会が保障された製造業労働者とは対照的だった。つまり、炭鉱労働者家族は、高度経済成長期の「日本型近代家族」とは異質といえる。

では、「一山一家」精神の強い志向から、〈近代家族〉とは対照的な伝統的「家」共同体、同族集団といえるのだろうか。この点も否である。本章でみてきた炭鉱労働者家族の暮らし方と〈つながり〉は、固有の存立条件を有する石炭産業だけに当てはまる。家族・親族関係では、直系親族中心の価値が弱く、傍系親族（兄弟姉妹やおじ・おば—甥・姪）関係が広く重視された。むろん、それは子ども数が多かったために実効的に機能した。さらに労働者・家族は、急速に変化する石炭産業自体の盛衰過程に呼応して、生活手段と方策の具体的な形態、すなわち暮らし方と〈つながり〉のあり方を柔軟かつ迅速に変更した。子どもたちを他産業に就職させた点もその好例である。その結果、必然的に炭鉱労働者家族内でも世代間で、家族の暮らし方や〈つながり〉の受容の仕方は異なったのである。

注

（1）市原博『炭鉱の労働社会史——日本の伝統的労働・社会秩序と管理』多賀出版、一九九七年、二九—三〇ページ
（2）閉山時名簿での世帯人数は、平均三・三三人、中央値四人、最頻値四人。
（3）尺別炭鉱労働組合『労働組合解散記念誌 道標——山峡の灯』（尺別炭鉱労働組合、一九七〇年）掲載の閉山時名簿から算出。
（4）Tさんヒアリング、二〇一七年十二月
（5）武田良三ほか「炭砿社会と地域社会——常磐炭鉱における産業・労働・家族および地域社会の研究」「社会科学討究」第二十二・二十三号合併号、早稲田大学社会科学研究所、一九六三年、一六七—一七九ページ
（6）同論文一六七—一七九ページ
（7）たとえばEさんヒアリング、二〇二〇年一月。
（8）たとえば東ロンドンの労働者階級の事例（Elizabeth Bott, *Family and Social Network*, Tavistock Publications, 1957.）、アメリカ・マンチェスターの紡績工場での移民労働者家族の事例（タマラ・K・ハレーブン『家族時間と産業時間』正岡寛司監訳、早稲田大学出版部、一九九〇年）がある。

（9）前掲「炭砿社会と地域社会」六九―七四ページ
（10）炭鉱の週休は一日で、尺別炭砿社内報「やまの光」（尺別礦業所）をみると、公休日は、一九五〇年一月一・二・三日は特殊公休日、それ以外に九・十六・二十三・三十日（毎月曜）、操業二十四日間、二月六・十三・二十・二十七日の四日間、操業二十四日間。五〇年当時、尺別の公休日は月曜だったが、その後時期は不明だが、日曜日に変更された。
（11）嶋﨑尚子／中澤秀雄／島西智輝／石川孝織編『太平洋炭砿――なぜ日本最後の坑内掘炭鉱になりえたのか』下（釧路叢書）、釧路市教育委員会、二〇一九年、九ページ
（12）同書一五ページ
（13）「やまの光」（尺別礦業所）でのスローガンはそのほかに「こぞって明朗明るい尺別」（一九五一年十月号）、「住みよい尺別、笑顔で増炭」（同年十一・十二月合併号）、「笑って皆勤 進んで増炭」（一九五二年新年号）、「笑顔で増産明るい職場」（同二月号）、「今日の増産 明日への復興」（同三月号）、「無理なく無駄なく笑って増産」（同四月号）、「休まず増産 吾等のほこり」（同六・七月合併号）、「規則守って 楽しい職場」（同八月夏季特大号）といった具合である。
（14）「坑内勤務者の予約制実施さる」、尺別炭砿社内報「やまの光」一九五〇年三月号、尺別礦業所、一〇ページ
（15）「我が青春の雄別炭砿――一九六五～一九七〇」、釧路市立博物館『ヤマの話を聞く会記録集 平成二十二年度』所収、釧路市立博物館、二〇一一年、六九―七三ページ
（16）たとえば「やまの光」一九五〇年三月号（尺別礦業所）には「提唱――やまを愛そう!!」という労務課作成の記事も掲載されている。
（17）尺別炭砿社内報「やまの光」一九五〇年新年号、尺別礦業所、五ページ
（18）同誌五ページ
（19）同誌五ページ
（20）北海道最大手の北海道炭礦汽船株式会社（北炭）でも、長く社長・会長を務めた萩原吉太郎氏が最後までオヤジと呼ばれ、その政治的手腕に期待がかけられた。多くの労働者はどんな苦境にあっても「オヤジがなんとかしてくれ

る」と無条件に信じていたという。

(21) 西城戸誠「産炭地の女性たち――「母親運動」の評価をめぐって」、中澤秀雄／嶋﨑尚子編著『炭鉱と「日本の奇跡」――石炭の多面性を掘り直す』所収、青弓社、二〇一八年、一七五ページ

(22) 前掲『炭鉱の労働社会史』二九―三〇ページ

(23) 前掲「炭砿社会と地域社会」一八六―一九二ページ

(24) 木本喜美子『家族・ジェンダー・企業社会――ジェンダー・アプローチの模索』(「シリーズ・現代社会と家族」第三巻)、ミネルヴァ書房、一九九五年

第5章　炭鉱の学校と「学縁」——子どもたちの〈つながり〉

笠原良太

1　炭山に育てられる子どもたち

炭山社会での生活——同質的環境下での共同生活

尺別炭山には小学校と中学校が一校ずつあり、炭山が一つの学区をなしていた。尺別炭山に生まれた子どもたちは、中学卒業までほぼ同じメンバーで生活して成長した。前章でみたように、鉱員の家族は、炭鉱労働者である父親（夫）の安定的な労働の維持が最優先であるため、「子ども中心主義」ではなかった。育児や子どもの教育は、隣近所の助け合いや学校教育のなかでおこなわれ、子どもたちは炭山社会に育てられたのである。

尺別炭砿の鉱員住宅（緑町、栄町、旭町）は一棟四戸の長屋であり、浴場や水道は共同だった。山間で娯楽は少なかったが、商店、病院、学校などがそろい、子どもたちの生活は炭山のなかで事足りた。また、子どもたちの生活は父親の労働に規定されていて、父親が三番方（夜勤）の場合、子どもたちは父親の睡眠を妨げないように外で遊んだ。彼らの思い出や回顧をみると、狭い炭住のなかで遊ぶよりも炭住街の広場や山・川で友人たちと遊ぶほうが楽しかったようである。同じ炭住区には、同級生だけでなく、きょうだいの同級生も含めて多くの遊び仲間がいた。緑町に暮らしていた鉱員の子どもは、つぎのように振り返る。

（四軒長屋のうち）三軒は私と姉の同級生でした。長屋の壁はベニヤ板で隣の声もよく聴こえて来ます。ベニヤ板のすき間から手紙ごっこをしたり、外でゴム飛び、石けり。学校から帰ると（隣の）おばあちゃんが「じゃがいもを食べにおいで」といつも言ってくれて御馳走になりました。（略）兄弟も多く、広場で男女年令関係なく缶けりして遊びました。（略）午後四時を過ぎると白い割烹着姿の母が現われます。その姿を待っていた私は、いつも一目散に（母のところへ）走って行きました。[1]

地区ごとにあった共同浴場も子どもたちの遊び場になった。「尺別炭砿に暮らした人びと調査」の「思い出深い場所」として、共同浴場が多く挙げられている。

近所の仲間と毎日通いました。開場すぐ午後四時頃に行くと大人はまだ来ておらず、少し小さめの温水プールのようで泳ぎ騒ぎまくっておりました。[2]

運動会や盆踊り、山神祭などのヤマの行事は、子どもたちの大きな楽しみの一つだった。運動会では地区別対抗リレーがあり、子どもから大人まで参加して大いに盛り上がった（写真1）。夏の風物詩である盆踊り大会は、協和会館前広場に櫓（やぐら）を建て、子どもたちは仮装して踊った。冬は大人たちが校庭につくったスケートリンクで遊んで、地区別対抗のスケート大会もあった。

また、子どもたちを地域で育てる仕組みとして、子ども会が組織されていた。子ども会の愛唱歌である「子ども会の歌」（図1）は、現在も同郷会や同期会で歌い継がれている（第11章「「学縁」の展開——閉山時高校生・中学生の五十年」〔笠原良太〕を参照）。二番の歌詞にある「長屋の壁の作品」とは、父母・教員が中心になって取り組

写真1　地区対抗運動会（緑町2区チーム）（Eさん提供）

一　炭砿にひびくサイレンは
　　炭砿の子どもの心だよ
　　おじさんたちに負けないで
　　ひらくぼくらの学校は
　　サンと輝く太陽に
　　にっこり応えて育つのだ

二　みんなのみんなの学校は
　　にこにこひらく誕生会
　　はきはきめぐるお話会
　　若葉の下の相談も
　　長屋の壁の作品も
　　炭砿の子どもの心だよ

三　けんかしないでたすけ合い
　　にこにこピンピン集まって
　　広場でつくる花の輪で
　　楽しい住みよい炭砿と
　　明るい日本をつくるのが
　　炭砿の子どもの心だよ

図1　「子ども会の歌」（元尺炭小F教諭提供資料から作成）

んだ「子どもの広場づくり」の一環で設置されたものだ[3]。長屋の壁に、子どもたちが学校で作成した図画や習字を掲示するもので、父母や地域住民はそれを目にしていた。このほか、中学生がリーダーになった少年団も各地区で清掃活動や学習会をおこなうなど[4]、子どもたちは炭住区で育った。

子どもたちの間の階層

一方、子どもたちは、異なる地区の友人とも交流していた。中学生になると、自転車で街中を移動して、友人の家を訪れる者もいた。尺別原野に住んでいたDさん（尺炭中七期生、一九五一―五三年在学）の日記によれば、放課後に、緑町に住む同級生が「自転車でピンポン（卓球）をしにきた」（一九五二年八月二十九日）とある。

しかし、職員住宅がある錦町に遊びにいくのは、やや敷居が高かったようである。緑町に住んでいた鉱員の子ども（尺炭中六期生、一九五〇―五二年在学）は、「職員の同級生のところ（錦町）に遊びにいったということはあまりない」[5]と記憶している。特に、会社幹部（本社採用の職員）の子どもたちは、鉱員の子どもからみて、「頭がいい」「坊ちゃん」「服装がしっかりしていた」[6]。社宅も鉱員住宅に比べて職員住宅のほうが広く、幹部の家は一戸建てだった。まれに遊びにいけば、鉱員の家にはないピアノや「果物の缶詰」[7]などがあったという。バレエやバイオリンを習っていた職員の子どもは、それが「いじめの原因だったかもしれません」[8]と振り返る。

このように、親の階層に基づく意識は、子どもたちの間にもあった。しかし、子どもたちが学校で生活をともにして、「平等」や「集団」を重視した教育を受けるなかで、そうした階層意識は潜在化していった。

2　炭鉱の学校――炭山社会の中心的機関

尺別炭山の学校――会社・父母・地域からの期待

尺別炭山の学校の歴史は、炭鉱の歴史とともにあった。尺別炭砿が開発された当初、会社は簡易の学校を設けたが、校舎などの環境が劣悪だったため、一九一九年に尺別原野にある尺別尋常小学校（一九〇〇年開校）の特別教授場として開校した。開校時の児童数はわずか十五人だったが、炭鉱の発展とともに急増して（図2）、三一年には尺別炭砿尋常小学校（尺炭小）として独立した。四三年には炭住街の拡大に伴って、校舎を錦町（職員住宅街）に移転した。戦争末期には炭鉱の急速転換によって児童数は減少したが、戦後、炭鉱の復興とともに再び増加した。四七年には、尺別炭砿中学校（尺炭中）が尺炭小の校舎を間借りして開校した（一九五一年に独立校

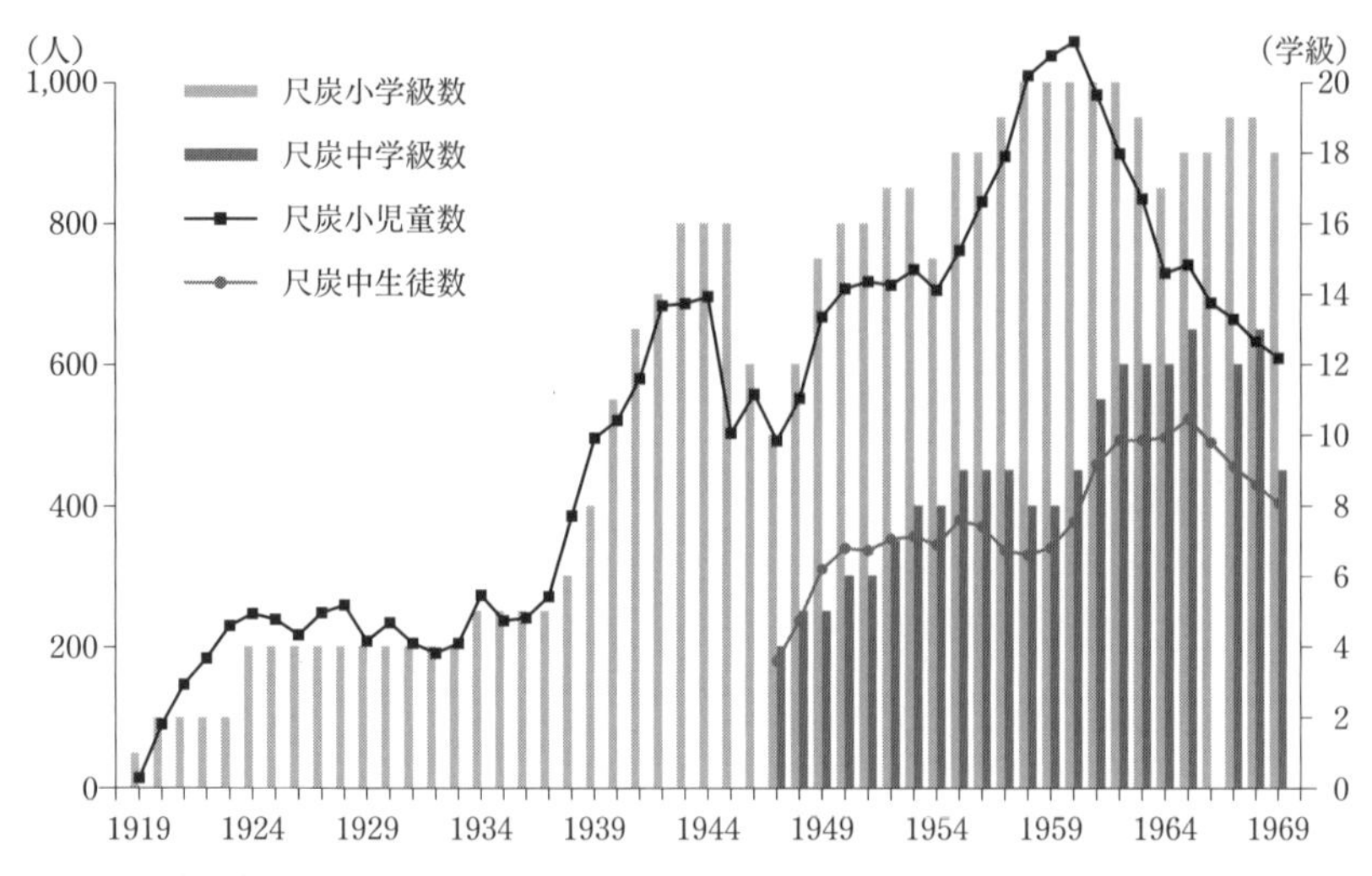

図2　尺炭小・中学校児童・生徒数、学級数の推移
(出典：尺別炭鉱労働組合『尺労のあゆみ――二十年史』尺別炭鉱労働組合、1966年、尺別炭砿小学校『尺炭小沿革の概要』尺別炭砿小学校、1970年、記念誌編集委員会編『尺別炭砿中学校閉校30周年記念誌 あこがれ』記念誌編集委員会、2000年)

舎完成)。

尺炭小をはじめ学校の設立には、会社が資金・資材を提供した。さらに、学校教育の定着に向けて、砿業所幹部などが父母会や学校行事に積極的に参加した。会社は、学校教育を通じて流動的な炭鉱労働者の定着を図ったのである[9]。また、炭鉱の発展期には、従業員育成のために「尺別礦業実習所」を設立し(一九五〇年)、さらに、高卒学歴の取得を可能にするために夜間定時制高校を誘致して、一九五一年に開校した(釧路湖陵高校分校、のちの音別高校[10])。

会社だけでなく父母や地域住民も、学校に期待してさまざまな支援をおこなった。父母たちは、開校当初は学校教育に理解がなかったとされるが[11]、父兄参観や学校行事に次第に参加するようになったという[12](写真2)。母親は、炭鉱労働者である夫・父親を支えることが最優先だったため、子どもの教育を学校に全面的に任せた。さらにいえば、坑内の重筋労働を要する炭鉱では、農村社会のように親の労働補助を介した子どもたちの人間形成が難しく、学校が家庭教育を代替した。父母たちは、自身よりも学歴が高く教養がある教員たちに期待して、子ども世代の教育による「生まれ

変わり[13]」を望んでいた。すなわち、石炭産業の先行きの悪さや炭鉱労働の過酷さから、「子どもには違う仕事についてもらいたい[14]」という願いをもっていたのである。

また、父母たちは、学校に対して社会教育の役割も期待した[15]。尺別でも、戦後、新生活運動が盛んになり、毎月、尺炭小で社会学級が開かれた。そこで父母たちは、「学校側との懇談」をおこない、「時事問題の解説、生活改善方法」「衛生知識」「当用漢字の使い方」などを学んだ[16]。また、炭鉱の公休日には、父親をターゲットにした「一日入学（日曜入学）」もおこなわれた[17]。教員たちはこれらの活動に率先して取り組み、父母たちの教養と学校教育に対する理解を高めるため、学校を地域に開放したのである[18]。

写真2　父兄参観日（1962年、尺炭小1年生）（尺炭中24期生提供）

学校は、炭山社会での文化の中心でもあった。都市部から離れた尺別では娯楽が少なく、学校の行事が「ヤマの行事」として親しまれた。また、尺炭小初代校長が設立した俳句会は、会社幹部や従業員、地域住民が参加して、「全山一家」の「融和ムード」や学校に協力的な雰囲気を生み出すきっかけになった[19]。

よりよい学校教育と社会教育のために、会社・父母・地域は、学校に対する後援活動をおこなった。両校のPTA活動は活発で、これは全道的にも高く評価された[20]。一九四八年には、尺炭小で学校給食が始まった。これは、父母による「石炭拾い作業」で調達した資金をもとに実現したもので、釧路管内では先進的だった[21]。また、尺炭中の教員と生徒が始めた校庭拡張工事は、「PTA、街全体へと輪を広げて[22]」いき、五四年に完成した。教員たちは、地域・父母の学校教育への参加を促して学校環境の整備をおこなうだけでなく、会員の教養を高めていった。[23]このように、学校は会社・父母・地域からの信頼と期待を得て、学校教育と社会教育に注力できたのである。

尺炭の教員たちと「尺炭教育」

他方、学校が炭山社会の中心になりえた要因として、教員たちの特性が挙げられる。まず、尺炭小・中学校の教員たちは、学校に隣接した教員住宅に居住して、炭山社会の一員として共同生活を送った。共同浴場や商店などで児童・生徒や父母たちと会い、日常的に交流していた。子どもたちはしばしば教員住宅に遊びにいき、[24]放課後の補習や休日の地区別学習会などで全人格的教育を受けることができた。

また、尺炭小・中学校には尺別炭山出身の教員が多く（コラム5「ヤマの子がヤマの先生に、そして閉山――川端紀一さん・佐藤巧さんインタビュー」を参照）、同級生や親戚、隣近所の子どもを教えることがあった。彼らは、自身がかつて受けた教育や炭山での生活経験をもとに、児童・生徒や父母たちと接して信頼を得た。[25]さらに、長年勤める教員が多く、[26]学年を超えて多くの生徒たちを教育し、PTA活動などで父母たちと長期的に関わった。ある世帯のすべての子ども（きょうだい）を受け持ったというケースも少なくない。彼らは、教え子たちに慕われ、現在でもいくつもの学年の同期会に招待されている（第11章を参照）。

こうした条件のもと、教員たちは、意欲的な教育実践を展開した。尺炭小・中学校では、「地域・父母提携」と「主体形成・集団づくり」を主軸とする「尺炭教育」が実践された。前者は、先述した社会学級やPTA活動などを含む地域・父母との協働であり、後者は、班活動や児童会、生徒会活動による子どもたちの主体性・集団意識の涵養だった。後述するように、一九五〇年代後半以降、両校では「一人はみんなのために、みんなは一人のために」というスローガンが掲げられた。[27]これらの実践は、釧路・北海道の教育研究会などで、独創的かつ先進的な実践として注目された。[28]

このように、尺別炭山の学校は、会社・父母・地域の期待と支援を受けて、炭山社会の中心的機関として成立し、教員たちは積極的な教育実践を展開した。では、子どもたちは、炭鉱の学校でどのように生活して成長していったのだろうか。

3　炭鉱の学校での生活

階層差を意識させない教育

前述のように、尺別炭山が一つの学区だったため、尺炭小には職員（錦町）、鉱員（緑町、栄町、旭町）、組夫（仲町）、商店（緑町）の子どもたちが集まり、中学校からは原野や岐線の子どもたちが加わった。[29]そのうち、大多数を占めたのは鉱員の子どもたちだった。[30]教員たちは、子どもたちに階層を意識させない教育を心がけた。尺別炭山出身のH教諭（尺炭中）は、自身が子どもの頃に「社外（組）」の子として差別を受けた経験をもとに、「職員の子と従業員の子の間で絶対に差別や区別がないよう、十分配慮[31]」したという。当時の教室の写真をみると、「友愛」や「結ばれる心」などのスローガンが掲示され、子どもたちに日頃から「平等」を意識させていたことがわかる。「尺別炭砿に暮らした人びと調査」によれば、尺炭小・中学校で子どもたちの間に、「親の職種の違い（炭鉱の職員か鉱員か）を気にする雰囲気」は、「なかった」とする回答が八〇%に及んでいる。[32]

一　一人一人まゆあげて
　　つらい仕事をきり開く
　　明日へののぞみつらぬこう
　　われら　われら
　　栄ある尺中生徒会

二　一人あまさず輪になって
　　どんなときもくじけずに
　　いつも明るく助け合う
　　われら　われら
　　栄ある尺中生徒会

図3 「生徒会の歌」
（出典：前掲『尺別炭砿中学校閉校30周年記念誌 あこがれ』8ページ）

主体形成、集団意識

そして、子どもたちは、前述の「尺炭教育」の名のもと生徒会や委員会活動に力を入れ、主体形成・集団づくりをおこなった。その姿勢

写真3　尺炭中生徒大会の様子（1952年）（Dさん提供）

は、生徒（十一期生）が作詞・作曲した「生徒会の歌」（図3）に表れている。学期末の生徒大会（写真3）では、各学級で出た議題を学年・学級を超えて活発に議論した。内容は、校則だけでなく炭山での生活規則にまで及んだ。特に、中学生は大人たちから子どもの代表としてみられたため、校外の生活態度について議論した。毎年のように議論されたのが、協和会館での映画鑑賞についてである。娯楽が少ない炭山では、映画が「娯楽の殿堂」であり、子どもたちの楽しみだった。しかし、一部の生徒による鑑賞態度の悪さを大人たちに指摘され[33]、生徒会でしばしば議論になった。その後も禁止映画を鑑賞する生徒や映画の券を「横流し」する生徒がいたため、一九六二年に生徒の立案で「映画委員会」が設立され、鑑賞可能な作品の決定や券の発行を「生徒の手で」おこなうことにした[34]。

　一九六〇年代には、男子の頭髪に関する校則の改正（長髪の許可）、六三年度からスタートした「学校祭」では「炭鉱街パレード」などを生徒主導でおこなった。当時、生徒会の顧問を務めていたI教諭は、「みんなの頭で考え、みんなの手で運営したことは、これからの尺中の進むべき道を開いてくれた[35]」と評価している。この伝統は閉校まで続き、六〇年代後半の文化祭では「尺中文化を向上させよう」「集団の力を高め確かめあおう」「学級、学年のつながりを深めよう」というスローガンを掲げ、生徒同士の討論会などを催した。

　このような生徒たちの主体性や集団意識の発露は、学習面でもみられた。高校進学が次第に一般的になった一九六二年度の三年生は、年度末の生徒会機関誌でつぎのように述べている。

　グループ活動の全盛時代は三Ｂの目標「一人の喜びがみんなの喜びとなり、一人の悲しみがみんなの悲しみとなる」にぴったりあった活動を見せていた。それに生活面だけでなく学習面においても、グループがかたまって学習しあったりして、本当にグループ活動が活発だった。(36)

　この生徒が示唆するように、「グループ活動の全盛時代」は、ずっと続いていたわけではなかった。また、当然、教員の方針に批判的な生徒もいれば、ホームルームや授業で「ガチャガチャとさわぎ」「意見は無に等しい」というクラスもあった。しかし、そうした「未完成」なクラスでも「真理を求めて進めるクラス」(37)であろうとし、「どうしたら普段でも活発な意見が出、そしてみんなが協力し合える級になる事ができるでしょうか」(38)と模索していた。このように、彼らは「只炭教育」を通して、生徒同士または教員との〈つながり〉をつくっていったのである。

4　炭山を離れる子どもたち

炭山の外への関心

　炭山という閉鎖的な社会は、子どもたちの間に凝集性をもたらすと同時に、それが煩わしさにもなった。そのため彼らは、炭山の外への関心を強くもっていた。子どもたちの生活は炭山で完結していたため、釧路市や帯広市といった近隣の都市も遠い存在だった。したがって、中学校の社会科見学や修学旅行は、炭山の外を知る貴重な機会になった。年度によって異なるが、尺炭中では二年次の社会科見学で釧路市を、三年次の修学旅行で札幌市などを訪問した。毎年、年度末の生徒会機関誌に思い出や反省が書かれている。閉山の足音が聞こえ始めた一九六九年度の釧路見学は、生徒たちに炭山以外の社会と自身の将来を考えさせる機会になった。二年生代表は、釧路見学の行程を振り返り、つぎのように述べている。

ぼくらは、これから大人になる。そして、やがて働くようになるだろう。(略)働くにも、いろいろな場所とかんきょうがある。ぼくたちは、社会のほんの一部をのぞいたにすぎなかった。それだけ社会が複雑にできているんだ。話しを聞くのと違って、実際に社会を見たこの一日は、ぼくの未来のために、頭の日記に記録された。(39)

学校では、外の世界を知る教員が、生徒たちに炭山社会の特殊性を伝えていた。樺太出身で芦別、札幌と移った経験がある尺炭中の教員は、一九六八年度の卒業生に、外の世界を知ることの重要性を説いている。

君たちの考えはあまりにもせまく、君たちの知識はあまりにも乏しく、君たちの世間に対する認識はあまりにも浅い。(略)(僕も含めて)君たち若人は、外に向かって積極的に知識を吸収し、そしてなによりも将来をになうために生産的に生きて下さい。そのように生き続ける時、はじめて尺別は君たちの「ふるさと」になるでしょう。(40)

とはいえ、完結した炭山社会で育った彼らにとって、炭鉱の特殊性を理解することは容易でなかった。彼らは、炭山の外を知る機会が乏しかったうえに、炭鉱についても知る機会がほとんどなかった。炭鉱とふれるのは仕事を終えて帰宅した父親の「黒い顔」を見るときぐらいで、学校では炭鉱での仕事や石炭産業を扱った授業は少なかった[41]。彼らが炭鉱の特殊性に気づくのは、卒業後、異郷の地で生活し始めてからだった。

炭鉱の子どもたちの進路

炭鉱の外への関心をもった子どもたちは、他産業への就職や都市部での生活を志向するようになる。一九五〇年代までは炭鉱への就職という選択肢もあったが、五〇年代後半にはすでに炭鉱の新規採用が抑制され、学卒後、彼らは釧路や札幌、道外に職を求めた。また、全日制高校への進学は一般的でなかったが、一部の進学者は会社の子弟寮（雄別寮）に入って釧路市内の高校に通学した。高卒後に炭鉱に就職する者は、都会での生活や大学進学に後ろ髪を引かれながら尺別に戻ったという（コラム６「東京にも尺別の絆をつなぐ――菖蒲隆雄さんインタビュー」を参照）。子どもたちの進路は、父母だけではなく、会社・地域にとっての関心事であり、まれに「北海道大学に合格者が出たときは、ヤマにサイレンが鳴る[42]」ほどだった。

そして、一九六〇年代になると炭鉱への就職がほぼ閉ざされ、中卒後の進路は集団就職を含む道内外の成長産業への就職か、隣町の全日制高校への進学に分かれた。この頃の中高生は、石炭産業の斜陽化を肌で感じていて、炭鉱の就職口がないとわかっていた。六〇年代前半に道立白糠高校に通っていた生徒は、「組合の事故（尺別事件）があって、「おれは尺別炭鉱では勤められないな」と感じました。（略）九州の炭鉱が閉山になって、転校生がたくさんきて、「ダメだな」と察しがつきました[43]」と述べる。

炭鉱が衰退するにつれて、家族や地域は子どもたちの炭鉱以外への就職・移動をさらに期待した。炭鉱で「鉱山保安監督・通産大臣賞」をもらった父親でも、息子に「お前だけは炭鉱には入れない、入れたくない[44]」と言ったという。また、幼い頃から「隣のばあちゃんに「ソロバン習って銀行マンになれ[45]」」と言われ、商業高校に進学した生徒もいる。教員たちも、テスト主義の教育を拒否しながらも、父母の要求と石炭産業の将来を見据えて、子どもたちの主体的な学習による学力形成を促した[46]。このように、炭鉱が終わろうとしていたときも、子どもたちは炭山社会に育てられ、炭山の外に出ようとしていたのである。

尺別炭山という社会に育てられた経験は、彼らのその後の人生に生かされた。そして、炭山社会で形成された友人関係や教員との〈つながり〉は、現在まで継続して、同郷会や同期会のきっかけになっている（第11章を参照）。彼らにとっての「炭鉱の学校」は、閉山・閉校後もまだ続いている。

注

（1）笠原良太／嶋﨑尚子／新藤慶／木村至聖／畑山直子「尺別炭砿で暮らした人びと調査（2）――最終集計結果集［内部利用版］」「JAFCOF釧路研究会リサーチ・ペーパー」第十七号、産炭地研究会（JAFCOF）、二〇一九年、一五四―一五五ページ

（2）同論文一一七ページ

（3）元尺炭小F教諭提供資料

（4）Dさん（一九五一―五三年、尺炭中在学）の日記による。少年団は、こののちに廃止となるが（廃止年不明）、閉山前年の一九六九年度に復活する。このときは、全部で十二の分団があった。

（5）Gさんヒアリング、二〇一七年十月二十八日

（6）尺炭中二十一期生座談会、二〇一八年八月七日

（7）同座談会

（8）尺炭中二十二期生手紙

（9）九州の貝島炭砿や三池炭砿など、開発の時期が早かった炭鉱を中心に、炭鉱立の学校が設けられた（山本桂子「炭鉱と教育――貝島の教育・育英事業を中心に」、高橋伸一編著『移動社会と生活ネットワーク――元炭鉱労働者の生活史研究』所収、高菅出版、二〇〇二年、林正登『炭坑の子ども・学校史――納屋学校から「筑豊の子どもたち」まで』葦書房、一九八三年）。尺別のように公立学校でも学校名に「炭砿」や会社名が入っている学校があり（雄別炭砿小・中学校、住友赤平小・中学校など）、会社との結び付きは強かった。

(10) 同校は、石炭産業の斜陽化、他出志向による生徒数の減少から、一九六二年に閉校した（北海道音別高等学校同窓会『よみがえる群像――音別高校十一年のあしあと』北海道音別高等学校同窓会、一九八八年）。
(11) 紅林鐵雄『風雪八十有余年――涙と感激の自叙伝』紅林鐵雄、一九六七年
(12) 笠原良太「尺炭教育史――尺別炭砿地域における独創的な教育実践の記録」「ＪＡＦＣＯＦ釧路研究会リサーチ・ペーパー」第十五号、産炭地研究会（ＪＡＦＣＯＦ）、二〇一八年、六ページ
(13) 苅谷剛彦『大衆教育社会のゆくえ――学歴主義と平等神話の戦後史』（中公新書）、中央公論社、一九九五年
(14) 嶋﨑尚子「炭鉱閉山と家族――戦後最初のリストラ」、中澤秀雄／嶋﨑尚子編著『炭鉱と「日本の奇跡」――石炭の多面性を掘り直す』所収、青弓社、二〇一八年
(15) 一般的に炭鉱の父母は、学歴、文化水準、教育的関心が低く、大手炭鉱を中心に戦後の組合・主婦会活動を通して改善が図られた（矢野峻「炭鉱地の家庭環境と親の教育的関心」、日本教育社会学会編集委員会編「教育社会学研究」第五号、日本教育社会学会、一九五四年）。
(16) 「北海道新聞」一九五四年五月三日付
(17) 開校五十周年記念誌編纂委員会編著『尺炭小五十年の足跡』尺炭幼小ＰＴＡ広報委員会、一九六九年、一四ページ
(18) 前掲「尺炭教育史」一三ページ
(19) 前掲『風雪八十有余年』八八ページ
(20) 前掲『尺炭小五十年の足跡』三ページ
(21) 同書一四ページ
(22) 尺別炭砿中学校『地底の灯――尺別炭砿中学校廃校記念誌』尺別炭砿中学校、一九七〇年、五ページ
(23) 北海道ＰＴＡ連合会『第四回ＰＴＡ研究大会誌』（「道Ｐシリーズ」第三集）、北海道父母と先生の会連合会、一九五七年、一八ページ
(24) 前掲「尺炭教育史」一五ページ
(25) 一九六〇年代の尺炭中では、炭鉱出身の教諭が学習会を主催して、新任教員（炭山出身の川端紀一教諭など）とともに集団づくりの手法を学んだ（前掲「尺炭教育史」四一ページ）。

(26) たとえば、戦後すぐに代用教員として赴任したH教諭は炭鉱出身であり、十六年にわたって尺炭中に勤めた。
(27) このスローガンは、一九五〇年代半ばに、ソ連・中国の影響を受けて導入された集団主義教育を実践する学校で掲げられていた。尺炭小・中学校の教員たちは、地理的制約があるなか、こうした全国的動向をいち早くつかみ、導入していた。前掲「尺炭教育史」
(28) 同論文
(29) 一九六三年に岐線が尺炭小の学区に統合され、翌年には尺別小学校の廃校に伴って原野の児童も尺炭小に通学することになった。
(30) 一九六九年度の「保護者の職業」は、「鉱業」八八%、ついで「農業」(原野)が五%だった(元尺炭中O教頭提供資料)。
(31) ヒアリング、二〇一七年八月二十五日
(32) 前掲「尺別炭砿で暮らした人びと調査(2)」
(33) 一九五三年度の尺別炭砿主婦会会長と生徒会評議員との座談会で、「何より話の中心は映画」であり、「(鑑賞を)許す数が多いか少ないか」「館内でのふんいきがわるい」と指摘された(Dさん日記、一九五三年四月十五日)。
(34) 尺別炭砿中学校生徒会「あこがれ」第十一号、尺別炭砿中学校、一九六三年、二二ページ
(35) 尺別炭砿中学校生徒会「あこがれ」第十二号、尺別炭砿中学校、一九六四年、五一ページ
(36) 前掲「あこがれ」第十一号、八一ページ
(37) 同誌八二ページ
(38) 同誌一九ページ
(39) 尺別炭砿中学校生徒会「あこがれ」第十八号、尺別炭砿中学校、一九七〇年、二ページ
(40) 尺別炭砿中学校生徒会「あこがれ」第十七号、尺別炭砿中学校、一九六九年、三四ページ
(41) 炭鉱の労働や事故、閉山などをテーマに教育実践を蓄積した夕張や筑豊とは対照的である。代わりに、尺炭小では、「詩のある教室づくり」を通して、児童に炭鉱での生活をみつめさせていた(前掲「尺炭教育史」)。
(42) Dさんヒアリング、二〇一六年八月二十八日

(43) ヒアリング、二〇一七年三月九日
(44) 前掲「尺別炭砿で暮らした人びと調査(2)」二三一ページ
(45) 同論文二一六ページ
(46) 前掲「尺炭教育史」

第6章　炭鉱コミュニティの「暮らし」——尺別の地縁の多層性

新藤　慶

本章は、尺別に存在するさまざまな「縁」のうち、「地縁」を対象としてその内実を描出することを目的にする。

1　尺別地区の位置と規模

はじめに、尺別地区の位置関係を確認しよう。図1に、尺別地区と音別市街までの位置関係を示した地図を掲げた。現在、旧音別町は釧路市に飛び地合併（旧釧路市との間に白糠町が挟まる形になっている）をしているが、旧釧路市の中心地域はこの東側になる。旧釧路市の中心から音別市街地までは、約四十五キロある。ここからさらに南西に約四キロ進むと、尺別地区の入り口である岐線にたどり着く。岐線には、旧国鉄関係者などが生活していた。さらに北西に約五キロ入ると、尺別地区で最も早い時期に人びとが入植した尺別原野がある。尺別原野では、かつては畑作、現在は酪農が中心に営まれている。そして、さらに約四キロから五キロほど奥に進むと、尺別炭山にたどり着く。

第2章「尺別炭砿——戦後のあゆみ」（嶋﨑尚子）で確認したように、尺別炭山は職員・鉱員・組夫によって

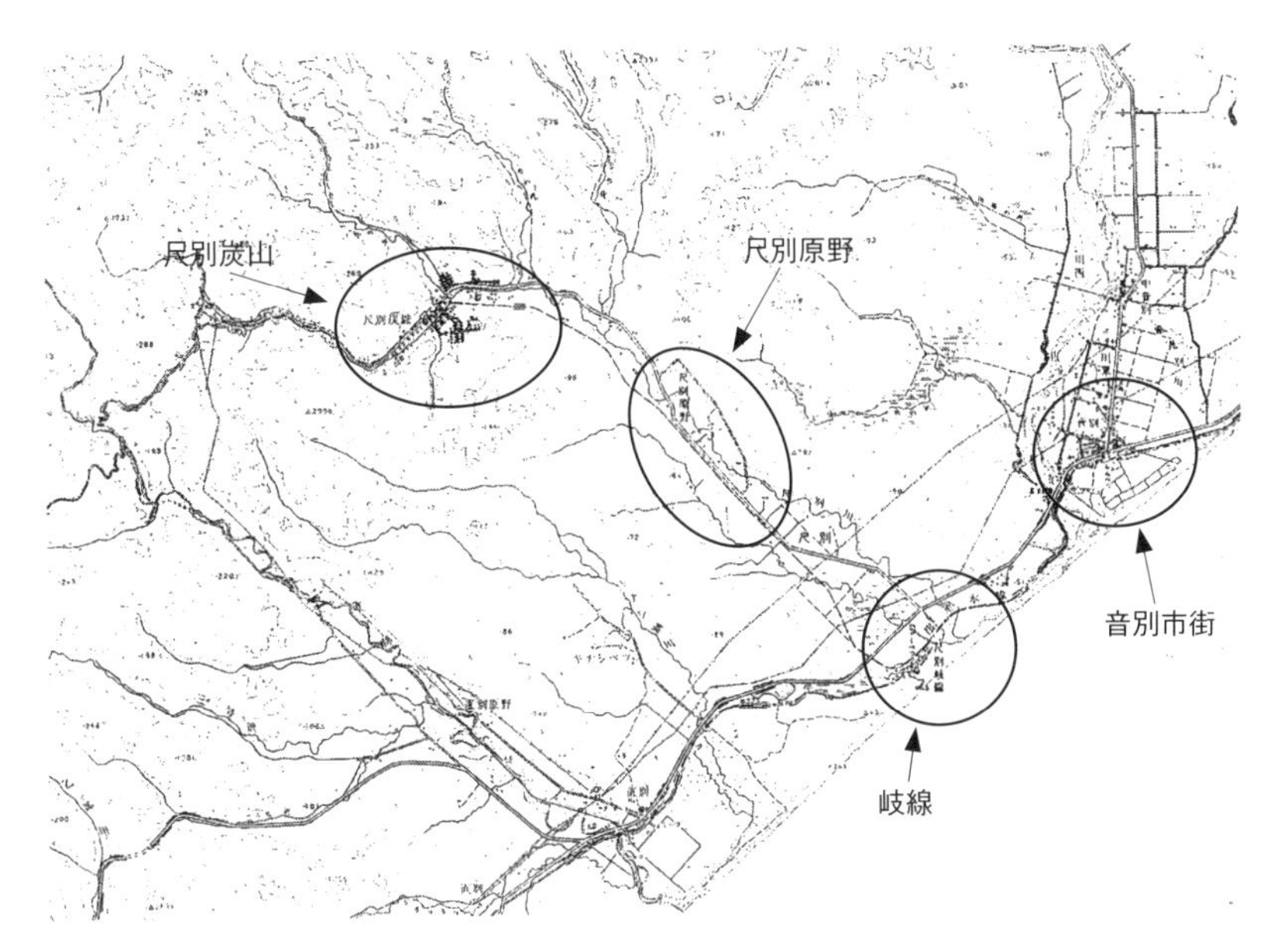

図1　尺別地区の位置関係
（出典：記念誌編集委員会編『尺別炭砿中学校閉校30周年記念誌 あこがれ』〔記念誌編集委員会、2000年〕50ページをもとに作成）

居住地域が分かれていて、人びとの階層構造と生活空間とが対応して配置されている。また、尺別炭山は、従業員家族を含めて約四千人の人口規模であった。そのため、子どもたちが通う小・中学校も一校ずつだった。同系列の雄別炭砿地区が一万人以上の人口を抱えていたことに比べると、相対的にまとまりやすい規模である。そのため、階層によって区切られた生活空間にあっても人びとの接点が存在し、そこに地縁が成立しやすかったと捉えられる。そこで以下では、このような尺別地区に存在した地縁についてみていこう。

2 炭鉱従業員諸階層間の地縁——共同水道・共同浴場を中心に

炭鉱コミュニティでは、その深い結び付きや信頼関係が語られることが多い。尺別でも、「あれだけの人口がいて、密集してて、玄関に鍵かけるってこと」は「ないないない」[1]というやりとりも聞かれた。特に尺別炭山の真ん中に位置した緑町は、役場や郵便局、警察、病院、各種会館などが集積していた。そのため、「[生まれは]緑町四丁目という、いちばん、にぎやかなところでした」[2]などのように、尺別炭砿に暮らした人びとにとって核になる地域だと認識されていた。そこは、尺別炭山だけではなく、原野や岐線の非炭鉱従業員も集う消費行動の中心地になっていた。

一方、日常生活の側面に目を転じると、炭鉱コミュニティでの人びとの交流の場の一つとして、共同水道があった。鉱員の炭鉱住宅では、共同水道を利用していた時代があった[3]。水道は、無料で利用できた。そこでは、食事や洗濯をしながら、労働者の妻たちが「井戸端会議」をする様子がよくみかけられていた。

また、料理で火を使う場合は石炭が使われていた。すると、夏場は暑くて、家のなかでは石炭を燃やしていられないので、女性たちはみな家の外で石炭を燃やし、料理をしていた。「そうすると、外で夕暮れになるまでおしゃべりしている」[4]という状況になった。天野正子は、この共同水道での主婦たちの付き合いが主婦会の母体になったとしている[5]。

一方、炭鉱従業員の住宅には、基本的には内風呂が設けられていない。そのため、炭鉱従業員やその家族たちは、炭鉱社会の各地区に設置されている共同浴場を利用した（写真1）。尺別は水不足で坑口浴場がなかったため、各地区の共同浴場に妻たちが夫の着替えなどを用意していた[6]。共同浴場も、無料で利用できた。そして、共同浴場で培われる〈つながり〉があった。炭鉱従業員には入れ墨を入れたヤクザ者もいて、「龍の入れ墨がキレイだった」「親分格なら見事な入れ墨で、自然と頭を下げてしまいそうな気になる」[7]といった話も聞かれた。

子どもたちにとっても、共同浴場は重要な仲間づくりの場になっていた。元教員からも、同窓会ではよく共同風呂の話題になること、「共同風呂が、「憩いの場」、仲間づくりの場だった」[8]ことが聞かれた。

しかし、早くに風呂に入りにきた組夫の子どもたちに、一部の職員や鉱員世帯の大人たちが、「なぜ早くに風呂に入りにくるの？」と言っていた様子をみたという話も聞かれた。「私たち従業員の家族よりも、あんた方が先にくることは、どういうことなの？」[9]ということだったようである。

一方、このような差別的な関わりは、共同水道でもみられることがあった。「尺別炭砿に暮らした人びと調査」では、つぎのような回答が寄せられた。

> 〔大家族であるうえ、病気の家族もおり、経済的に余裕がなかったことから〕安い配給米を共同水道場で洗っていた妹が近所の奥様に「安いお米は何度も洗わないときれいにならないよネ」と言われたとベソをかいて戻って来ると母はその方に一言いいに行った事も思い出しました。[10]

こうした風呂や水道は、炭鉱社会の職層が違う人びと同士を出会わせる場になった。そこでは、職層や経済水準が上位の人びとが、下位の人びとを差別的に取り扱っていた様子がみられた。

ただし、職員層の子ども以外からは、「〔あの子〕職員の子だったから嫌だったよね」[11]などと、職員の子どもであるために逆に関わりを避けようとすることもあった。このように、職層が違う人びと同

写真1　栄町の共同浴場
（出典：同書62ページ）

士が交わることで、単純に望ましい〈つながり〉だけが存在していたわけではないことがわかる。

全体として、尺別炭砿のコミュニティが強固だったことは間違いがないだろう。ただし、そのコミュニティへの参加の仕方、自身のなかでのコミュニティの位置づけは、その社会経済的位置によって異なってくる。「動けぬつきあい[12]」としての炭鉱コミュニティだからこそ存在する重層性を看過してはならない。

3 余暇活動や購買行動で築かれる地縁

余暇活動からみた地縁

炭鉱コミュニティの重層性がより明瞭に表れるのが、余暇活動や購買行動の場面である。ここには、尺別炭砿だけでなく、原野や岐線からも多くの人びとが集まった。

その代表的な場として、映画がある。緑町にある共和会館では、定期的に映画を上映していた。そのときの様子を、つぎのように語っている。

娯楽はね、協和会館でびっしり映画やってて、石原裕次郎の映画は高かったんだ。二十円だから、高いんだ。それで、小学校［のとき］、映画鑑賞って、みんなゴザ敷いて、行った。「『赤胴鈴之助』、うわぁ〜」、そういう記憶ありますよね[13]。

また、もう一つよく聞かれるのが相撲の巡業である。たとえば、つぎのようなやりとりが聞かれた。

Jさん（一九四九年、炭山生まれ）：景気いいときは、われわれ小学校のとき、大相撲だって呼んだんだからね。それこそ、協和会館の前で、吉葉山だらきた。
Ｄさん（一九三八年、原野生まれ）：俺ら〔のときに〕きたのは、照国と羽黒山だ。
Ｌさん（一九四一年、原野生まれ）：小学校のグラウンドでやったね。
Ｊさん：だから、そういうものがね、呼べるってことは、会社そのものが、景気よかったんでしょうね。
Ｄさん：あれ、料金取りませんよね。
Ｊさん：取らない、取らない。[14]

このように、横綱クラスも呼べるくらいに景気がよく、炭砿地区は活気に満ちていたことがわかる。そして、原野や岐線からも人が集まってきていた様子もうかがえる。

一方で、夏には岐線の浜で海水浴をすることなどもあった。たとえば、「〔岐線の浜に〕ハマナスが一面あるでしょ。そういう、ハマナスの木のどっかにかね、いろいろな景品を隠しておくんですよ。それを探して、そして賞品をもらうんですよ。「宝探し」ですね。炭鉱では毎年、そういうのやってましたよ[15]」といった話も聞かれた。これは学校の行事ではなく、炭鉱会社がおこなったレクリエーションだった。約十キロしか離れていないとはいえ、炭砿地区で暮らす子どもたちにとって海は身近なものではなく、「〔小学校五年生のとき〕感激だったですよ、人生で初めて、海、見たっていうのはね[16]」との語りも聞かれた。このように、炭砿の人びとが外へ繰り出すなどして、炭砿地区と原野・岐線地区の間での人びとの行き来もみられた。

しかし、炭砿地区から出かける場合は頻回にはみられないイベントへの参加が中心だったのに対して、原野・岐線地区から炭砿地区に出かけるのは、より日常的な消費行動の機会だった。ただし、原野・岐線からの五キロ、十キロという道のりは、特に子どもにとっては決して楽な道のりではなかった。原野に暮らすＤさんの中学生時代の日記には、つぎのような記載がある。

〔生徒会役員会の〕議事トップは冬休み生活の件、映画については〔十二月〕二九～〔一月〕五日まで自由にする。（略）大体において二十九～五まで八日間自由にするなんておかしいと思う。（略）炭鉱の人びとならば八日間ある映画全部のこさずに見に行く人も多分にいる。我は〔協和〕会館には遠い。とてもくやしい。原野の人々はくやしかったろうと思う。[17]

このように、炭砿の子どもたちにとっては共和会館での映画鑑賞は容易だが、原野の子どもたちにとっては難しい状況がうかがえる。そしてこのような状況が、原野の子どもたちに、炭砿の子どもたちと比較したときの相対的な剝奪感を覚えさせることになった。

購買行動からみた地縁

尺別炭砿コミュニティでのより日常的な買い物は、「指定商」商店街でなされた。指定商とは、炭鉱会社から許可を得て、商店を経営する人びとのことをいう。尺別炭砿では、三十軒程度の指定商が存在していた。また、指定商の経営者は労働組合に加入することができ、『労働組合解散記念誌 道標——山峡の灯』にも、七人の指定商経営者が名前を連ねている。[18] これらの指定商の人びとによって、尺別炭砿コミュニティの商店街は形成されていた。[19]

一九六五年頃の尺別炭砿の指定商商店街の地図は、図2のとおりである。各種食料品店、衣料品店などから飲食店までそろっている。炭鉱労働者たちは、仕事が終わって入浴をすませると、同期の仲間三、四人で「杉の家」で飲んでいた。量はそれほどではないが、ほぼ毎日飲んでいたという。代金はツケ払いで、年に二回、ボーナスのときに支払っていたとのことである。[20] このように、酒を介した労働者の日常的なコミュニケーションも、指定商の飲食店で交わされていたことがうかがえる。

そのほか、購買会と呼ばれる売店を炭鉱会社が設けてもいた。これらの尺別炭砿コミュニティの商店には、尺

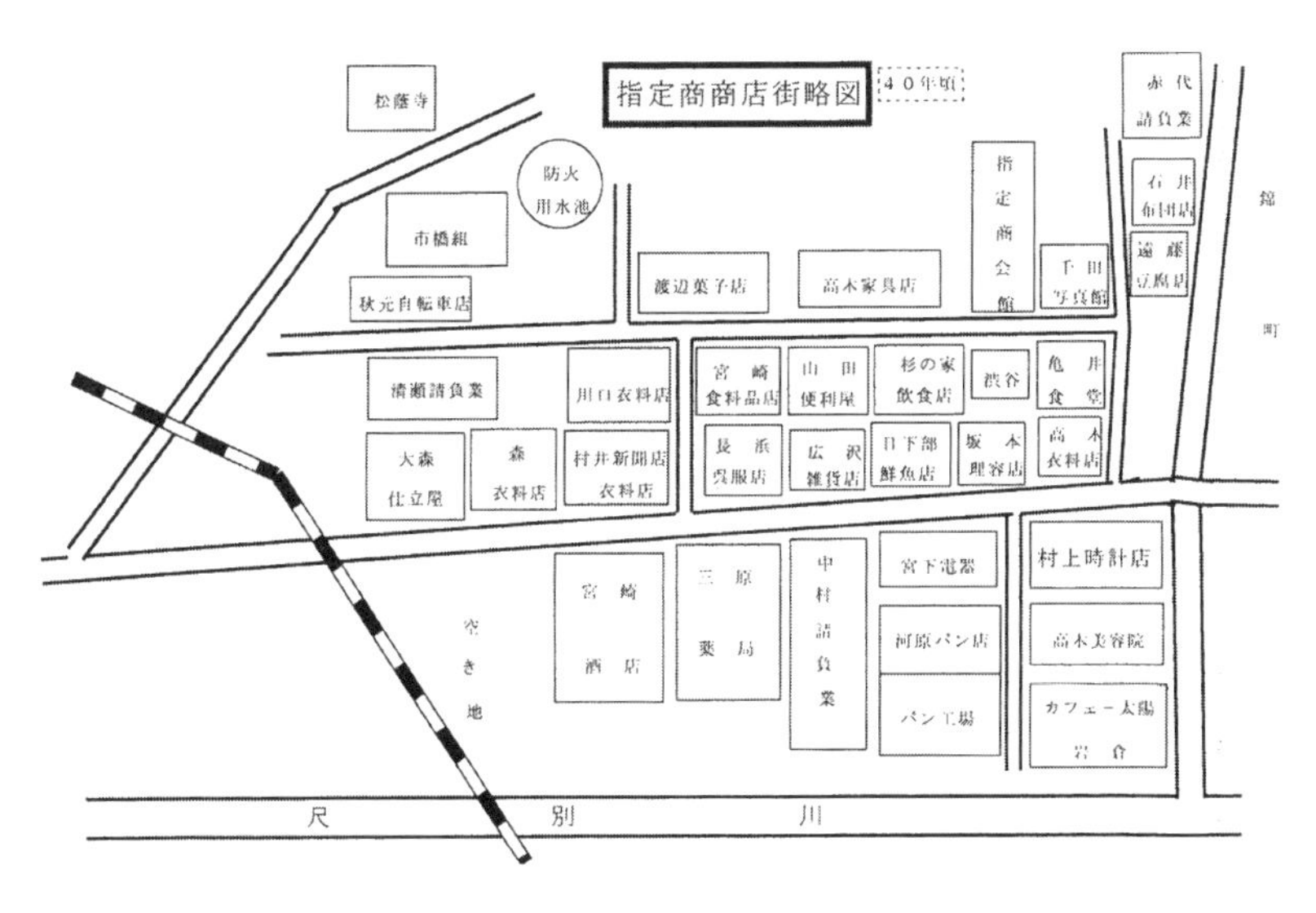

図2　指定商商店街略図（1965年頃）
（出典：同書95ページ）

別原野の農家が農作物を卸すこともあった。

指定商の店の顧客の中心は、炭鉱従業員家族だった。そのため、炭鉱従業員家族には先のツケ払いなど便宜が図られることもあった。また、「越冬野菜」といって、大根、白菜、キャベツなどを、冬がくる前にまとめて注文して月賦で払うこともあった。家に、「越冬野菜」で買ったリンゴの箱が三つか四つあったという話も聞かれた。[21]

ただし、炭鉱従業員家族の買い物ぶりを目にすることで、原野地区の人びとは生活レベルの違いを感じることがあった。「三種の神器」と呼ばれた白黒テレビ、洗濯機、冷蔵庫も、尺別炭山の家庭にはいち早く導入された。当時は、尺別炭砿の指定商の電気店が、釧路管内で最も多くのテレビを販売したという話もあった。そういった炭鉱従業員家族の様子に、原野地区の人びとはうらやましさを感じてもいた。[22]

そのことは、原野地区の人びとに劣等感を覚えさせることにもなった。たとえば、「僕らみたいに原野や農家なんかだったら、だいたい、（略）米の飯なんて、食えなかったんだもの。いつも、麦と芋。それで、学校行って、弁当の時間になると、炭鉱の人は、みんな真っ白なご飯だから、こっちはこう、隠すようにして食べないと恥ずかしいような」「〔原野の子どもたちには〕「麦」ってあだ名ついたんだよ。（略）たぶんねぇ、その弁当だと思うんだよねぇ。（略）全体的には、原野の「芋」っていわれてた[23]」といった話が聞かれた。原野が貧しかったというより、炭鉱が豊かだったというほうが適切かもしれないが、白米と麦飯や芋との違いは、原野の子どもたちに劣等感を抱かせる原因になったものと考えられる。

ただし、尺別炭砿コミュニティの物質的な豊かさは、原野地区にも少なからず届いていた。傾斜生産方式に端的に示されるように、炭鉱は戦後の諸産業を復興させる原動力と位置づけられていた。そのため、さまざまな物資も、ほかの産業や地域に比べれば優先的に届いていたという感覚がもたれていた。たとえば、原野の人が「炭鉱で、米、買えたんだわ。（略）米が配給ってか、米が手に入ったんだわ[24]」と語るように、炭鉱に届いた米を原野の人びとも購入できていた様子がわかる。実際、原野の人びとも日常的に炭砿地区で買い物をしていた。前出のDさんの日記には、「夕方炭砿に買物あって自転車で行ってきた」（一九五一年十一月二十四日）、「炭砿に母をむかえに行った／かいものしていた、荷物をつけて自転車にのって来た」（同年十一月二十八日。「／」は原文では改行）、「炭砿に行った。うどんをしてから〔郵便〕局に行った」（同年十二月一日）など、一週間に少なくとも三回は炭砿地区へ出かけていたことが記録されている。

また、物資とともに、炭鉱での兼業による経済的なゆとりももたらされていた。そのことから、「ウチの親父、炭鉱に勤めてた関係で、尺別原野のなかでは、テレビが入ったの、すごく早かった。いちばんでなかったかな[25]」という声もあった。そのこともあって、「だから〔炭鉱従業員は現金収入が安定しているから〕、うらやましいの。だから、〔原野から〕みんな嫁さんにいった、適齢期の人は、いったよねぇ[26]」ということもあったようである。

さらに、そもそも石炭自体も豊富に出回っていたようで、「それこそ、昭和三十年代かい、あのへんだらすごかったでしょ。だって、ウチらも、まだ、覚えてんだけど、炭鉱から燃料って、石炭支給されたのね、当時ね。だから、石炭がね、一カ月に何トンだかと思ったな、くるんだわ。それ、使わんかったら、なげんのさ〔捨てるのさ〕。人にやったら、はっきりいって、ダメさ。（略）いまでも、ストーブ、ガンガン、火つけて。それこそ、シャツ一枚でゴロゴロしてね。この歳になってもねぇ、寒いからって、何か着ればいいんだけど、そうはいかないんだねぇ(27)」と語られている。

こうした形で、消費生活を通じて、炭鉱従業員層と非炭鉱従業員層との間にも〈つながり〉が生じていた。ただし、実際の消費行動を通じた交流は、閉山で基本的には消滅することになる。原野に暮らす人は、「娯楽にしても、やっぱり炭鉱が近かったから、そういう面での行き来はずいぶんあったけど、閉山で、それもポッと切れてしまったからね。だから、そういう面では、ここは不便になったわなあ(28)」と語っている。まさに、消費行動を介した交流と利便性が、閉山によって失われたことを端的に表現している。

4　尺別炭砿コミュニティと周辺コミュニティの関係——就労と交通

周辺コミュニティからの炭鉱への就労

一方、原野や岐線から炭鉱従業員コミュニティに就労に加わる者も少なくなかった。たとえば、原野で育ったKさんは、「ウチの親父はね、炭鉱の保線をやってたわけ。（略）親父は、だから炭鉱に勤めながら、保線の仕事しながら、農家もチラッと（略）。日曜日は休みだし、だから、畑起こしやったら（略）、馬で起こしてたもんだから、朝三時ごろ起きて、仕事行くのが六時か七時。そのころまでに仕事終わらせて、それから炭鉱に行く(29)」と語っている。このように、早朝に農業をおこない、その後、尺別炭砿に働きにいくといった兼業をしていた人びとの存在がみられる。

さらに、「ウチの親父ね、一時、閉山なって、黒手帳もらって（略）、かたばみ〔興業株式会社〕さんにも行ったけど、（略）その前に、たしか市橋（いちはし）建設にちょこっと行ったんでなかったかなぁ。音別のね(30)」と語っているように、周辺コミュニティからの労働者は、閉山後も、農業の基盤があるために尺別を離れずにいたことがわかる。

それは、農業があるからこそ尺別を離れられず、限られた選択肢のなかで再就職先を探さなければならない足枷になったといえる。一方で、農業の基盤があったからこそ、すぐに再就職先を遠方に求める必要はなく、生活をつなぐことができたとも捉えられる。

一方、ストライキのときには、炭鉱の主婦たちが、原野の農家に六十人、七十人と働きにきたという[31]。こうした双方向的な関係も存在していた。

尺別地区の交通機関を介した〈つながり〉

尺別炭山と原野地区や岐線地区との〈つながり〉が築かれるもう一つの場が、交通機関の利用の局面であった。尺別炭砿へは、国鉄の尺別駅最寄りの社尺別駅から尺別炭山駅を結ぶ尺別鉄道が運行していた。当時の時刻表をみると、全長十・八キロの道のりを、旅客輸送の場合、四十分ほどかけて運行していたことがわかる[32]。運賃は、一九五一年十二月からは、「普通往来者」は大人片道全線二十円、子どもは十円になっていた。ただし、指定商その他の「定期往来者」は、月当たり三百六十円の乗車証の購入が認められていた。また、通学生には定期乗車証の購入が認められていて、高校生以上では月当たり二百円、中学生以下の場合は月当たり六十円だった[33]。

この中学生以下向けの通学用の定期乗車証の存在からもうかがえるように、原野や岐線の子どもたちは、時代にもよるが、炭砿地区にある学校まで通うことが多かった。岐線地区と炭砿地区の間は、前記のように約十キロ離れているため、原野地区や岐線地区の子どもたちは鉄道を利用して学校に通っていた。利用に当たってはもちろん駅での乗降が基本だが、「俺は、昔、ここに駅があったから、ここで、駅で乗るか、もしくは、俺んちの前で、汽車停めて乗った。要するに、親が、保線に行ってるでしょ[34]」と語られるように、運転手と親しくなると駅以外で乗降することもあった。

一方、鉄道関係でいえば、「鉄道つくるとき、鉄道に売るんですよ、みんな、土地、もってる人が。鉄道用地ってあったの[35]」という話も聞かれた。原野の大人たちにとっても、鉄道用地の買収という形で、少なくない影響があった。

　また、バスについては、ほかの民間企業のバス会社（東邦交通）と、炭鉱の鉄道会社が運行するバス（雄鉄バス）とがあった。「雄鉄バスってあったべや（略）。それは、炭鉱専用のバスだから。あの頃、だから、汽車に乗り遅れた人、岐線まで、当時は、そのバスで、釧路に買い物に行って、その当時は、汽車に乗んないで、バスに乗るって、全部、あんときはタダだったんだよ。だって、俺もタダだったんだから[36]」と言うように、バスも利用していて、しかも無料で利用できていた様子がうかがえる。ここでは、尺別では満たされない買い物の場合は、釧路まで出かけていた状況も読み取れる。

写真2　尺別鉄道の様子
（出典：同書105ページ）

　こうした鉄道やバスは、尺別炭山の人びとの移動手段として重要だったが、原野の人びとにとっても貴重なものだった。高校への通学のために、国鉄を利用する生徒たちも少なくなかった。しかし、国鉄の駅までは、原野からだと約五キロの距離がある。当時は自家用車も普及しておらず、冬は雪が降るので、自転車で通学するのも難しい。そのようななかを歩くと、二時間くらいかかってしまう。こういった状況下で、尺別炭砿につながる鉄道やバスを利用できたことは、原野や岐線の人びとにとっても大きな恩恵だと受け止められていた。

　ただし、原野や岐線の人びとを悩ませたのが炭鉱のストだった。「ストっていうか、会社が仕事を止めると、汽車が、何本か、貨物を引っ張らなくなるから、通学してても、いつもの通学列車がなくなって、歩いてっていうことがあった[37]」。原野や岐線の人びとの利便性を高めたとはいっても、やはり基本的には炭鉱の必要性に基づいて運用されている仕組みであることが、こうしたストの機会などで実感されていた。

5 「オカの暮らし」と〈つながり〉

社会関係資本をめぐる議論のなかでは、社会関係資本を「結束型」と「橋渡し型」に大別することがある。(38) この枠組みで本章の知見を整理すると、第一に「結束型」に対応する炭鉱従業員諸階層間の地縁は、決して肯定的なものばかりではなかった。本章でみた共同水道や共同浴場の場面では、さまざまな炭鉱従業員諸階層の人びとが交流していた様子がみられた。そこでは、階層の違いを超えた交流ももちろん存在していた。しかし、より強く浮かび上がってきたのは、階層の違いによる差別的な対応である。むしろ、階層を超えた関わりの場が水道や浴場に存在するからこそ、階層の違いを際立たせたやりとりが生じる様子が見いだされた。この点では、地縁がポジティブに機能するだけではなく、逆にネガティブに機能しうることが確認できる。

これに対して、第二に「橋渡し型」に対応する側面では、尺別炭砿コミュニティをめぐる地縁はポジティブなものになっていた。尺別炭砿コミュニティ内では、炭鉱従業員家族の相対的に余裕がある経済状況に基づく消費行動と、それを新製品や豊富な物資で支える商業従事者との関わりが見いだされた。また、こうした消費行動や、あるいは尺別炭砿につながる交通網の整備は、原野や岐線の人びとにも一定の利益をもたらすものになっていた。炭鉱従業員層の生活は常に憧れだったかもしれないが、尺別炭砿にもたらされる物資は原野や岐線の人びとにも届いていたし、鉄道やバスの存在は、特に原野や岐線の子どもたちの通学を支える基盤になっていた。さらに、スト期間中には、原野が炭鉱従業員の主婦たちの雇用の受け皿になっていた様子もみられた。このように、非炭鉱従業員層や周辺コミュニティとの間を橋渡しする地縁は、消費や交通、さらには労働によって強固なものになっていた。

これらを踏まえると、炭鉱コミュニティとしての尺別の特徴が浮かび上がる。たしかに、最盛期には炭鉱の生活は華やかで、原野や岐線の生活と比べると優位性をもっていた。特に、物流の面でも就労の面でも、あるいは交通の面でも、原野や岐線の人びとは炭鉱の恩恵にあずかったと捉えられる側面も見いだされる。また、炭砿地区内でも、職員層を上位とする階層の違いが顕在化する場面もあった。

しかし、こうした「オカの暮らし」を通じた諸階層の人びとに接点があったことは、ポジティブに機能したところもある。筑豊など、もともとコミュニティがあったところに新たに炭鉱が開かれた地域の場合、炭鉱従業員は「新参者」であり、そうした意味で既存のコミュニティから排他的な取り扱いを受けることも少なくなかったとされる。だが、尺別の場合、原野の人びとのコミュニティは先行して存在したとはいえ、炭砿、原野、岐線の人びとの間に、こうした「新参者」を排除するという関係性は存在しなかった。むしろ、本章で確認した「オカの暮らし」を通して形成される地縁が、多様に存在していた。そのことが、閉山後も尺別の人びとが〈つながり〉を保ち続けることを可能にしたと捉えられる。

注

（1）Bさん・Lさんヒアリング、二〇一六年八月三十一日
（2）Gさんヒアリング、二〇一七年十月二十八日
（3）全国の炭鉱住宅の多くは、共同水道を利用していた。たとえば、「西日本新聞」一九六一年七月十五日付の紙面には、三井三池鉱における炭鉱住宅の共同水道の写真が載っている（「西日本新聞フォトライブラリー」〔http://c.nishinippon.co.jp/photolibrary/cat662/post_197.php〕［二〇二〇年四月十日アクセス］）。しかし、旧建設省と福岡県による「筑豊地区炭鉱住宅実態調査」の一九六八年末のデータをみると、「水道専用戸」の割合は、最も低い田川で

も八九・七%で、最も高い福岡では九六・五%となっている（本田昭四「筑豊における炭鉱住宅の再編・整備に関する調査研究」「住宅建築研究所報」第六巻、新住宅普及会・住宅建築研究所、一九八〇年、一六二ページ）。このデータをすぐに他地域に当てはめることはできないが、ここからは、一九六〇年代の後半には、炭鉱住宅でも多くの世帯に専用水道が引かれるような状況になっていたものと考えることができる。

（4）Fさんヒアリング、二〇一七年三月八日

（5）天野正子『「つきあい」の戦後史――サークル・ネットワークの拓く地平』吉川弘文館、二〇〇五年、三三ページ

（6）Yさんヒアリング、二〇二〇年七月一日

（7）Bさんヒアリング、二〇一六年八月三十一日

（8）Iさんヒアリング、二〇一七年三月九日

（9）Uさんヒアリング、二〇一七年八月二十五日

（10）笠原良太／嶋崎尚子／新藤慶／木村至聖／畑山直子「尺別炭砿で暮らした人びと調査（2）――最終集計結果集［内部利用版］」「JAFCOF釧路研究会リサーチ・ペーパー」第十七号、産炭地研究会（JAFCOF）、二〇一九年、二一四ページ

（11）Lさんヒアリング、二〇一六年八月三十一日

（12）前掲『「つきあい」の戦後史』三三―三七ページ

（13）Jさんヒアリング、二〇一六年八月三十一日

（14）Dさん・Jさん・Lさんヒアリング、二〇一六年八月三十一日

（15）Fさんヒアリング、二〇一七年三月八日

（16）同ヒアリング

（17）Dさん日記、一九五二年十二月二十二日

（18）尺別炭鉱労働組合『労働組合解散記念誌 道標――山峡の灯』尺別炭鉱労働組合、一九七〇年、四九ページ

（19）ただし、組夫層は指定商を利用しなかったといわれる。購買行動でのこのような階層差についても留意しておく必要がある。

(20) Yさんヒアリング、二〇二〇年七月一日
(21) Aさんヒアリング、二〇一八年二月二十二日
(22) Bさん・Dさん・Jさん・Lさんヒアリング、二〇一六年八月三十一日
(23) Lさんヒアリング、二〇一六年八月三十一日
(24) Kさんヒアリング、二〇一六年八月三十一日
(25) 同ヒアリング
(26) Dさんヒアリング、二〇一六年八月三十一日
(27) Kさんヒアリング、二〇一六年八月三十一日
(28) Zさんヒアリング、二〇一七年九月一日
(29) Kさんヒアリング、二〇一六年八月三十一日
(30) 同ヒアリング
(31) Dさんヒアリング、二〇一七年九月一日
(32) 石川孝織編著『尺別駅と直別駅』(釧路市立博物館ブックレット)、釧路市立博物館友の会、二〇一九年、七ページ
(33) 尺別炭砿社内報「やまの光」一九五一年十一・十二月合併号、尺別礦業所、一六ページ
(34) Kさんヒアリング、二〇一六年八月三十一日
(35) Lさんヒアリング、二〇一六年八月三十一日
(36) Kさんヒアリング、二〇一六年八月三十一日
(37) Lさんヒアリング、二〇一七年九月一日
(38) ロバート・D・パットナム『孤独なボウリング――米国コミュニティの崩壊と再生』柴内康文訳、柏書房、二〇〇六年

コラム1　ヤマを、会社を、自分を守る「炭鉱人」——堀利男さんインタビュー

プロフィル　堀さんは、一九三七年、音別村生まれ。尺別炭砿で育つ。釧路工業高校土木科を卒業後、尺別鉱業所協力会社の清瀬工業に勤めたのち、五六年九月に尺別炭砿に入社。軌道と運搬を務める。入社当初は野球部に所属。六一年に結婚。六六年に坑内助手になる。閉山後、道路会社に再就職して、千葉に移住。定年退職後、嘱託として勤務。埼玉県春日部市在住。

——尺別炭砿に入るまでを教えてください。

うちの父は、「炭焼き」をやっていて各地を転々として、私が四、五歳の頃（昭和十六年〔一九四一年〕頃）に尺別に一時居留し、いちばん上の兄が炭鉱に採用されたので、一家で定住するようになりました。うちは十人きょうだい、六男四女。ほかに炭鉱で働いたのは四男と五男、六男の私です。

中学校では学年で二、三番の成績で、親も高校にいかせてくれるという話でしたが、模擬試験をやったら先生に落ちると言われて、お袋に相談したら、「小樽の商船学校ならお金ももらえるし、いいよ」と言われました。それも癪だったので、勉強し直して、釧路工業高校に入りました。

高校卒業後、当時、就職難で炭鉱に仕事がありませんでした。高校で野球をやっていた関係で、炭鉱野球部の監督のつてで協力会社の清瀬工業に入りました。電柱の穴掘りや架線を引っ張る仕事を半年くらいしました。そして、九月に炭鉱の採用があり、百人近くが試験を受けて、十四人が受かりました。

――炭鉱の一日は、どのようなスケジュールでしたか？

炭鉱の一日は、朝七時のサイレンから始まり、昼十一時、十二時、午後三時三十分、夜九時のサイレンが炭住街に鳴り響き、一日を終えます。坑内はサイレンこそ鳴りませんが、八時間勤務の三交代制が基本です。私は野球部に入っていたので、三時半頃帰宅してすぐに練習にいって、六時半くらいまでやって、それから風呂に入って、飲みにいきました。朝まで飲んでいて、寝ないで働きにいったこともありました。

当時、野球部は最強の時代で、夏は、釧路地区予選、北海道予選、全国大会と行きました。東京では後楽園球場で試合をしました。内地遠征は夜行列車、青函連絡船の乗り継ぎで大変でしたが、それでも楽しかったです。

――その後、どのような仕事をしましたか？

昭和三十五年（一九六〇年）頃に運搬夫に転換しました。運搬は、炭鉱の花形現場です。どこの炭鉱でも運搬は、若くて暴れ者ばかりで怖いものなしでした。乗り回しで体が利かないとダメです。材料から何から、炭車を配車するのは全部、運搬の裁量です。採炭の連中からしたら、いっぱい炭を出すために炭車を回してもらわなければいけない。そういう意味では、運搬のほうが上でした。

しかし、自分としては、ずっと、「こんな土のなか、炭鉱から出よう、辞めよう」と思っていたので、係員登用に必要な国家試験（甲種坑内保安係員試験）も受けずにいましたが、そうしているうちに結婚して子どもができて、「いつまでも試験を受けないのも癪だな」と思い、本を買って、寝る前に勉強して合格しました。正直、「こんな人の下で働かなきゃいけないのか」と思うときがあるじゃないですか。なので、「しょうがねえな」と思って資格を取って、保安係の助手に登用されました。

私は昔から、あまり上司にすり寄るようなことはせず、そのかわり一生懸命、考えて働きました。野球もやって酒も飲む。夜はあまり寝ていない。そうすると、「今日の仕事をどうやれば、早くすむか」と考えます。パッとすませたら、時間ができる。それをたまたまみられると、「あいつは、サボってる」と言う人がいる。昼間遊び歩いていた係員に、「お前は共産党だ」と言われたことがあります。頭にきて、みんなの前で「お前に言われる筋合いはない」と言ってやりました。その場にたまたまいちばん上の兄貴もいて、怒られるかと思いましたが、怒られませんでした。みんなも本当はその係員に言いたかったようです。私は言いだしたら、あとには引かない性格でした。

――助手になって、どのような仕事をしましたか？

現場責任担当（担当さん）の補助として、発破をかけたり鉄柱を外すのをみたり、ガス検測とか安全面の仕事や給料の伝票整理もやりました。採炭現場（払い）には、「担当さん」（職員）が一人、助手が三人、大先山、そして鉱員が何十人と、全部で三十人くらいいます。大先山は、担当さんから直接指示を受けて働く人たちを割り振る（番割）。助手は、大先山の下みたいなものです。

ほかの助手は、採炭現場にもともと入っていましたが、私は軌道夫や棹取りから助手になったので、なかのことはよくわかりませんでした。でも、採炭の人たちからしたら炭車を回してもらいたいので、担当の人に重宝してもらいました。運搬の仲間に、「こっちに空車を回してくれ」と頼むと融通してくれました。

――坑内はどのような環境でしたか？

尺別炭砿は石炭層が一層で、層厚は、一・五メートルか二メートルくらいで、傾斜は三〇度くらいでした。採炭は発破と自走式ドラムカッターが主力で支柱は水圧鉄柱、自走式油圧鉄柱でした。一つで二十五トンも支える水圧鉄柱を七十センチ間隔で四列か五列で支えているのですが、盤圧が増す（山がくる）と、鉄柱が何百本も「キューン、キューン」と鳴って下がってくる。支えきれないでまっすぐに落ちると、折れて飛んでしまう。だから、音が鳴ったら「ヤマが来た」と何はさておいても逃げる。何分後かに落ち着いたら、折れた鉄柱の代わりをもってきて立て直します。

普通、石炭を掘り終わって鉄柱を移動させると、後ろは自然と落ちる。何十トンも、漁船みたいなやつがドーンと落ちます。あんなのが来たらひとたまりもないので、次の番方のために残業して対応します。天盤に穴を空けて火薬で発破をかけて崩落を誘導して、石炭層に重圧がかからないようにするのです。これも助手の仕事です。

あるとき、その作業中にいつの間にか座っていたことがありました。居眠りしているわけではない。全然記憶がないですが、鉄柱が折れて、瞬間的にヘルメットの上から頭を打って、気絶していたようです。

――ほかに事故に遭ったことはありましたか？

あります。三番方の残業で、当日の現場採炭容量（炭車換算）と積み込み炭車数量が合わないので、一人で見にいきました。途中、ポケット（「大流し（オオナガシ）」）という箇所で石炭が詰まっているところがあったので、足でポンッと蹴飛ばしたら、その上に乗っちゃって、斜坑なのでズドーンと滑り落ちました。石炭の勢いを殺すための「炭殺し（タンコロシ）」の箇所があったので、下までは落ちず途中でドンとぶつかって、運よく足が引っかかりました。しかし埋まってしまい、「あっ、こりゃ死ぬな」と思いました。だいぶ落とされたので、仮死状態で「子どももかわいい盛りだったのに」「お袋より先に死ぬな」と思っていたら、ふっと冷たい空気が入ってきて、「あっ、助かる」と思いました。ここから落ちたらもうダメだと思って、静かに手を動かしてレールにつかまりましたが、途端にまた落ちた。ですが、点検口の厚板がちょうど割れていて、そこに足が引っかかって、なんとか斜坑から人が歩いているところまで体をかわして、電気もない真っ暗のなか、一段ずつ、勘で降りてきました。「死の闇」というやつです。そこで無線電話をかけて、「迎えにきてくれ」と。それでそのまま救急車で病院に直行しました。腰をちょっと痛めたぐらいで、うちに帰ってから隣のオヤジと焼酎を飲んで、生きてることを実感しました。

尺別は、茂尻や夕張と違って、大きな事故はありませんでしたが、落盤とかはありました。石が飛んできてぶつかっても終わりだし、埋まったり、ガスを飲んだり、二回も三回も「死んだ」と思って、「次で終わりかな」なんて、みんなで笑いました。よくこうやって生き延びて、しゃべってるもんだと思います。

――閉山後は、どのように再就職しましたか？

私は、尺別の人と同じ会社には行かないと決めていました。何かあって陰口をたたかれるのもいやでしたし、人間関係も含めて、新たな生活に踏み出したいと思っていました。当時、カナダにパルプ工場をつくるという話があり、妻に「行くか」と聞いたら、「行く」と賛成してくれてうれしかったです。でも、産炭地域振興事業団に内定して待機していたら、課長に「実は行き先がない人がいるから、お前、譲れ。その代わり、俺が面倒みるから」と言われ、北海道道路ＫＫ（三井道路の前身）の東京支店に入りました。まず、私一人で浦安に行き、四月ぐらいに家族の引っ越しのために尺別に戻りました。すると、もう周りの家には、誰もいませんでした。

最初は、下請けの立場に慣れるのに一年くらいかかりました。炭鉱では、われわれは従業員で、職員と下請けと住むところや購買会、風呂もみんな違っていました。逆に、転職先では三井の社員がえらそうに、タバコをふかして文句を言うから、腹が立ちました。当時、炭鉱の技術は進歩していて、都内の地下鉄工事の機器もすでに経験ずみで、再就職のさみしさを味わいました。

道路会社に入っても、「片付けに始まって、片付けに終わる」のは同じです。土木にせよ舗装にせよ、後始末をしなければならない。炭鉱も掘ったら片付ける。抜柱して、決まった間隔で前に立柱する。そこで手を抜くと重圧がかかって、ヤマが荒れる。担当さん、助手だけでなく、鉱員も知っています。自分の身が危なくなるわけだから、指示には従わなければいけない。信頼関係を保てるようにする。たとえ日頃子どもが世話になっている近所のオヤジでも、仕事に行ったら指示しなければいけない。そういうバランスが大切です。共存共栄、炭鉱は家族一体です。ヤマを、会社を、自分の命を守る。その繰り返しのつながりが「炭鉱人」なのです。


（インタビュー実施日：二〇二〇年七月一日、コラム執筆：笠原良太）

コラム2　戦争・引き揚げ、閉山を乗り越えて——田村豊穂さんインタビュー

プロフィル　田村さんは、一九三四年、樺太知取（シルトル）生まれ。塔路（トウロ）炭砿で育つ。十一歳のときに敗戦。四八年に引き揚げ。尺別炭砿に移住。中学卒業後、商店や購買会に勤めたのち、尺別鉄道に入る。閉山後、集団で千葉に移住。定年退職までの二十二年間、不二サッシに勤める。雇用促進事業団住宅の自治会設立に貢献し、のちに役員を務めた。千葉県船橋市在住。

——樺太の炭鉱では、どのような生活をしていましたか？

私は知取で生まれましたが、親父が塔路炭砿に移ったので、塔路で育ちました。塔路はものすごい大きい炭鉱で、小学校もたしか四千三百人くらいいて、東洋一の学校といわれていました。社宅も立派で、父と母、兄が三人と妹二人で暮らしていました。

昭和十七年（一九四二年）頃からだんだん戦局が悪くなってきて、樺太は寒いから、米や果物は一切ありませんでした。学校に行っても勉強どころではなく、小学四年生から農家の畑に駆り出されました。当時は軍国主義で、厳しい教育を受けました。昭和十九年（一九四四年）、いちばん上と二番目の兄は、急速転換で九州の炭鉱に引っ張られてしまいました。

——敗戦はどのように迎えられたのですか？

昭和二十年（一九四五年）八月十六日、突然、ソ連軍に侵攻されて家族はばらばらになりました。日本に疎開

しようと、一人で毎日約四里（十六キロ）歩いて、南へ逃げました。ソ連軍の飛行機に追いかけられながら、半月かけて久春内（クシュンナイ）に着くと、ソ連兵につかまり、「日本は負けたから戻れ」と言われて、塔路まで戻されました。塔路の街は焼け野原でした。泣きながら家のほうに戻ると、炭住街は残っていました。母と兄、妹たちと再会できましたが、父は銃弾に倒れ、すでに亡くなっていました。

――日本には、いつ、どのように引き揚げたのですか？

もう日本には戻れなくなっていたので、公式の引き揚げを待ちながら塔路で働いて生活しました。敗戦の翌年に、九州にいた兄二人が密航で樺太に戻ってきました。一家の大黒柱がいなかったので、私と兄は一緒にパン工場で働きました。ソ連軍の兵隊が食べるパンを焼くため、火葬場の煉瓦で窯をつくりました。気持ちがいいものじゃないですが、生きるためには食わなければなりませんでした。

昭和二十三年（一九四八年）の八月、ようやく引き揚げということで、真岡（マオカ）を経由して函館に引き揚げました。母と私、妹二人は、父親の実家があった昆布森（コンブモリ）に移りましたが、「穀つぶし」という感じで歓迎されませんでした。兄二人が引揚援護局にいた塔路炭砿関係者に斡旋されて、尺別炭砿で働いていたので、私たちも尺別に移りました。尺別には、樺太引き揚げ者が何人もいました。

――尺別に移ったときの印象はどうでしたか？

塔路に比べて小さい街でした。家は小さくて汚いし、ここで一生暮らさなきゃなんないのかと思ったら、情けなかったですね。中学二年の二学期に尺別炭砿中学校に編入しましたが、日本もまだ混乱のさなかにある時代だったので、みんなひどい格好をしていました。着ているモノはボロボロで、みんな草履を履いていました。私は外国人みたいに革靴を履いていました。格好はよかったですが、しばらく学校に行っていなかったので勉強は何一つわからず、試験の答案用紙に何も書けませんでした。学友に「いい格好していても頭は悪い」と、意地悪を言われました。それでも先生はわかっていてくれたので、卒業はさせてくれました。

――卒業後は、どのような仕事をしましたか？

鉄道に入りたかったのですがかなわず、商店街の写真屋を手伝い、そのあと炭鉱の購買会に勤めました。魚菜課で魚をさばく腕を磨きました。いまでもさばきますよ。十七歳になって、鉄道に臨時夫として採用されました。おそらく、母親か兄が頼んでくれたのだと思います。駅でお客さんと荷物を扱うので、字や計算を勉強しました。新聞を読んで字を覚えて、新聞の余白が真っ黒になるくらいまで書きました。先輩たちに叱られ、しごかれて、「早く本採用になりたい」と思い、希望をもって頑張りました。

――炭鉱の鉄道は三交代でしたか？

三交代です。一番方、二番方は運転しますが、三番方はほとんど運転しません。でも炭鉱ですから、いつ、事故があるかわからない。けが人を運ぶために臨時列車を出すことがあるので、朝五時の始発列車が出るまで、駅で仮眠をとります。

――駅ではどのような仕事をしていましたか？

やってることは国鉄と同じです。信号機から信号機までのことを構内といって、距離にして一キロくらいあります。そこで、入れ替え作業をやります。炭鉱から引っ張ってきた貨車は、国鉄の機関車が釧路まで引っ張っていきました。貨車で石炭を輸送するのに、運賃を全部計算しました。二十六歳で結婚したのですが、鉄道運輸事務所に働いていた女房に「勘定板」（ソロバン）を教えてもらいました。

行楽シーズンには、炭鉱の家族を岐線の海まで運んで遊ばせなければなりません。そういうときは、客車はもちろん、貨車にまで乗せて運びました。それを「無蓋車」と呼んでいました。

――坑内の仕事に比べて、鉄道の仕事はどうでしたか？

坑内に入ってる人は、みんな自分の服でしたが、われわれは制服が貸与されました。同じ坑外でも、鉄道は特殊な仕事だから、給料もちょっといい。だから、「鉄道のやつらは、いいよなあ」ってよく言われました。

私は鉄道に入って、性格が百八十度変わりました。それまで、人前でしゃべれない、人に物が言えない性格でしたが、駅でいろいろな人と会話して、組合活動にも参加して変わりました。

――閉山はどのように迎えましたか？

昭和四十五年（一九七〇年）の二月に、閉山反対の動員で東京に来ていました。本郷の旅館に半月ほど陣取って、国会議事堂や通産省で閉山反対の座り込みをしました。あとでわかったことだけど、そんなことをやっても、もう無駄だった。その前に、炭労と政府では話がついていました。尺別に帰ったら、すぐに閉山宣告されました。家族は何もわからないから、なんかやっぱりツラかったですよ。

――再就職はどのように決めたのですか？

私のすぐ上の兄が三菱芦別炭砿に勤めていたのですが、閉山（昭和三十九年〔一九六四年〕）で、不二サッシに来ていました。そして、また炭鉱が閉山するという情報を知って、不二サッシも人がほしいということで、兄から「なんとか従業員二十人世話してくれ」と電話がきました。兄がいる会社なので、変な人を連れていけませんよね。だからふるいをかけて、信頼できる人ばっかり連れていきました。たしか、十七世帯を連れていきました。妻の親も弟も連れていきました。私は鉄道員なので、コンテナや特急列車の手配など、全部やりました。釧路から上野まで、客車一両を貸し切りました。

――いつ千葉に移ったのですか？

四月十六日です。だから、閉山式には出ていません。長男が小学二年生になったばかり、長女は炭鉱の学校に三日だけ行って、千葉の学校に転校しました。学校は四月からだから、早ければ早いほどいいということで。

――みなさん、同じ雇用促進事業団住宅に入ったのですか？

同じです。団地には、尺別以外のヤマから来ている人もいて、全部で二百八十世帯もありました。会社もバラバラなので、いろいろな意見や不満がたくさんあった。そこで自治会を組織して、規約をつくらなきゃだめだということになりました。尺別炭鉱労働組合の規約やよその自治会の規約を参考にしました。ちょうど、尺別鉄道の同僚で、全国自治連合会の役員がいたので、情報を集めたり、同じ団地の長松俊也さんにも手伝ってもらい、「鬼に金棒」で、昭和四十七年（一九七二年）につくりました。

──尺別の人たちは新しい地域や会社に定着しましたか？

連れてきた人で、途中で辞めた人は一人もいません。後輩たちは優秀で係長や工場長になりました。私が一生懸命連れてきたのに、私は平社員で終わっちゃいました。声はかかったんですけど、学歴がないから断りました。自分が学校に行けなかったから、「我が子だけは学校へやりたい」と思って頑張って育てました。

女性たちは、いまでもしょっちゅうお茶会をしています。ウチの女房は、尺別の人と常磐の人とお茶飲みをやっています。なぜか、場所は毎回ウチです。女房はおしゃべりして、俺が調理しています。

──雇用促進事業団住宅は、今後どうなる予定ですか？

もう閉山するヤマもなくなったので、本当は雇用促進事業団が団地を壊して更地にしてしまうという話でした。だけど、まだもったいないということで、二〇一七年に業者に売りました。われわれみたいに古くからいる人間は、売却してから十年間だけ、入った当時の条件のまま住まわせてくれています。でも、すでに、二年たったので、あと八年しかありません。

──戦争や閉山について、日頃お話する機会はございますか？

ほとんどありません。「語り部」のように、大勢の若い人たちに聞かせてあげたいなという希望はありましたが、もう年ですから。でも、じっくり思い出そうとすれば、中身の濃い話が、まだまだ出てきます。

（インタビュー実施日：二〇一八年六月十三日、一九年十一月十六日、コラム執筆：笠原良太）

コラム3 「ヤマの女」がみた尺別の助け合い——米田冨美子さんインタビュー

プロフィル　米田さんは、一九二三年、尺別生まれ。広島の祖父母のもとで育ち、高等小学校を卒業後、看護婦の養成所に通い、准看護婦の資格を取る。四一年に尺別に戻り、翌年、看護婦として炭鉱病院に勤める。四四年に助産婦、五一年に正看護婦の資格を取得。労働組合の婦人部長を務める。六七年まで炭鉱病院に勤務。北海道釧路市在住。

——子どもの頃はどのような生活でしたか？

うちの父親は、私が生まれた頃（大正十二年〔一九二三年〕）、尺別に移ってきました。当時は、子どももたくさんいたので、うちに帰ってご飯食べない子がいるわけ。どうせ、隣かあっちのうちで食べたんだろうで終わります。代わりに自分のうちによその子どもが来たら、黙って食べさせて「寝ていけ」って言う。だから、一枚の布団に、四人も五人ももぐりこんだ状態でした。私が小さい頃は、炭鉱ってみじめだったんですよ。

小学三年生のときに、母親に広島の実家に連れられて、「半年したら迎えにくる」と言われて待っていましたけど、結局、広島で小学校から高等科まで進みました。高等科を卒業したら、担任の勧めで看護婦の養成所に一年間通いました。養成所を出たあとに検定を受けて、免許を取得しました。

——尺別にはいつ戻られたのですか？

広島の陸軍病院に就職が決まっていましたが、尺別にいた妹が汽車にひかれて、親から「看護婦の免許もってるんだから、帰ってこい」と連絡があり、昭和十六年（一九四一年）に帰ってきました。妹の看病をしているうちに、市橋大明さん（のちの尺炭中教諭）のおじさん（外科の先生）に、「病院に来ないか」と誘われました。その頃、市橋さんのお姉さんが看護婦の免許をもっていて、あと四人くらいは資格も何もありません。それで昭和十七年（一九四二年）から炭鉱病院に勤めました。私が来たときは、病院の場所は、もっと坑口のほうだったんですよ。病室は一カ所で、広かったので十数人は入れました。

──戦時中、急速転換のときはどうなさっていましたか？

昭和十九年（一九四四年）に炭鉱が休坑になったので、病院も閉鎖になりました。炭鉱で働いていた人たちは、みんな九州の炭鉱に行ったので、尺別には年寄りか女、子どもしか残っていませんでした。

昭和二十一年（一九四六年）に炭鉱が復興して、病院も緑町に新しく建てることになりました。完成前に火事で丸焼けになってしまい、また新しく同じように建てて、昭和二十三年（一九四八年）に完成しました。今度はちゃんと病院らしく、病室も部屋ごとになりました。ところが、お医者さんが来ない。北海道大学に内科と外科の先生を交替に頼んで、婦人科も二週間に三日くらい来てもらいました。看護婦は十人くらいいました。

──炭鉱の子どもたちが看護婦になるのですか？

「看護婦さんやってみたい」という子は結構いましたが、よそへ出た子が多かったです。尺別には養成所がないので、帯広とか、よそに行って検定試験を受けて、受かったらよそに行ったっていう子はいました。

──浦幌や雄別の病院に異動はありましたか？

ありません。だけど、検定が一緒だった人は友達になりました。施設は、やっぱり雄別のほうがいいです。たとえばピンセットも、尺別は二十挺（ちょう）だったら、雄別は五十挺あったと思います。浦幌の病院も先生がきちっと来てくれたので、尺別よりしっかりしていたかもしれません。

──病院はすべて炭鉱の会社もちでしたか？

そうです。完全に会社のなかです。事務長から全部、会社の人です。会社の庶務課の方々が交替で来ました。

設備の更新や備品の購入も一応相談するけれど、私は結構強引だから「これと、これと、これはいる」と言って買わせたような気がします。

——助産婦もやられていましたか?

昭和十九年(一九四四年)に資格を取りました。「産めよ増やせよ」の時代から、戦後は、子どもができないようにするために、受胎調節の免許も取りました。私のほかに、助産婦は二人、秋田で資格を取ったという人もいて、教えてもらいました。

ですが、私が「助産婦になります」って言っても、「本当の助産婦さん、来てください」って、うちの母親を呼んでいました。うちの母親は女学校を出てなんでもやる人だったので、お湯使いに歩いていました。だから、私が二十二歳くらいのときに、「お産したことないのに、よく産婆さんやるって言ったな」と言われたので、「お医者さんは自分で盲腸やっていなくても、盲腸の手術できるんだよ」と言いました。

——看護婦さんたちには社宅や寮がありましたか?

初めは寮もなければ社宅も貸してくれませんでした。それで、私がいちばん困りました。いちばん下の弟(長松俊也さん)がまだ小さいときに、父親が五十五歳で退職を迎えました。当時、私は婦人部長だったので、会社に「看護婦に社宅を貸してくれ」と文句を言いました。それで、私の名前で借りて、弟が高校を出て、炭鉱で働くようになるまで一緒にいました。そのあと、看護寄宿ができたので社宅を出ました。

——いつ組合の婦人部長になったのですか?

昭和二十一年(一九四六年)に組合ができたときに、青年部と婦人部ができて、昭和二十三年(一九四八年)に婦人部長を務めました。ですが、常駐しなければならず、看護婦がいなくなっては困るので、事務所の事務員に代わってもらいました。

——女性がいろいろと発言する場はありましたか?

ある程度はありました。組合の会議や会社と団体交渉するときは女は同席できません。まあ、婦人部長は仕方ないから入れますが、会計がどうなって賃金がどう決まるという詳細はわかりませんでした。

――炭鉱の病院には、どういう人が来ましたか？

風邪を引いたという患者も、もちろん来ました。あと、炭鉱でけがした人も来ました。炭鉱の病院で対応できない場合は、釧路市立病院と提携していたので、釧路に送りました。

――労災だと、会社はけがの程度を軽く診断しようということはありませんでしたか？

いいや、そんなことはないですが、釧路に送ったらもう絶対に公傷です。だけど、上の責任者みたいな人が、「それは、お前の注意が足りなかったから、私傷だ」と言うこともありました。私は「絶対、これは公傷だ」と言い返しました。

――組夫の人たちは、もっとかわいそうだったでしょう？

組には何人か班長がいて、その人が「ダメだ」って言ったらダメ。絶対に看護婦さんと口を聞いてはいけないって言う。それから、戦前の朝鮮人労働者に対してはひどかった。「日本人は一等兵だ」と言って、朝鮮人に威張っていた人は敗戦と同時に山に入って身を隠していました。

――炭鉱で事故があったときは、どう対処するのですか？

誰がけがしたというのは、各詰所から連絡がきます。輸血する人がいたら、坑内に連絡して「誰さんと誰さん、上がってください」と、私が威張って言います。働いている男の人たちは年に二回は身体検査をやるので、血液型や病気がある人など、全部わかります。うんと酒を飲む人や病気がある人は上げません。でも、働いたことにもなるし、「あいつがけがしたら、俺も行く」と、みんな上がってきます。一番方、二番方、三番方と、だいたい六十人から百人上がってくる。そのときは、「あなたは、酒飲みだからだめ」とは言えないので、「今回は都合で、この人とこの人になりましたから」と言って断りました。

――みんな仲間を助けたいという気持ちだったのですね。

炭鉱でけがして入院する人がいたら、「うちではシーツ持ってくる」「うちでは掛け布団持ってくる」「それじや、子どもは隣のおばさんがみてくれる」というように、助け合いの関係がありました。こういうことから、友子の親分・子分の関係ができたんだろうと思います。

——親分・子分の関係はみんな知っていたのですか？

秘密主義ではなかったんだろうけど、当人たち以外には親分・子分の関係は教えていませんでした。うちの父親が尺別に来たとき、一緒だった武田嘉一郎さんがその後、親分になりました。親分といっても、全部の長ではありませんでした。炭鉱に親分が何人いたのかもわかりません。年をとっていても弟分になるということもあったようです。私は、武田さんのことを「武田のオジジ」と呼んでいました。小さい頃、「武田のオジジ」から「お前にだけは教える」と親分・子分の関係を教えてもらいました。

——親分・子分関係の助け合いというのはどういったものがありましたか？

たとえば、「無尽」というのがあって、まあ二十人くらいで、入った人がいくらかずつ掛ける。そのなかから、いちばん困った人から順々に、一カ月に一人ずつもらえる。だから、親分が知っている人に「あなたも無尽に入ってくれませんか」と言って掛け金を出す人を増やして、子分が困ったときは、「俺の子分が困っているから」ということで、親分が掛け金をとってくるというのがありました。炭鉱で働いていても貧しい人は貧しい。そういうことで、いろいろと助け合う必要がありました。

（インタビュー実施日：二〇一八年一月十二日、コラム執筆：笠原良太）

第2部　炭鉱閉山と「縁」の離散——一九七〇年二月

第7章 尺別炭砿の閉山と地域崩壊——閉山ドキュメント

笠原良太

1 雄別炭砿企業ぐるみ閉山

一九七〇年二月二十七日、尺別炭砿は、全従業員千二百二十一人を解雇して、閉山した。この閉山は、石炭産業の漸次的撤退を進めた第四次石炭政策のもとで生じた雄別炭砿株式会社（以下、雄別炭砿社と略記）の企業ぐるみ閉山によるものだった。出炭量と離職者数の点で大規模な閉山であり、釧路地域はもちろん石炭産業界に大きな衝撃を与えた。従業員の家族を含む約四千人の住民がつぎの生活の場を探し始めた。都市部から離れた山峡の尺別にとどまるという選択肢はなかった。住民たちは、短期間のうちに転出を余儀なくされ、地域は急激に崩壊した。高度経済成長を続けていた日本の片隅で、また一つ、炭鉱街が消滅したのである。[1]

現在、尺別は自然に還り、復興記念碑が残るだけである。当時を知る人たちも全国に散り、高齢化が進んでいる。五十年前の「閉山と地域崩壊」は、人びとの記憶から忘れ去られようとしている。そこで本章では、短期間で起きた尺別炭砿の閉山と地域の崩壊を、入手可能な文書資料と会社、組合、学校関係者の語りをもとに、時系列に記述していく。

閉山の予兆——ビルド鉱、尺別炭砿の衰退

第2章「尺別炭砿——戦後のあゆみ」（嶋﨑尚子）でみたように、尺別炭砿は、スクラップ・アンド・ビルド政策（非能率炭鉱の閉山と高能率炭鉱への集中）における石炭鉱業調査団の判定でビルド鉱に指定され、以降、雄別炭砿社の合理化・近代化方針によって、ベルト斜坑や新坑（南直別）の開発を進めて生産力の拡充を図った。一九六三年には、坑外職場の分離や賃下げを含む尺別鉱業所自立協定が労使間で締結された。これらの合理化によって、従業員数は五〇年代初頭の千三百人から六〇年代半ばには六百人にまで減少した。「他社他山に先んじて大飛躍への基礎を固めた」結果、六四年二月には、出炭能率で「全国第一位」になった。[2] また、六六年には、念願のベルト斜坑が完成して原炭搬出が本格化した。[3] 雄別炭砿社は、同年に上茶路炭砿（白糠町）の営業出炭を開始するなど、斜陽化する石炭業界のなかでその躍進に注目が集まる会社になった。[4]

しかし、同社をはじめ大手石炭会社では、合理化に伴う退職手当や近代化・機械化のための設備投資に対する借入金の利息が膨張して経常収益が悪化した。[5] 尺別炭砿では、一九六八年八月に最有力箇所（東卸左本片）で自然発火が起こり、鎮火のため密閉・放棄せざるをえず、生産計画の大幅な変更を余儀なくされた。のちの報道では、この事故が尺別炭砿の「命とりとなった」[6] という。加えて、ベルト斜坑の開発にかかった財政的負担が大きく、慢性的な赤字を抱えていたことから、[7] 尺別炭砿の閉山が噂されるようになった。

第四次石炭政策

そうしたなか、一九六八年十二月に、石炭鉱業審議会は通産大臣に答申をおこない、翌年一月に第四次石炭政策が閣議決定した。この政策では、閉山交付金の単価引き上げに加えて、企業ぐるみ閉山を対象とした特別交付金が設けられた。すなわち、政府は石炭企業の金融機関からの借金を肩代わりし、従業員の退職金などに充てる金額を交付して、会社ぐるみの撤退を推進したのである。[8] この特別交付金は、六九・七〇年度限定だったため、

継続か解散のはざまで揺らぐ企業がこぞって解散を選択した。六九年五月に明治鉱業、麻生産業、杵島炭鉱といった大手炭鉱会社が企業ぐるみ閉山した。

一九六八年末から雄別炭砿社の経営危機が報じられるようになり、雄別炭砿労働組合連合会（雄労連）はもちろん釧路炭田内の各炭鉱労組と自治体が、釧路地域への経済的・社会的影響を懸念して閉山反対運動を展開した。しかし、四月に同社唯一の原料炭産出炭鉱で「期待の星」[9]だった茂尻炭砿（赤平市）がガス爆発事故を起こし、七月に閉山した。この特別損失が加わり、同社の資金繰りはさらに悪化した。同社が再建計画を立てるなか、最も老齢化していた尺別炭砿の閉山が現実的となり、同年秋には地元紙が閉山を示唆するようになった。[10]八月に赴任したばかりの砿業所長も、従業員とその家族に社内報で厳しい現状を開陳した。[11]

これに対して組合と音別町は、近隣自治体なども巻き込みながら閉山反対闘争を繰り広げた。一九六九年十二月には釧路市内で「釧路炭田危機突破住民集会」が開かれた。[12]一方、「閉山は避けられない」とする見方もあり、人口と税収の約半分を尺別炭砿に依存していた音別町は、閉山後の対応（代替産業による振興など）を急いだ。[13]また、閉山反対運動を主導していた組合役員も「閉山は避けられない」事態だと認識していたが、組合員や家族が騒然とならないように、「ギリギリまで」話せなかった。妻や子どもたちも、「炭鉱はいつか閉山する」と気づいていたが、まさかすぐに閉山するとは思っていなかった。[14]

年明け、閉山提案、組合の闘争

不穏な空気が漂うなか、一九七〇年の正月を迎えた。同社社長は、社内報の「新年の挨拶」で「状況は厳しいが、みなさんの協力があれば乗り越えられる」[15]と述べた。しかし、同社の資金繰りは一月分の給料を支払いできないほどにまで悪化していて、「倒産」さえ予想された。[16]会社はまず、一月二十一日に尺別炭砿の閉山を提案した。尺別炭鉱労働組合は閉山阻止の方針を貫いて、二月一日に百人の中央動員をおこなった。しかし、十四日に月末の企業ぐるみ閉山が確定した。[17]会社は、保有資産を私的に整理できる「自主解散」を選択したのである。[18]元職員によれば、二月の閉山は「越冬対策」だった。山間にあった尺別では「物資も届かず、越冬は厳しい。二月に閉山してつぎの冬がくる前に移動するのが現実的だった」[19]。

各所では、すでに閉山に向けた対応がとられていた。砿業所では、閉山前から離職票の作成、労務債の計算など、「事実上の残務整理」がおこなわれていた。担当した元職員によれば、「何日も炭山の総合事務所に泊まり、テーブルの上に寝たりして、賃金未払い金や退職金を計算して離職票を作成した」[20]。組合は、十五日に尺別に戻った中央動員団を迎えて臨時大会を開き、退職に関する条件闘争に切り換えることを決めた。その結果、①退職金の上積み支給、②五月末までの福利厚生施設（社宅、電気、水道、購買など）の確保、③高校在学生用の学生寮の設置に関する合意を得て、二十五日に労使が閉山協定書に調印した[21]。

企業ぐるみ閉山

そして、二十七日に雄別、尺別、上茶路の全従業員が解雇され、三山が閉山した。尺別では、鉱員につぎの内容が書かれた紙切れ一枚の「解雇通告書」が手渡された。

最終的に万策尽きて本日ここに閉山の止むなきに至りました。皆様の中には尺別を永住の地と定め勤務され、またこの地で成長し業務に励まれておられる方が、ほとんど大半と存じますが、今後新しい転機を求めて何れかの地に去つて行かれることは誠に残念であると同時に、淋しさを感ずるものであります。（略）最後まで御協力を戴きましたことを厚くお礼申し上げます。

このとき、尺別炭山には、千十二世帯四千五十人が住んでいた。このうち、炭鉱関係者が八百五十四世帯、三千四百五十六人（八五％）、土木建築業者（組関係）が五十七世帯、二百六人（五％）、商工業従事者が二十七世帯、百十七人（三％）であった[22]。『労働組合解散記念誌 道標――山峡の灯』の名簿によれば、炭鉱従業員（八百十一

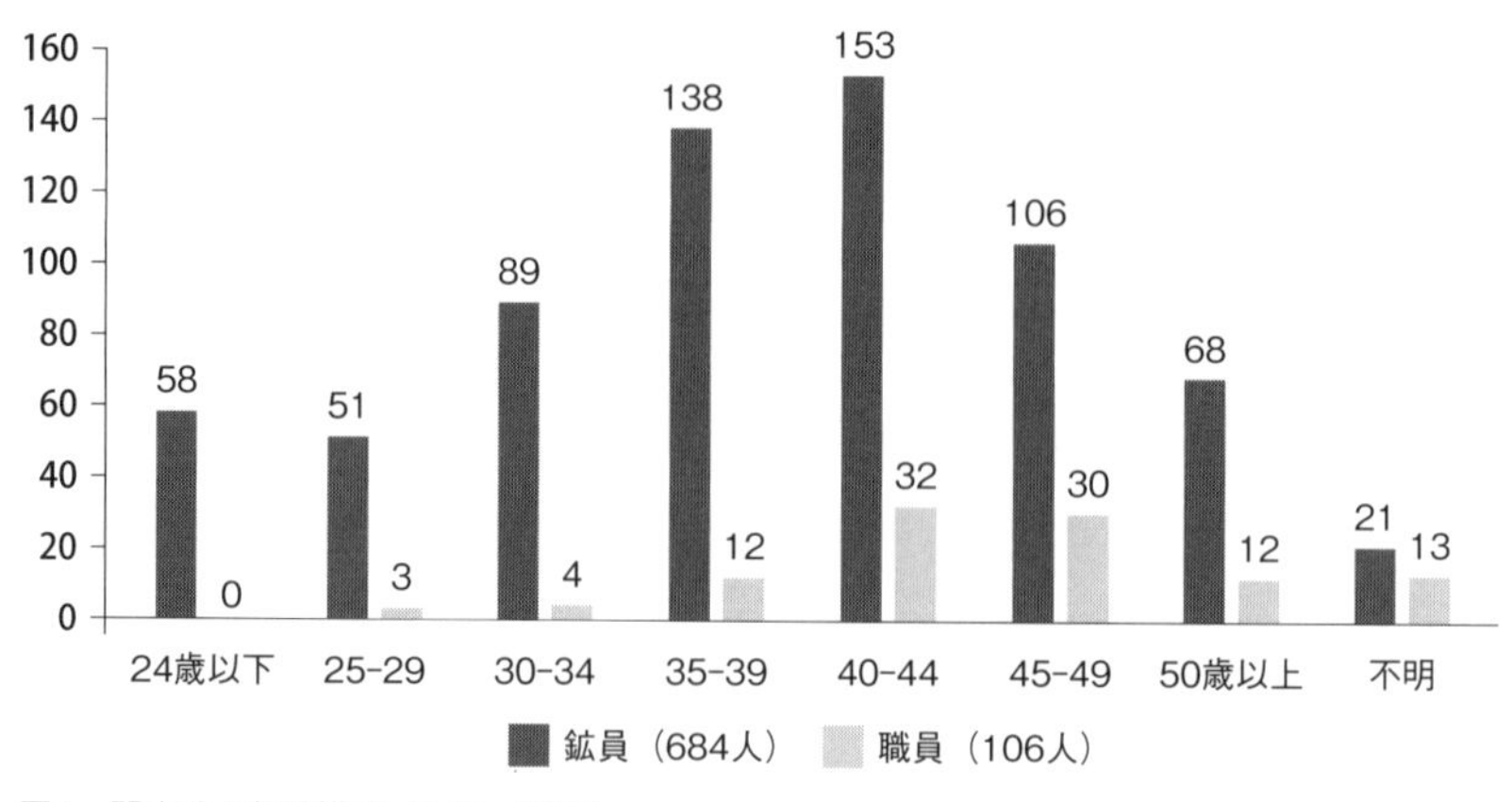

図1　閉山時の年齢構成（鉱員・職員）
（出典：尺別炭鉱労働組合『労働組合解散記念誌 道標――山峡の灯』〔尺別炭鉱労働組合、1970年〕から作成）

人）のうち、鉱員が六百八十四人、職員が百六人であり、どちらも三十代から四十代が多かった（図1）。また、世帯構成（鉱員のみ）は、「核家族」（夫婦と子）が過半数を占めていた[23]（図2）。また、このとき、尺別炭砿小学校には五百八十七人の児童が[24]、尺別炭砿中学校には三百五十四人の生徒が在籍していた[25]（図3）。

2　尺別炭山の崩壊

〝限界集落〟というのはまだ甘いのです。尺別炭砿の場合は、ほんの数か月の間に四千人の集落が消えてしまったのです。それは〝集落の消滅〟とか〝集落の壊滅〟という言葉で表されることなのです。それほど尺別の閉山は非常に厳しかったのです[26]。

この回想は、閉山当時、尺別炭砿中学校に勤めていた元教頭によるものである。彼は当時、「これから大変なことが起こる」と思い、学校での対応に追われながら、カメラを片手に滅びゆく炭山を記録した。五十年後、そのとき撮影した写真をみながら、あらためて異常な事態だったと振り返る。職縁、血縁、地縁、学縁で成り立っていた炭山コミュニティは、どのように崩壊したのだろうか。

三月：嵐のなかの炭山――再就職活動、撤収作業

三月末の退職金（前渡金）の支給まで、住民の転出は少なかった。当時の中学生が記した作文には、「閉山の実感がない」という記述が多くみられる。しかし実際は、彼らの父母をはじめ、会社、組合など、大人たちは閉

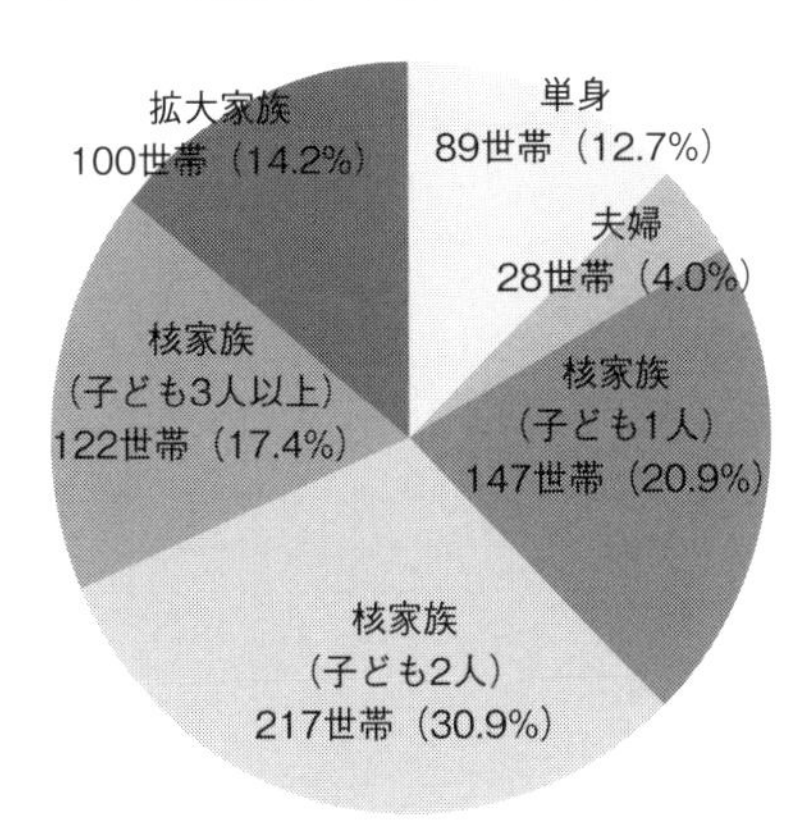

図2　閉山時の世帯構成（鉱員）
（出典：同書から作成）

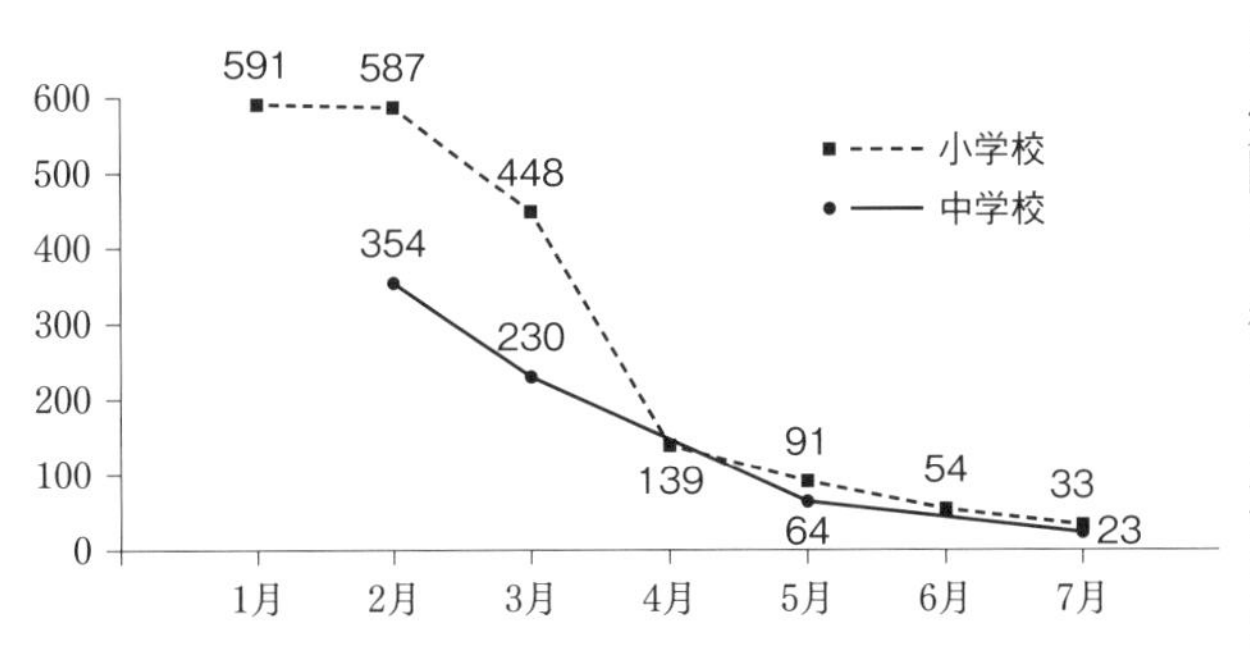

図3　1970年1月以降の児童・生徒数推移
（出典：児童数は尺別炭砿小学校『尺炭小沿革の概要』〔尺別炭砿小学校、1970年〕。生徒数はＯ教頭提供資料から。月初めの数値であるため、前月値として入力）

表1　尺別炭砿の閉山・地域崩壊に関する出来事（1970年）

月	日	主な出来事
1	21	雄社、尺別閉山を含む再建計画を提出
2	1	労組、中央動員100人派遣
	14	雄社、月末の企業ぐるみ閉山提案
	25	労使、閉山協定書に調印
	27	雄別・尺別・上茶路企業ぐるみ閉山
3	1	閉山処理対策委員会（労組、職組、会社）設置
		居住地の集約、各種施設の閉鎖時期を決定
	1	釧路職安、再就職援護の集団指導開始
	13	尺炭中、卒業式
	22	職員組合解散総会
	下旬	坑内外の撤収作業、密閉作業（―4月上旬）
		退職金前渡金支給
		炭鉱病院閉鎖
4	6	道教委、釧路市内で高校生の一斉転入試験実施
	中旬	尺別鉄道廃止
	18	86.3％が就職状況決定
	26	尺別砿業所閉砿式、労組・主婦会解散大会
5	15	残留者、錦町に収容完了
	下旬	幼稚園・郵便局・交番の閉鎖、錦町以外の電気・共同浴場の廃止
6		労組執行部、元組合員訪問キャラバン
7	20	尺炭小・中学校閉校
10	9	役場尺別炭砿支所閉鎖
	17	労組解散記念誌刊行
	下旬	残留者、音別町市街の海光団地に移る

（出典：「北海道新聞」「釧路新聞」〔1968年12月から70年10月〕、音別町史編さん委員会編集『音別町史』下、音別町、2006年、前掲『労働組合解散記念誌 道標』、「入坑前五分間」1970年2月28日付）

山をめぐって多忙な日々を送っていた（表1）。

①閉山処理対策委員会の設置

三月一日、会社と組合は閉山処理対策委員会を発足し、音別町や下請け企業、商店関係者も参加して、各種対策を協議した。第一回の委員会では、尺別鉄道は四月半ばに廃線として、病院は三月末で閉鎖、生協と郵便局は五月末に廃止することを決めた。また、居住地を五月末までに錦町（職員住宅街）に集約し、小・中学校を七月に閉校する方針が確認された。決定事項は、組合ミニコミ誌などで従業員ほか住民に周知され、早期の再就職先と居住地の決定が求められた。

②再就職活動

この頃、尺別炭山には、道外の成

長産業などから多くのリクルーターが集まっていた。その様子は、「群がるカラス」[27]と報じられるほどだった。彼らは、釧路職業安定所から現地採用の許可をもらい、白糠や音別に寝泊まりして、炭山へ募集にきた。[28]組合役員は、尺別駅から炭山までの「八キロメートル」を何度も「送り迎え」した。[29]職安、会社、組合は、「三月中に八割程度の内定」という目標を掲げ、再就職支援に当たった。

写真1　ベルト斜坑の密閉作業（1970年4月頃）（尺炭中21期生提供）

福利厚生施設である健保会館では、連日、再就職に関する説明会・相談会が開かれ、多くの離職者たちが相談に訪れた。特に組合は、組合員たちが「安心して勤められる」職場に就けるよう奔走した。当時、嘱託の相談員を務めた元組合役員は、およそ六百社にわたる求人データすべてに目を通して職場を斡旋したと振り返る。[30]炭鉱で長く生活してきた者にとって、都会の企業への再就職は容易ではなかった。しかし、閉山から一カ月程度で多くが再就職を決定した（詳細は第8章「閉山後の再就職――離散からの再出発」〔畑山直子〕、第9章「尺別からの転出――「縁」を活用した再就職と移動」〔嶋﨑尚子〕を参照）。

　なお、健保会館では、興味深いことに説明会・相談会の合間に結婚式が開かれていた。健保会館を担当していた元職員の話によれば、「多いときには一日三、四件の式が開かれ、みんな解雇されて働いていなかったので、平日もあった」[31]という。一部の青年たちは転出を前に、新たな生活をともに営む相手と結婚したのである。

3500
3000
2500
2000
1500
1000
500
0
3月31日　4月10日　20日　30日　5月10日　20日　31日　6月10日　20日　30日

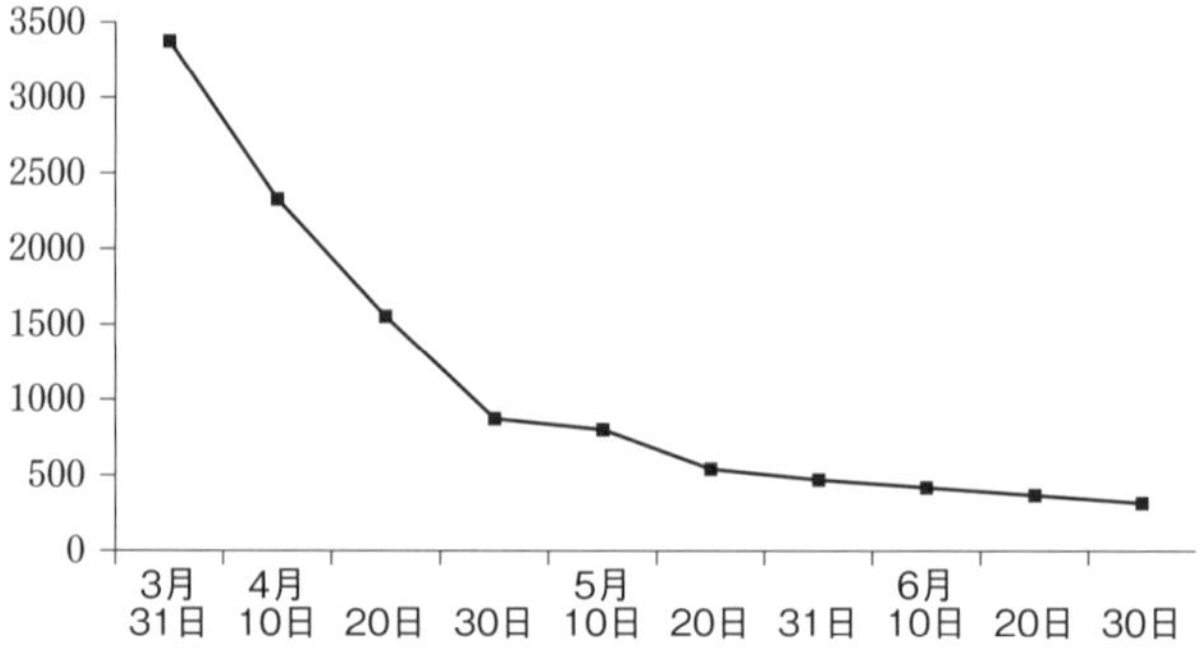

図4　尺別炭山残留者数の推移（1970年3―6月）
（出典：「尺別炭鉱閉山処理記録」〔1970年、音別町提供〕から作成）

③坑口付近の撤収、学校の対応

一方、坑口付近では、撤収作業が進められていた。いったん解雇された従業員のうち、約五十人を臨時嘱託員として再雇用して、三月半ばまで坑内外の撤収作業、四月上旬まで密閉作業をおこなった（写真1）。彼らは、再就職に関する不安を抱えながら、炭鉱を終わらせる作業に取り組まなければならなかった。ある職員の言葉を借りれば、「（坑内を）大きくする話ではなく、見返りもない作業なので、残酷な話[32]」だった。

同じく、「残酷」な経験をしたのは、閉山交付金の対象外だった下請け企業を含む商工業者だった。下請け企業の従業員（組夫）や自営業者（指定商など）には、退職金の支給はないうえに、鉱員のような手厚い再就職支援もなかった。また、指定商には、二千八百万円にのぼる売掛金が残されていて、商工会を通して転換にかかる資金繰りを検討した。商工業者の代表は、閉山処理対策委員会に参加して対策を要請したが、抜本的な対策は講じられなかった[33]。

このような慌ただしい炭山で、学校は、粛々と年度末の行事を執りおこなった。前述の教頭をはじめ教員たちは、「せめて学校だけは、いつもどおりに」という方針で生徒たちに接した。なかには、「学校では閉山を忘れることができた」とする生徒がいる一方、友人との会話から、将来に対する不安を抱く生徒もいた。大半の生徒は、三月十三日の卒業式が尺炭中の最後の卒業式になるとわかっていた[34]。

閉山から一カ月間の転出者数は、六百七十五人（閉山時人口の一七％）にのぼった（図4・表2）。主な転出先は、夕張市（百三十一人）や赤平市（七十七人）など、道内の産炭地が目立った。しかし、本格的な転出が始まる

表2　1970年3－6月転出者数推移と主な転出先

1970年	道内	道外	合計	閉山時人口に占める割合	主な転出先（転出者数：人）		
					1位	2位	3位
3月 1～31日	458	217	675	16.7	夕張市（131）	赤平市（77）	神奈川県（67）
4月 1～30日	1156	1346	2502	61.8	神奈川県（409）	千葉県（307）	夕張市（227）
1～10日	550	497	1047	25.9	夕張市（159）	神奈川県（158）	千葉県（131）
11～20日	332	443	775	19.1	神奈川県（178）	千葉県（136）	夕張市（59）
21～30日	274	406	680	16.8	埼玉県（76）	静岡県（74）	神奈川県（73）
5月 1～31日	242	161	403	10.0	釧路市（63）	東京都（34）	石狩郡部（30）
6月 1～30日	104	49	153	3.8	札幌市（31）	釧路市（24）	石狩郡部（11）

（出典：同資料）

のは、退職金（前渡金）支給後の四月以降だった。

四月：怒濤の転出

四月三・四日の閉山処理対策委員会によると、全世帯（千十二世帯）に占める再就職内定数は、八百十五世帯（道外四百八十九、道内三百二十六）、内定率は八〇％に及んだ。[35] 四月一日から十日までの間に、二百三十五世帯、千四十七人もの住民が転出した[36]（図4・表2）。主な転出先は、道内産炭地のほか、神奈川県（百五十八人）、千葉県（百三十一人）など、道外が目立った。転出者たちは、多くの荷物をトラックに積んで尺別を離れていった。その様子について、当時の中学生たちは「異常な状態だった[37]」と振り返る（写真2）。元組合役員によれば、「あっという間に人が動くわけですから」「「さよなら」なんて話ではない[38]」状態だった。組合執行部は、組合員たちに転出前に組合に来てもらい、顔写真を撮影した。そして、のちに組合員同士が連絡をとれるように、顔写真と家族の名前、転出先住所を記載した名簿を作成した。

一方、年齢や健康状態、家族の条件などで再就職先が決まらない世帯は、急激に崩壊する尺別に残らざるをえなかった。会社と組合は四月下旬に解散予定だったが、前述の元組合役員は「最後まで責任をもとう」という方針で砿業所長にも残留を説得し、会社・組合で残留者を支援することにした。[39] 炭鉱病院は三月末で閉鎖になり、外来患者は「患者輸送車を週三回運行させ、町立音別病院において診療し、急患は、会社所有

写真2　転出者を見送る（O教頭提供）

の救急車にて輸送[40]」することになった。

学校でも児童・生徒の転校が相次いだ。前述の中学校教頭によれば、「ある時は（一日に）二十人、ある時は二、三人と、ランダムに、なおかつ男女別もめちゃくちゃ[41]」に転校していった。四月初めの時点で二百三十人いた全校生徒は、月末には六十四人にまで減少し（図3）、学級数は六から三と半減した。職員室には連日、父母たちが転校関係の書類を受け取りにきた。教員たちは、転校していく児童・生徒のために先取り教育をおこない、残された児童・生徒に「できる限り昨年までと同じように[42]」と学級を再編成し、給食を継続した。また、転校が難しい高校生に対して、会社・組合・行政は寮の設置や下宿の斡旋・補助をおこなった[43]。

この一カ月だけで、五百八十五世帯、二千五百二人（閉山時人口の六二%）もの人びとが尺別を去った[44]。そして、四月二十六日、尺別砿業所閉砿式と尺別炭鉱労働組合・主婦会の解散大会が挙行された（写真3）。こののち、会社幹部と組合執行部は、残留者への対応と最終的な地域の撤収に追われることになる。

五月：居住地の集約

住民たちの怒濤の転出は大型連休までに一段落し、人口はすでに千人を切っていた。居住地の集約もスムーズに進んで、坑口付近から順に、旭町、緑町、栄町の撤退がほぼ完了した。残留者は、元の職位・職種にかかわらず、錦町の職員住宅に移った。鉱員住宅に比べて条件がいい職員住宅に住めることになり、子どもたちは複雑な心境ではあったが素直に喜んでいた。

錦町は学校に近くて便利です。（略）錦町に移るのがいやでしたが、とても広い家で一人に一部屋ずつありました。（小学六年男子、一九七〇年七月）[45]

写真3　労働組合・主婦会解散大会（O 教頭提供）

会社、組合と町は、五月十三日の会議で、幼稚園、郵便局、病院、交番を月末までに閉鎖して、そのほか野犬撲殺、錦町以外の電気・共同浴場などの廃止を決定した。そして、翌日の地区住民懇談会で住民たちにその内容を説明した。懇談会に参加した元教員は「「電気や水道は明日で会社から離れます」と会議の中で一方的に知らされた[46]」と振り返る。街には、会社の購買と指定商が数軒あるだけになり、不足する物資はバスで音別町市街まで買いに出なければならなかった。尺別炭山は、閉山からわずか三カ月で生活の維持が難しい「限界集落」に変貌した。組合執行部は、崩壊する地域に人を残さないよう、残留者用の公営住宅建設を町に求めた。残留者たちは、音別町市街に公営住宅ができる秋まで、錦町で生活することになった。

また、学校では学級を編成し直してきたが、通常の授業運営が難しい状態になった。班活動による校内清掃も児童・生徒たちだけでは困難で、教員たちも加わった。残された児童・生徒たちは、相次ぐ友人との別れによって悲しい思いをしていたため、教員たちはせめてものよりどころになるよう努めた。中学校では、開催が危ぶまれていた運動会や遠足、修学旅行を例年どおり敢行した。小・中合同でおこなった運動会には、父兄や地域の人びとも参加した。これが、尺別炭山が一体になった最後の機会だった。六月以降、地域の崩壊はさらに進み、残された住民たちは炭山が消滅するときをただ待つしかなかった。

3　地域の消滅

六月：錦町への完全撤退

閉山から三カ月あまりで、全住民のおよそ九〇％が転出し、六月一日時点で残っていたのはわずか百九十九世帯、四百七十人だった[47]（図4・表2）。錦町以外の地区では、施設や炭住がつぎつぎに解体された。外部の業者が多数入ってきたことから、残った職員は治安維持のために社宅や指定商などを巡回した。また、木造の社宅は「五年も経てば朽ち果てる」ため、「元住民に無様な姿は見せられない」と使命感をもって解体を進めた[48]。

地元紙は、約四千人が短期間で転出したわりに、「予想外に整然とした〝撤退〟[49]」が進んだと報じている。「閉山につきもののゴミの山もほとんど見られ」ず、一九七〇年度課税の住民税もおおむね納入された[50]。小・中学校の校舎など町が所有する施設の利活用も決定し、地域の完全なる撤退に向けた準備が進められた。

完全な撤退に対して、複雑な思いを抱く者もいた。前述の中学校教頭は、生徒がまだ通う学校で進められた庭木の撤収や教員の異動に対し、「もう少し配慮があってしかるべき[51]」と振り返る。また、錦町に移った子どもたちは、自身が住んでいた家が壊されることに心を痛めていた。

この頃、組合執行部は、残留者対応だけでなく道内各地に転出した元組合員を訪問するキャラバンを開始した。行程は約二十日間、三千キロに及び、元組合員たちの職場環境や生活状況を把握するとともに、尺別炭山が刻々と崩壊している様子を彼らに伝えた（詳細は第8章を参照）。

七月：砿業所長の離山、小・中学校の閉校

閉山から四カ月がたち、残留者は百十八世帯、三百十七人になった。撤収作業や残留者対応を担っていた会社（砿業所）幹部たちは、この頃尺別を後にした。最後の砿業所長は「心配した従業員の再就職も順調に進み、ヤマの責任者の仕事はほぼ終わった」と肩の荷を下ろして、再就職先である広島の造船所に移った[52]。一方、組合執行部は秋口まで残り、残留者たちが公営住宅に移転するまで対応すると決めた。また、六月の道内キャラバンに続き、一部の道外再就職者のもとを訪問した（詳細は第8章を参照）。

他方、小・中学校は、七月二十日に閉校式をおこなった。最後まで残っていた小学生三十三人と中学生二十三人は、バスで音別小・中学校に通学することになった。少しでも早く転校先に慣れるためにと、一学期の最終週から転校することになったのだが、児童・生徒たちは転校先への期待よりも不安のほうが大きかった（第11章「「学縁」の展開――閉山時高校生・中学生の五十年」〔笠原良太〕を参照）。

また、閉山以来、教員たちは通常どおりの教育を心がけてきたものの、当時、閉校までの五カ月間を振り返り、最後まで残った児童・生徒たちに不安や動揺を与えてしまったと反省している。中学校で陣頭に立った教頭は、以下のように述べている。

> 五ヵ月、われわれは、「閉山という現場教員や教育行政の力では避けられなかった現象によって子供達が受けた深刻な影響を、その教育的損失を最小限でくいとめることが、われわれの果たすべき最も重要な任務」と考え努力したが――。
>
> 昭和二二年開校以来百余名に及ぶ先輩教職員が築き挙げた輝かしい尺中教育の最後の担い手として――しかし、いま心残りなことはあまりにも多い[53]。

このの ち、尺別炭砿小学校の校舎は、原野地区の農家によって牛舎として再利用され（写真4）、中学校の校舎は解体されることになった。

写真4　牛舎になった尺炭小校舎（O教頭提供）

八月―十月：地域の消滅

毎年八月は、協和会館の前で盆踊り大会が開かれてにぎわいをみせる時期だが、この年は帰省する者もいなければ盆踊り大会も開かれなかった。錦町以外の社宅はほとんどが解体され、九月の時点で残された建物は閉山前年に建てられた生活館、近代的な幼稚園舎、公営住宅、教員住宅、尺炭寮舎、神社社殿、指定商商店街の一部だけで、会社の施設はほとんど壊された(54)。住民は、九月末時点で錦町にわずか三十戸だけになった。元組合教宣部長は、消滅しようとしている故郷をみながらつぎのような文章を残している。

五十有余年にして築き上げた、この地域が、七ヶ月の短期日のうちに、かくも無惨な姿を露呈するとは、夢にも考えられなかった。

特殊地域なるが故に起きた、残酷劇であろうか…。夜は一段とその惨めな気持をあおりたてる。（略）喜怒哀楽を共にし、親子三代までも、この地で頑張った仲間も今は居ない。（略）尺別の地は、無人化となり、社宅の解体が終ると、原始の姿に一歩一歩と戻ることになる(55)。

写真5　全住民転出後の尺別（O 教頭提供）

十月上旬には町役場の尺別炭砿支所が閉鎖された。そして下旬に、残留者全員が音別町市街の公営住宅に移った。錦町への配電も終わり、残務整理に当たっていた職員も釧路に移った。当初の予定どおり、冬がくるまでに全住民が尺別炭山を離れたのである。

十二月、誰もいなくなった尺別炭山を雪が覆った（写真5）。わずかに残された社宅も、釧路に移った職員の手で焼却された。閉山の六年前から尺別に勤務した彼は、当時を振り返り、つぎのように述べる。

正直、ツライ思いをもっているけど、すごいドラマを見たと思っている。人生のなかの六年間、いまになって思えば、大切な時間だった。(56)

炭鉱の開発によって開かれた尺別炭山は、五十年の歴史を刻み、閉山からわずか十カ月で消滅した。

注

(1) 同時代の北海道を例に挙げるならば、明治鉱業庶路炭砿・本岐炭砿(一九六四年・一九六九年、白糠町)、高根炭砿(一九六四年、芦別市)、羽幌炭砿(一九七〇年、羽幌町)などが閉山し、地域が崩壊した。

(2) 雄別炭礦株式会社尺別礦業所『入社要綱』雄別炭砿株式会社尺別礦業所、一九六四年

(3) 尺別炭鉱労働組合『労働組合解散記念誌 道標――山峡の灯』尺別炭鉱労働組合、一九七〇年

(4) 「月刊クォリティ」一九六六年十二月創刊号(太陽)では、「石炭業界という最悪の業種のなかで、なお今後の躍進が確実に予想される数少ない会社」として、岡田益十社長へのインタビュー記事が掲載されている。

(5) 矢田俊文「石炭産業」、産業学会編『戦後日本産業史』所収、東洋経済新報社、一九九五年、九九四―一〇一三ページ

(6) 「釧路新聞」一九七〇年一月二十六日付

(7) 一九六九年に尺別砿業所所長に赴任した佐藤正男氏は、同砿業所の資金事情について、「昭和二十四年に再建して以来、黒字決算を示したのは、二百五十八ヵ月の中、二十八ヵ月でありこれは一一・四%で慢性的赤字経営であります」と社内報で従業員たちに説明している(「やまの光」一九六九年十一月五日付、尺別礦業所)。

(8) 前掲「石炭産業」

(9) 三輪紀元「第四次石炭政策下での雄別炭礦株式会社の企業ぐるみ閉山」、九州大学附属図書館付設記録資料館産業経済資料部門編集「エネルギー史研究――石炭を中心として」第二十九巻、九州大学附属図書館付設記録資料館産業経済資料部門、二〇一四年、九一―九六ページ

(10) 「北海道新聞」一九六九年十一月九日付

(11) 前掲「やまの光」一九六九年十一月五日付

(12) 「北海道新聞」一九六九年十二月十一日付

(13) 「北海道新聞」一九六九年十一月十三日付

(14) 木村至聖/嶋﨑尚子/新藤慶/笠原良太「尺別炭砿閉山後の移住と定着――尺別炭砿から広島県への移住者のイン

タビュー・座談会記録 改訂版」「ＪＡＦＣＯＦ釧路研究会リサーチ・ペーパー」第十六号、産炭地研究会（ＪＡＦＣＯＦ）、二〇二〇年

(15) 社内報「雄別」一九七〇一月一日付、雄別炭礦

(16) 前掲「第四次石炭政策下での雄別炭礦株式会社の企業ぐるみ閉山」九三ページ

(17)「北海道新聞」一九七〇年二月十五日付

(18) 前掲「第四次石炭政策下での雄別炭礦株式会社の企業ぐるみ閉山」九四ページ

(19) 元職員ヒアリング、二〇一七年十一月八日

(20) Ｅさんヒアリング、二〇一五年八月二十九日

(21)「北海道新聞」一九七〇年二月二十六日付

(22)「尺別炭砿閉山処理記録」一九七〇年、音別町提供

(23) 前掲『労働組合解散記念誌 道標』

(24) 尺別炭砿小学校『尺炭小沿革の概要』尺別炭砿小学校、一九七〇年

(25) 前掲「尺別炭砿閉山処理記録」

(26) 嶋﨑尚子／笠原良太編集「尺別炭砿の閉山と子どもたち――元尺別炭砿中学校教頭 松実寛氏による講演の記録」「ＪＡＦＣＯＦ釧路研究会リサーチ・ペーパー」第七号、産炭地研究会（ＪＡＦＣＯＦ）、二〇一六年、四ページ

(27)「閉山をねらい撃ちする求人合戦 北海道・雄別」「アサヒグラフ」一九七〇年四月十日号、朝日新聞社

(28) Ｅさんヒアリング、二〇一五年八月二十九日

(29) 前掲「尺別炭砿閉山後の移住と定着」一六ページ

(30) 同論文

(31) Ｅさんヒアリング、二〇一六年十二月十五日

(32) 元職員ヒアリング、二〇一八年八月十三日

(33) なお、指定商の人たちのその後について、前掲『労働組合解散記念誌 道標』の名簿に七人の情報が記載されている。就職先は不明だが、自営業であるため就職という形はとらなかったと考えられる。地元音別町への転出者は一人

だけで、札幌に二人、江別・石狩・苫小牧・道南に一人ずつとなっている。

(34) 前掲「尺別炭砿の閉山と子どもたち」

(35) 前掲「尺別炭砿閉山処理記録」

(36) 同書

(37) 新藤慶／嶋﨑尚子／石川孝織／木村至聖／畑山直子／笠原良太「中学生からみた尺別炭砿の学校生活と閉山の影響――尺別炭砿中学校23・24・25期生の座談会記録」「ＪＡＦＣＯＦ釧路研究会リサーチ・ペーパー」第十四号、産炭地研究会（ＪＡＦＣＯＦ）、二〇一九年

(38) 前掲「尺別炭砿閉山後の移住と定着」一五―一六ページ

(39) 同論文一五ページ

(40) 前掲「尺別炭砿閉山処理記録」

(41) 前掲「尺別炭砿の閉山と子どもたち」一三ページ

(42) 同論文一八ページ

(43) 前掲「尺別炭砿閉山処理記録」

(44) 同資料

(45) 前掲『尺炭小沿革の概要』二一ページ

(46) 前掲「尺別炭砿の閉山と子どもたち」五ページ

(47) 前掲「尺別炭砿閉山処理記録」

(48) 元職員ヒアリング、二〇一七年十一月八日

(49)「釧路新聞」一九七〇年六月二十一日付

(50) 住民税五百五十三万円の課税に対して四百四十万円、固定資産税九万七千円に対して七万千円が納税された（「釧路新聞」一九七〇年六月二十一日付）。

(51) 前掲「尺別炭砿の閉山と子どもたち」二四ページ

(52)「北海道新聞」一九七〇年七月二日付

(53) 尺別炭砿中学校『地底の灯――尺別炭砿中学校廃校記念誌』尺別炭砿中学校、一九七〇年、一〇ページ
(54) 音別町史編さん委員会編集『音別町史』下、音別町、二〇〇六年、一五一九ページ
(55) 前掲『労働組合解散記念誌 道標』七一ページ
(56) 元職員ヒアリング、二〇一八年八月十三日

第8章 閉山後の再就職
——離散からの再出発

畑山直子

1 尺別炭砿閉山と離職者

再就職の三つのパターン

尺別炭砿では、一九七〇年二月二十七日の閉山によって全従業員千二百二十一人が一斉に解雇され、従業員の家族を含む約四千人が短期間のうちに尺別を離れた。その「怒濤の転出」の詳細は、第7章「尺別炭砿の閉山と地域崩壊——閉山ドキュメント」（笠原良太）のとおりである。

尺別を離れた人びとがどのような地域に移動して新たな仕事を始めたのかについては、尺別炭鉱労働組合が同年にまとめた『労働組合解散記念誌 道標——山峡の灯』からその概要をつかむことができる。[1] 一九七〇年八月三十一日現在の「釧路職安再就職状況調査」をみると、主に三つの再就職パターンがある。第一に道内他炭鉱への再就職、第二に釧路管内を中心にした道内他産業への再就職、第三に広域職業紹介を中心にした道外他産業への再就職である。[2] 第7章でみたように、最も早い時期に尺別を離れたのは道内の他炭鉱へ再就職した人びとで、その後、道外へ出ていく割合が高くなっていった。

では、閉山によって故郷を突然追われた人びとは、どのようにして新たな仕事に就き、生活を再建していったのか。本章では、尺別炭砿閉山時の名簿を用いて、閉山離職者の再就職の全体像を明らかにする。さらに、労働組合の執行部がおこなった再就職者訪問の記録から、離職者たちが新しい職場で苦悩しながら奮闘する様子をみていく。

閉山時名簿データと閉山離職者の基本属性

尺別炭砿閉山離職者の再就職の全体像を知るために、本章では前出の『労働組合解散記念誌 道標』に掲載された八百十一人分の「住所録」を利用する。この住所録は、組合の執行部が離職者への再就職支援の過程で作成したものであり、尺別炭鉱労働組合（尺労）解散大会があった一九七〇年四月二十六日頃までに確定したデータである。住所録には、①氏名、②生年月日、③閉山後の転居先住所、④再就職先企業名、⑤家族構成が掲載されている。これを「閉山時名簿」として用いる。

この閉山時名簿から、尺別炭砿閉山時の離職者の基本属性を確認しよう。八百十一人の閉山時年齢は平均三十九・五歳、その範囲は十九歳から五十八歳である。「四十―四十四歳」百九十人（二三％）が最も多く、ついで「三十五―三十九歳」百五十人（一九％）、「四十五―四十九歳」百三十七人（一七％）、「三十―三十四歳」九十四人（一二％）であった。三十歳代、四十歳代で全体の約七〇％を占める。

つぎに職位は、「坑内夫」五百五十八人（六九％）、「坑外夫」百二十六人（一六％）、「職員」百六人（一三％）、「組合役員・書記」十一人（一％）、「嘱託」十人（一％）だった。[3]年齢と職位の関係は表1のとおりである。

また、世帯類型をみると、「夫婦と子」が四百四十一人（五四％）で最も多く、ついで「単身」百九十二人（二四％）、「拡大家族」八十四人（一〇％）、「その他」六十六人（八％）、「夫婦のみ」二十八人（四％）であった。

表1　尺別炭砿閉山離職者の閉山時年齢と職位

	N	坑内助手	坑内直接	坑内間接	坑外助手	坑外	嘱託	職員	組合役員・書記
全体	811 (100.0)	77 (9.5)	353 (43.5)	128 (15.8)	33 (4.1)	93 (11.5)	10 (1.2)	106 (13.1)	11 (1.4)
24歳以下	49 (100.0)	2 (4.1)	12 (24.5)	15 (30.6)	0 (0.0)	18 (36.7)	0 (0.0)	0 (0.0)	2 (4.1)
25–29歳	54 (100.0)	6 (11.1)	22 (40.7)	16 (29.6)	0 (0.0)	6 (11.1)	0 (0.0)	3 (5.6)	1 (1.9)
30–34歳	94 (100.0)	11 (11.7)	47 (50.0)	17 (18.1)	3 (3.2)	11 (11.7)	0 (0.0)	4 (4.3)	1 (1.1)
35–39歳	150 (100.0)	24 (16.0)	77 (51.3)	20 (13.3)	8 (5.3)	9 (6.0)	0 (0.0)	12 (8.0)	0 (0.0)
40–44歳	190 (100.0)	15 (7.9)	90 (47.4)	22 (11.6)	10 (5.3)	16 (8.4)	0 (0.0)	32 (16.8)	5 (2.6)
45–49歳	137 (100.0)	9 (6.6)	61 (44.5)	18 (13.1)	6 (4.4)	12 (8.8)	0 (0.0)	30 (21.9)	1 (0.7)
50–54歳	72 (100.0)	9 (12.5)	30 (41.7)	11 (15.3)	5 (6.9)	8 (11.1)	0 (0.0)	8 (11.1)	1 (1.4)
55歳以上	14 (100.0)	0 (0.0)	1 (7.1)	3 (21.4)	1 (7.1)	0 (0.0)	5 (35.7)	4 (28.6)	0 (0.0)

＊全体には年齢不明51人を含む
＊数値は人数、（　）内は各Nをそれぞれ100とした場合の比率である
（出典：尺別炭鉱労働組合『労働組合解散記念誌 道標――山峡の灯』〔尺別炭鉱労働組合、1970年〕掲載の閉山時名簿をもとに作成）

2　閉山離職者の再就職の実態

再就職率と再就職パターン

閉山直前の一九七〇年二月二十一日・二十二日には、釧路職安が雄別炭砿三山の従業員を対象に失業保険や求人状況に関する説明会を開催した。この説明会では再就職アンケートがおこなわれ、希望職種などを調査した。最も希望が多かったのは炭鉱だったが、その人数は全体の一〇％弱にとどまった(4)。次いで事務員、機械工、工員

の順になるが、全体で六十業種もの希望が出されたという。[5]また、再就職先地域の希望は、「地元」が全体の四〇％弱で、北海道全体を含めると大半が道内を希望していた。道外を希望したのはわずか一〇％強であった。[6]

そして、閉山二日後の三月一日に、釧路職安が再就職援護の集団指導を開始した。第７章にあるとおり、このとき、尺別炭山には道外から多くのリクルーターが集まり、尺別炭砿で集約された求人は六百社にものぼった。[7]当時は高度経済成長期で、太平洋ベルト地帯を中心に、第二次産業の多くの企業が労働力を必要としていた。そのため、それらの企業が、一九六〇年代から七〇年代中頃までに閉山した多くの炭鉱の離職者の受け皿になっていた[8]（広域職業紹介については第９章「尺別からの転出――「縁」を活用した再就職と移動」〔嶋﨑尚子〕で詳述する）。

このように比較的「売り手市場」のなかで再就職活動は進むが、企業誘致がかなわなかった音別町にそのままとどまるという選択肢はなかった（第９章）。全体の四〇％弱が「地元」での再就職を希望していたにもかかわらず、再就職斡旋活動は尺別からの転出を前提としていたのである。

では、閉山後の再就職状況を詳細にみてみよう。閉山からおよそ二カ月の間に、すでに約八〇％の再就職先が決定していた。再就職率を閉山時名簿で確認すると（表２）、掲載された八百十一人のうち再就職者は六百八十一人で、再就職率は八四％である。うち道内他炭鉱は百二十五人、道内他産業は百四十九人、道外他産業は四百七人であった。離職者の半数が道外へ転出したのである。職業訓練校は二十三人（三％）で、比較的若年の年齢グループで割合が高くなっている。閉山後の就職状況が確認できなかった者は全体で百七人（一三％）だった。[9]

つぎに、年齢別に再就職率と就職先の三パターンをみよう。まず、年齢が若い「二十四歳以下」と「二十五―二十九歳」をみると、再就職率は八〇％台にとどまる。「職業訓練校」を含めると九〇％近くになる。「道外他産業」が四〇％と多いが、「二十五―二十九歳」は二〇％が「道内他炭鉱」へ再就職した。続いて三十歳代である。「三十―三十四歳」と「三十五―三十九歳」の再就職率は高く、それぞれ九〇％に達している。半数以上の約五四％が「道外他産業」へ再就職した。また、二〇％以上が「道内他炭鉱」である。他炭鉱への再就職者百二十五人のうち五十五人が三十歳代であり、道内他炭鉱再就職者の四四％を占める。

表2　尺別炭砿閉山離職者の再就職状況（閉山時年齢別・職位別）

	N	再就職率				職業訓練校	不明（未就職含）
		合計	道内他炭鉱	道内他産業	道外他産業		
全体	811（100.0）	681（84.0）	125（15.4）	149（18.4）	407（50.2）	23（2.8）	107（13.2）
24歳以下	49（100.0）	40（81.6）	5（10.2）	13（26.5）	22（44.9）	2（4.1）	7（14.3）
25-29歳	54（100.0）	46（85.2）	12（22.2）	10（18.5）	24（44.4）	3（5.6）	5（ 9.3）
30-34歳	94（100.0）	88（93.6）	23（24.5）	14（14.9）	51（54.3）	4（4.3）	2（ 2.1）
35-39歳	150（100.0）	135（90.0）	32（21.3）	22（14.7）	81（54.0）	4（2.7）	11（ 7.3）
40-44歳	190（100.0）	173（91.1）	25（13.2）	40（21.1）	108（56.8）	4（2.1）	13（ 6.8）
45-49歳	137（100.0）	112（81.8）	19（13.9）	23（16.8）	70（51.1）	2（1.5）	23（16.8）
50-54歳	72（100.0）	51（70.8）	6（ 8.3）	16（22.2）	29（40.3）	2（2.8）	19（26.4）
55歳以上	14（100.0）	4（28.5）	0（ 0.0）	1（ 7.1）	3（21.4）	0（0.0）	10（71.4）
坑内助手	77（100.0）	66（85.7）	2（ 2.6）	8（10.4）	56（72.7）	3（3.9）	8（10.4）
坑内直接	353（100.0）	304（86.1）	103（29.1）	45（12.7）	156（44.2）	10（2.8）	39（11.0）
坑内間接	128（100.0）	107（83.6）	12（ 9.4）	29（22.7）	66（51.6）	4（3.1）	17（13.3）
坑外助手	33（100.0）	28（84.8）	0（ 0.0）	7（21.2）	21（63.6）	0（0.0）	5（15.2）
坑外	93（100.0）	74（79.6）	3（ 3.2）	30（32.3）	41（44.1）	5（5.4）	14（15.1）
嘱託	10（100.0）	4（40.0）	0（ 0.0）	0（ 0.0）	4（40.0）	0（0.0）	6（60.0）
職員	106（100.0）	88（83.0）	5（ 4.7）	28（26.4）	55（51.9）	1（0.9）	17（16.0）
組合役員・書記	11（100.0）	10（90.9）	0（ 0.0）	2（18.2）	8（72.7）	0（0.0）	1（ 9.1）

＊全体には年齢不明51人を含む。
＊数値は人数、（　）内は各Ｎをそれぞれ100とした場合の比率である
（出典：同書所収の閉山時名簿から作成）

四十歳代では、「四十―四十四歳」は九〇%が再就職したが、「四十五歳―四十九歳」は八〇%台にとどまった。それぞれ「道外他産業」への再就職が五〇%以上と多く、「道内他炭鉱」は一三%台にとどまる。最後に、五十歳代についてみる。「五十―五十四歳」は、再就職率が七一%にとどまった。かろうじて二十九人（四〇%）が「道外他産業」に、十六人（二二%）が「道内他産業」に再就職した。「道内他炭鉱」はわずかである。「五十五歳以上」は十四人中、四人だけが再就職し、再就職率は二九%だった。

　続いて、職位別に再就職の特徴を示しておく。まず、「坑内直接」は、再就職率が八六%で、「道外他産業」への再就職が百五十六人（四四%）と最も多い。ついで「道内他炭鉱」百三人（二九%）である。これは、道内他炭鉱再就職者の八〇%を占めている。

また、「助手」と「組合役員・書記」は「道外他産業」への再就職率が高く、「坑内助手」七二％、「坑外助手」六四％、「組合役員・書記」七三％だった。「嘱託」は再就職率が四〇％にとどまり、すべて「道外他産業」へ再就職した。

以上、年齢別・職位別に再就職状況をみると、多様な層が道外他産業へ再就職していることがわかる。これは、前述のとおり、広域職業紹介による集団就職がおこなわれたからである。それまで日本経済を支えてきた炭鉱から、新たな成長部門の産業への人材の大量移動は、まさに「労働力流動化政策」[10]に添うものであった。

道内他炭鉱への再就職

ここまで、年齢別・職位別に、再就職の全体像（再就職率と就職先）を確認したが、以下では三つの再就職パターンごとに、再就職先について詳細にみていこう。

表3は、道内他炭鉱へ再就職した百二十五人の再就職先一覧である。全部で十三の炭鉱に再就職している。就職者の人数と比率をみると、最も多いのが操業を開始したばかりの三菱南大夕張炭鉱で、二十八人（二二％）である。ついで、住友赤平炭鉱二十二人（一八％）、三菱大夕張炭鉱二十一人（一七％）、三井芦別炭鉱十四人（一一％）である。

また、表4では、年齢別に再就職先をまとめている。他炭鉱への再就職で懸念されたことは、再び閉山に遭遇する可能性である。先にみたとおり、炭鉱への再就職者は、比較的年齢が若い。再就職先によっては、再就職からわずか数年で閉山した炭鉱もあり、若年層を中心に、

表3　再就職先道内炭鉱一覧

		N	比率
1	三菱南大夕張炭鉱	28	22.4
2	住友赤平炭鉱	22	17.6
3	三菱大夕張炭鉱	21	16.8
4	三井芦別炭鉱	14	11.2
5	三井砂川炭鉱	12	9.6
6	北炭幌内炭鉱	7	5.6
7	北炭清水沢炭鉱	6	4.8
8	住友奔別炭鉱	4	3.2
9	北炭夕張炭鉱	4	3.2
10	雄別炭砿釧路営業所	4	3.2
11	羽幌炭砿	1	0.8
12	北菱鹿島炭鉱	1	0.8
13	北炭平和炭鉱	1	0.8
	合計	125	100.0

（出典：同書所収の閉山時名簿から作成）

表4　道内他炭鉱への再就職状況（閉山時年齢別）

	N	三菱系	三井系	住友系	北炭系	その他
全体	125（100.0）	53（42.4）	26（20.8）	26（20.8）	17（13.6）	3（ 2.4）
24歳以下	5（100.0）	3（60.0）	0（ 0.0）	1（20.0）	0（ 0.0）	1（20.0）
25–29歳	12（100.0）	5（41.7）	3（25.0）	2（16.7）	2（16.7）	0（ 0.0）
30–34歳	23（100.0）	9（39.1）	2（ 8.7）	6（26.1）	5（21.7）	1（ 4.3）
35–39歳	32（100.0）	16（50.0）	9（28.1）	5（15.6）	2（ 6.3）	0（ 0.0）
40–44歳	25（100.0）	12（48.0）	6（24.0）	4（16.0）	3（12.0）	0（ 0.0）
45–49歳	19（100.0）	6（31.6）	4（21.1）	6（31.6）	3（15.8）	0（ 0.0）
50–54歳	6（100.0）	2（33.3）	2（33.3）	1（16.7）	0（ 0.0）	1（16.7）

＊全体には年齢不明6人を含む
＊数値には人数、（　）内は各Ｎをそれぞれ100とした場合の比率である
（出典：同書所収の閉山時名簿から作成）

あらためて再就職活動をおこなうことを余儀なくされたと考えられる。たとえば、一人が再就職した羽幌炭砿は、再就職からわずか数カ月後の一九七〇年十二月に閉山している。労働組合の執行部が再就職者訪問で羽幌炭砿を訪れた際、再就職者はすでに会社から縮小の提案を受けていて、戸惑っていた。また、北炭清水沢炭鉱の再就職者も、再就職直後に新鉱の開発計画を聞かされ、新炭鉱への一斉の移動方針が示されたことに対して不安を抱いていた[11]。財閥系の炭鉱であれば、新たな炭鉱の開発に伴って従業員の炭鉱間の移動が生じることはありうる。それでも数年のうちに閉山を二度も経験するのは、家族を含め、関係者の生活や精神に大きな打撃を与えるものだっただろう。

その一方で、就職人数が多かった三菱南大夕張、住友赤平、三井芦別は、閉山が一九九〇年代であるため、若い年齢層も比較的長く働くことができたと考えられる。また、尺別閉山時の年齢が「三十五―三十九歳」以上の場合、その多くが定年まで働き続けることができた。

道内他産業への再就職

つぎに、道内他産業への再就職状況をみよう。道内他産業への再就職者は、閉山時名簿で百四十九人、九十二社が確認できる。表5は、年齢別に再就職先業種をみたものである。製造業、運輸業、建設業の三業種に集中していた。最も多い「製造業」は六十八人で、全体の四六％である。ついで、「運輸業」二十八人（一九％）、「建設業」十九人（一三％）

表5　道内他産業への再就職状況（閉山時年齢別）

	N	製造業	運輸業	建設業	その他
全体	149（100.0）	68（45.6）	28（18.8）	19（12.8）	34（22.8）
24歳以下	13（100.0）	6（46.2）	3（23.1）	0（ 0.0）	4（30.8）
25―29歳	10（100.0）	3（30.0）	3（30.0）	2（20.0）	2（20.0）
30―34歳	14（100.0）	6（42.9）	3（21.4）	4（28.6）	1（ 7.1）
35―39歳	22（100.0）	14（63.6）	4（18.2）	2（ 9.1）	2（ 9.1）
40―44歳	40（100.0）	20（50.0）	10（25.0）	6（15.0）	4（10.0）
45―49歳	23（100.0）	13（56.5）	3（13.0）	2（ 8.7）	5（21.7）
50―54歳	16（100.0）	5（31.3）	2（12.5）	3（18.8）	6（37.5）

＊全体には「55歳以上」1人、年齢不明11人を含む
＊数値は人数、（　）内は各Ｎをそれぞれ100とした場合の比率である
（出典：同書所収の閉山時名簿から作成）

であった。この三業種で、道内他産業への再就職の七七％を占める。三十歳代は、この三業種に九〇％以上が再就職した。

製造業、運輸業、建設業について、具体的な再就職先企業の内訳をみよう。五人以上が再就職したケースがある。製造業では、釧路製作所小樽工場（小樽市）七人、札鶴ベニヤＫＫ白糠工場（白糠町）七人、今野産業ＫＫ（苫小牧市）六人である。大口就職とはいえないが、道内の製造業でも一定人数がまとまって再就職したケースがあったことがわかる。また、運輸業では、苫小牧市の菱中海陸運輸ＫＫに十人が再就職している。

なお、道内他産業への再就職者は、四十歳代以上が半数を占めるが、年齢の高いグループは前記の三業種に加えて多様な業種を開拓した。

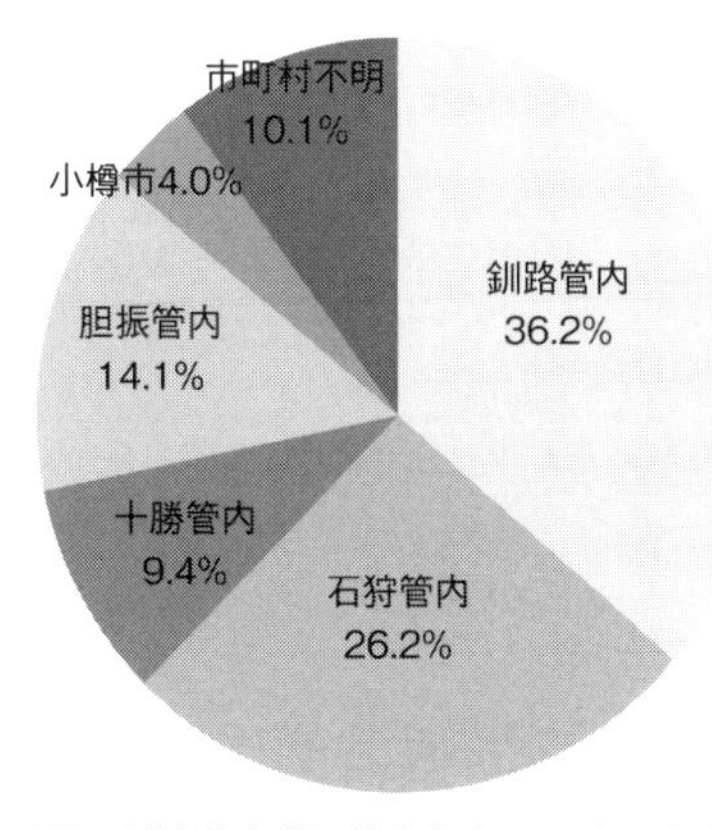

図1　道内他産業再就職者（N=149）の転出先

表6　道外再就職の企業数と就職人数

都道府県	企業数（社）	就職人数	比率
宮城県	1	2	0.5
福島県	1	2	0.5
茨城県	5	18	4.4
栃木県	2	3	0.7
群馬県	1	1	0.2
埼玉県	22	49	12.0
千葉県	21	87	21.4
東京都	19	30	7.4
神奈川県	23	120	29.5
富山県	1	1	0.2
静岡県	12	30	7.4
愛知県	9	30	7.4
三重県	2	8	2.0
滋賀県	1	1	0.2
大阪府	4	4	1.0
兵庫県	1	1	0.2
広島県	1	18	4.4
山口県	1	2	0.5
合計	127	407	100.0

（出典：同書所収の閉山時名簿から作成）

「その他」には十一業種を含む[12]が、四十歳代以上は「宿泊業・飲食サービス業」や「生活関連サービス業・娯楽業」「自営」など、ほかの年齢グループにはみられない多様な業種へ再就職している。

最後に、道内他産業再就職者の転出先について、その分布をみておこう。図1をみると、釧路管内（釧路市、音別町、白糠町）が三六％と最も高い。尺別炭山から最も近接している地域での再就職を希望した人が多かったことを示している。ついで石狩管内（札幌市、江別市、石狩町）二六％で、その大部分は札幌市への転出（三十一人）だった。

道外他産業への再就職

では、道外の他産業へ再就職した人びとの状況をみよう。道外他産業への再就職者は、閉山時名簿で四百七人、百二十七社[13]が確認できる（表6）。企業の多くは、関東一都三県（東京都、神奈川県、埼玉県、千葉県）に集中していて、就職人数も多い。最も就職人数が多いのは神奈川県の百二十人（三〇％）で、ついで千葉県八十七人（二一％）、埼玉県四十九人（一二％）であった。また、静岡県、愛知県も企業数、就職人数ともに多い。

そして、表7は年齢別に再就職先業種をみたものである。すべての年齢層で最も多い業種は「製造業」三百七十三人で、全体の九二％と圧倒的な割合だった。道外へ転出することは、製造業へ再就職することとほぼ同義だったのである。[14]

では、製造業への再就職についてもう少し詳しくみよう。まず、大口を十人以上とすると、十社が当てはまる（表８）。最も就職者が多いのが富士バルブＫＫ藤沢工場（神奈川県）で、四十三人が再就職している。家族を含む総移住者は百五十九人にものぼる。ついで常石造船ＫＫ（広島県）十八人、総移住者五十二人、トピー工業ＫＫ

表7　道外他産業への再就職状況（閉山時年齢別）

	N	製造業	運輸業	建設業	その他
全体	407（100.0）	373（91.6）	4（ 1.0）	10（2.5）	20（4.9）
24歳以下	22（100.0）	20（90.9）	0（ 0.0）	1（4.5）	1（4.5）
25-29歳	24（100.0）	22（91.7）	0（ 0.0）	2（8.3）	0（0.0）
30-34歳	51（100.0）	46（90.2）	0（ 0.0）	2（3.9）	3（5.9）
35-39歳	81（100.0）	77（95.1）	1（ 1.2）	0（0.0）	3（3.7）
40-44歳	108（100.0）	97（89.8）	2（ 1.9）	2（1.9）	7（6.4）
45-49歳	70（100.0）	65（92.9）	0（ 0.0）	1（1.4）	4（5.7）
50-54歳	29（100.0）	26（89.7）	0（ 0.0）	1（3.4）	2（6.9）
55歳以上	3（100.0）	2（66.7）	1（33.3）	0（0.0）	0（0.0）

＊全体には年齢不明19人を含む
＊数値は人数、（　）内は各Ｎをそれぞれ100とした場合の比率である
（出典：同書所収の閉山時名簿から作成）

表8　10人以上の大口の就職があった企業

	企業名	所在地	就職者	就職者含む移住者人数
1	富士バルブ KK　藤沢工場	神奈川県	43	159
2	常石造船 KK	広島県	18	52
3	トピー工業 KK　豊橋製作所	愛知県	16	65
4	日産自動車 KK　座間工場	神奈川県	13	47
5	三井造船 KK　千葉造船所	千葉県	12	43
6	不二ロール工機 KK	千葉県	12	61
7	丸五 KK　茨城工場	茨城県	11	43
8	車体工業 KK	神奈川県	11	41
9	キャタピラ三菱 KK	神奈川県	10	35
10	菊川工業 KK　白井工場	千葉県	10	38
		合計	156	584

（出典：同書所収の閉山時名簿から作成）

K豊橋製作所（愛知県）十六人、総移住者六十五人と続く。十社への就職者は合計百五十六人で、総移住者は五百八十四人だった。まさに集団就職の形をとった再就職だったことが見て取れる。転居先での住居をみると、多くが会社社宅か雇用促進住宅に居住していた。

3　閉山離職者の再就職の苦悩——『労働組合解散記念誌 道標』での再就職者訪問の記録から

ここまで、尺別炭砿閉山後の再就職の全体像を概観してきた。再就職率は閉山から二カ月程度で約八〇％に達していて、再就職者の半数以上が道外の成長産業へ就職していた。そのような状況から、尺別炭砿閉山離職者の再就職は、比較的スムーズに進行したと理解できる。しかし、新しい職場で働き始め、生活を再建していく過程は、決して平坦ではない。その苦闘の様子は、労働組合執行部三人（事務局長、教宣部長、書記）がおこなった、各地の再就職者訪問の記録にまとめられている。[15]

この再就職者訪問は、ほかの炭鉱では類をみない大変興味深いものである。組合として最後の離職者支援事業であり、尺労解散大会で執行部が組合員に「約束した事項」だった。[16] さらに、訪問の報告を『労働組合解散記念誌 道標』に掲載することで、閉山後の仲間の様子を組合員と共有しようとした。

再就職者訪問の行程は、まず一九七〇年六月十五日から六月二十七日まで、札幌を除く道内の再就職者に対しておこなわれたのち、同年七月十四日に札幌市内で、翌十五日から道外各地でおこなわれた。[17] 目的は、再就職者への激励、就職後の現況調査、手続き関係の問題点などの相談という三点だった。[18] 八月十五日には、釧路市内にある太平洋スカイランド（太平洋炭砿）で釧路在住者を中心に「激励会」を開いている。

道内他炭鉱への再就職者

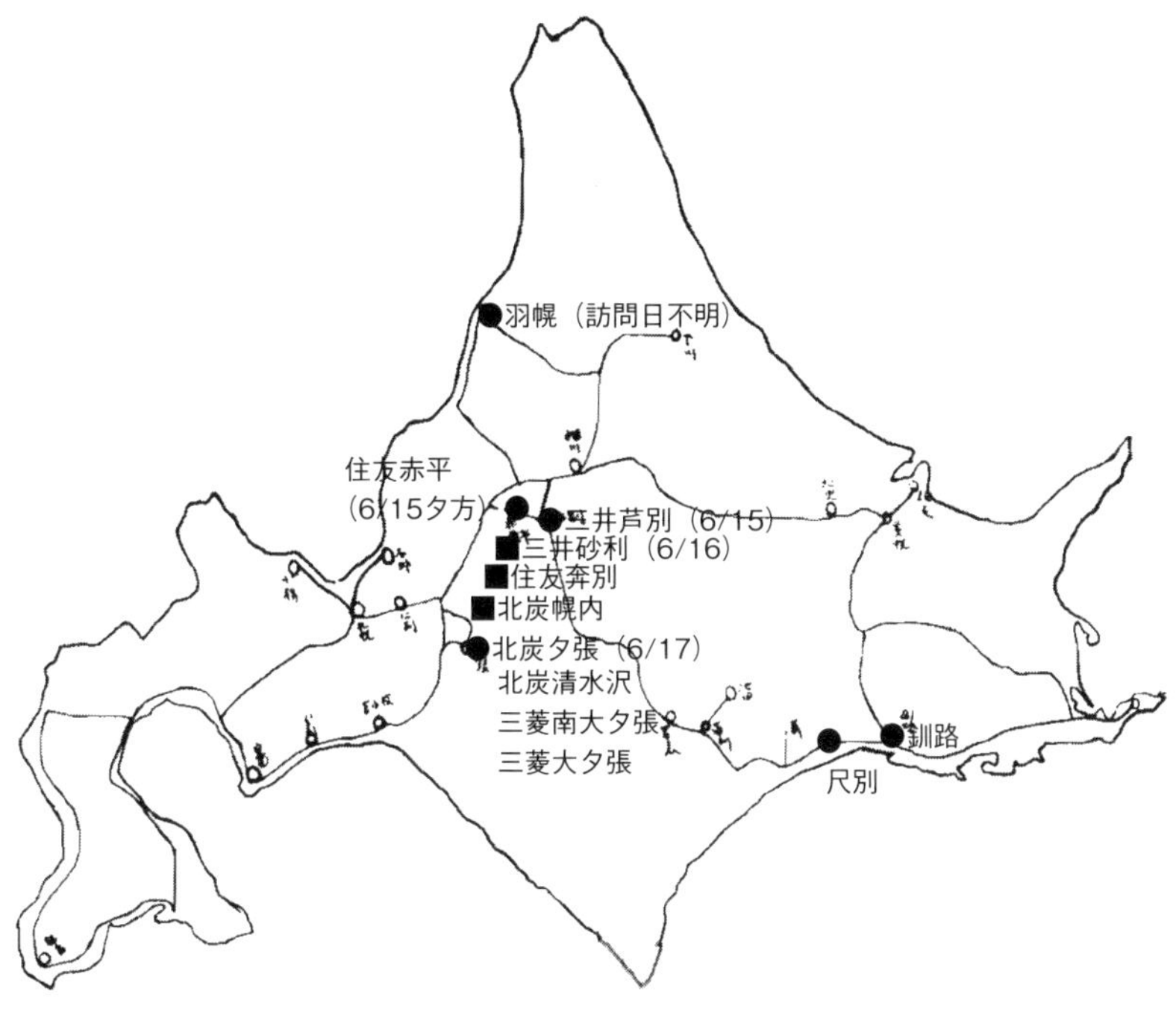

図2　労働組合執行部が訪問した道内炭鉱（1970年）
（出典：同書27ページ所収の地図に加筆した）

再就職者訪問は、道内の炭鉱から開始した（図2）。六月十五日午後三時に、十四人が就職した芦別市の三井芦別炭鉱を訪問している。再就職後に坑内爆発事故で殉職した仲間がいたためである。ここでは、「芦別は実力の世界」という評価が聞かれたという。尺別と比較して坑内条件と労働条件は厳しく、切羽請負のシステムのなかで休みなく働くことが求められていた。また、「坑内の使用器具の呼び方や坑内名称が違う」「尺別よりも坑内が広く、先山を見失う可能性がある」といった不安も吐露されている。

芦別をあとにして、同日午後五時半には二十二人が就職した赤平市の住友赤平炭鉱を訪れている。ここでは、住友赤平労働組合の執行部に対して採用時の約束——採炭現場の指揮をとる立場につき、賃金が安くならないようにすること——が不履行となっている点を持ち掛けている。このように、尺別労働組合の執行部が再就職先の炭鉱に対して就職後に労働条件を交渉している点は、就職者を大いに勇気づけたといえる。

翌十六日には、上砂川町の三井砂川炭鉱（十二人就職）、三笠市の北炭幌内炭鉱（七人就職）と住友奔別炭鉱（四人就職）の三炭鉱を訪問している。ここでも請負制の体制の違いなどに対して戸惑う声が聞かれている。特に、北炭幌内では、さまざまな習慣の違いに困惑している様子が記録されている。たとえば、賃金闘争のストライキ解除の際、解除を知らずに寝て休んでしまった、というようなケースである。[19] これは「些細なこと」として単純に片付けられるものではなかったはずである。尺別との違いに一つひとつ適応していくことが、再就職者には少なからずストレスになっていたことを読み取れる。再就職先での苦悩を組合執行部に吐露できたことは、彼らにとって大きな出来事だったにちがいない。

十七日は、一日かけて夕張市内の炭鉱を訪問した。ここでは、さまざまな「明と暗」が記録されている。まず、四人が就職した北炭夕張炭鉱では、就職した四人全員がけがをしたという報告があり、訪問当時、入院中だった仲間の見舞いにも訪れている。事故原因として、坑内での運搬に昔ながらの木車（木製の炭車）を使う場面があり、それに慣れず、木車が脱線した際にうまく逃げられずにけがをしたという。この話を受けて、教宣部長のRさんは「これは、近代化と原始的なものが雑居する中で起きる問題なのか。保安の確立は、施設の完備が大きなウエイトであることを痛感する」[20]と述べている。

つぎに訪れた北炭清水沢炭鉱（六人就職）では、集まってきた仲間の表情が暗い。それは、会社説明で明るい見通しだと聞いていたものが一転し、清水沢鉱を閉鎖して新鉱開発へ傾注し、今後は全従業員を新鉱へ移行すると説明されたからだった。この不安が「いろいろな面に影響し、不安が不満と同居する結果」[21]になっていたという。

一方で、最も就職者が多い三菱南大夕張炭鉱では三十人が働いていて、操業が開始されたばかりであることから、「フレッシュ」で活気ある様子が伝わってきたという。坑内・坑外ともに最新の機械が入っているが、なかには尺別から購入したものも多々あり、懐かしいと口々に語っていたという。[22] 一方で、本格的な操業が始まっていないため、賃金体系に不備があるという意見もあった。

夕方には、二十一人が就職した三菱大夕張炭鉱に到着する。ここでも請負と残業について不満が聞かれたが、希望を比較的聞いてくれて、社宅の環境も悪くないということだった。一方で、今後の炭鉱問題にも言及していて、再び閉山に直面した場合、保護措置もないため、その点を要請してほしいという意見もあったという。R教宣部長は、炭鉱再就職者のなかでいちばん元気そうな感じを受けたと述べている。

最後に、日程は明記されていないが、羽幌炭砿にも足を運んでいる。ここには、鉄道部門に就職した仲間が一人いて、同僚ともうまくやっているようだった。しかし、第２節で言及したとおり、すでに会社の縮小提案を受けていた。そのため、不安が募っていて、「何かやりきれないような顔[23]」をしていたという。羽幌炭砿はその後、一九七〇年十二月に閉山していて、結局彼は新しい職場をわずか数カ月で追われることになったのである。

以上、炭鉱十社の訪問の様子をみてきた。総括として、R教宣部長は次のようにまとめている。尺別との最大の違いは、賃金体系が全請負制になり、休憩時間もなく、労働条件は厳しい点である。尺別では会社の「直轄」で安定した賃金体系のもとで働いたが、請負制では、残業の支払い方法も変わり、給与は尺別のときを下回っている者が多い。また、坑内条件が異なるため、そこへの適応の難しさもある。炭鉱への再就職は、作業内容自体の極端な変化が起きない一方、各炭鉱のローカルルールを身につけていく過程に難しさがあった。

道内他産業への再就職者

炭鉱関係を一巡したあと、道内の他産業訪問を苫小牧からスタートした。十人が就職した菱中海陸運輸では、作業が一定せず変わってばかりであり、また基本給が安いため残業をしないと生活ができない、といった不満がたくさん出てきたという。音別での企業誘致への質問もあり、「今すぐにでも帰りたい。条件はどうでもいい」という意見まであったという[24]。R教宣部長は、「他産業再就職者の第一ラウンドの厳しさに、この次はどうなっているのかと不安が一杯でした[25]」とまとめている。

同じ苫小牧市では、今野産業（六人就職）も訪れている。ここでも生活するためには残業が欠かせない、という話が聞かれるが、再就職して三カ月以上の努力と忍耐によって、職場で発言力をもつようになった者もいたという。これには「明るい光が見えたような気がする」[26]と述べている。

続けて、白老町や室蘭市へ足を延ばしていく。ここでは青函トンネルの調査坑で働く人たちがいた。この調査坑の入り口は、尺別で見慣れたベルト斜坑とまったく変わらない坑口で、「尺別に帰ったような錯覚にとらわれた」とR教宣部長は振り返る。また、就職者からは、安全第一で、どんな細かなことにも万全の体制を組んでいるという話があり、炭鉱の保安とトンネル調査坑の保安は「月とスッポンの違いがある」とのことだった。賃金や休日、住宅についても問題がないようだったが、「（尺別に）友達がまだ残っているなら、この車に乗って帰りたい」「仲間がいないので淋しい」と話していた妻もいた。[27]

さらに、根室、美幌、白糠、浦幌、池田、帯広も訪問している。根室では寿司職人になった仲間や下川鉱山で働く者を訪ねている。また、美幌では建築ブームがあり、左官屋になって忙しくしている仲間もいたが、R教宣部長は季節労働のような仕事になっていることを心配していた。音別の隣町である白糠では、七人が就職した札鶴ベニヤを訪問している。基本給が失業保険の金額よりも低いといった問題があるが、新社宅を建築するなど、福利厚生の充実を図る様子も見て取れた。

別日程で訪れた札幌では、さまざまな仕事に就く十五人が集まった。札幌では執行委員長も出席し、昔ながらの話にみんなで笑い転げ、R教宣部長は「こんなに健康な笑いがあったのかと、今さらながら、尺別当時の楽しかった思い出をかみしめていた」[28]という。このエピソードは、各地の再就職先を訪問する執行部たちも、閉山後から常に緊張感のただなかにいたことを端的に示している。再就職者を激励するなかで、たわいない出来事がそのことに気づかせたのである。

以上、道内他産業再就職者の訪問の様子を概観した。総括として、R教宣部長は、危険と隣り合わせの炭鉱労働から解放されたものの、炭鉱での生活がいかに安心できるものだったかを実感する、と述べている。労働条件としては、賃金の低下、福利厚生費の負担増、家が狭いことや通勤時間が長くなったことなど、さまざまな変化にさらされていた。実際、すでにその職を離れて別の職に転じた人もいるというが、R教宣部長は「将来の見透し(ママ)と今後の生活の安定は、個人の姿勢にあり、又、仲間の友愛と信義、そして団結が大切であることを知り実践すること[29]」の重要性を、再就職者訪問から得た、と述べている。

道外他産業への再就職者

最後に、道外他産業の再就職者訪問をみておく。七月十五日に札幌を出発し、執行委員長は三重県、愛知県・名古屋、神奈川県、千葉県、東京都を訪問した。事務局長は、山口県、広島県、静岡県、茨城県、埼玉県を訪問。教宣部長は八月上旬に書記と広島県を出発し、群馬県、埼玉県、神奈川県、愛知県などを訪問したという。

これらの訪問で、以下の点がまとめられている。①再就職が集中していた関東ブロックと大阪・名古屋の関西ブロックの賃金が最も高い、②労働密度は都会のほうが厳しい、③通勤時間が長く、必要最低限の間取りでの生活を余儀なくされている、④猛暑の連続で、不快指数は二百パーセントである、⑤諸経費が何倍もかかり、レジャー代もばかにならない、⑥公害や環境に対して個人で細心の注意を払わなくてはならない、などである。

これらの条件を克服するために、努力してほしいとR教宣部長は述べる一方で、都会での生活に順応していくだけでなく、「生活そのものを取り戻す闘いが組まれなければならないような感じをもった[30]」とも述べている。

訪問記録の最後では、「北海道労働者への絶賛、炭砿(ママ)労働者への無防備な信頼は、われわれも労働者として誇りを持った[31]」と述べている。ただし、大半の離職者が、すでに労働組合をもたない企業に就職したことに懸念を示してもいる。この記述から、R教宣部長をはじめとする労働組合執行部は、最後まで尺別の仲間たちの「面倒をみた」ことが伝わるのである。

以上、本章では尺別炭砿閉山後の再就職の様子について、その全体像を明らかにするとともに、再就職後の訪問の様子を概観した。「群がるカラス」といわれた閉山直後からの職業紹介や斡旋によって、閉山から二カ月程度で、求職者の八〇%以上が再就職を果たした。再就職の決定率だけからすると、尺別炭砿の再就職はきわめて順調に進んだようにみえる。実際、尺別炭砿閉山当時の全国の成長産業が、多くの離職者の受け皿になった。

しかし、閉山から四カ月後に各地の再就職先を訪問して回った労働組合執行部の記録からは、環境の大きな変化に各人が戸惑い、必死に食らいついていく様子がうかがえた。閉山から短期間で再就職が決定したとしても、新たな職場や生活に適応するまでには、多くの時間と労力を要する。そのため、離職者たちは、執行部の訪問に感激していた。新たな職場で再出発したばかりの離職者にとって、よく知る人が自分たちのもとを訪ねてきてくれたことは、大きな離職者支援だったのだと考えられる。

そして、尺別を遠く離れた離職者が、閉山後の尺別の地やほかの仲間を気にかける様子は、尺別の〈つながり〉の強さを端的に示していた。閉山によって、それまでの実際の縁は断絶したかにみえる。しかし、その〈つながり〉が強く、太ければ、それが離散した人びとをたしかにつなぎとめることを、尺別の再就職者たちは教えてくれるのである。

注

(1) 尺別炭鉱労働組合『労働組合解散記念誌 道標――山峡の灯』尺別炭鉱労働組合、一九七〇年、二四―二六ページ

(2) 道外で再就職した者のうち、埼玉県の日豊鉱業武蔵野炭鉱へ再就職した者もいたため、道外での再就職は他産業に限定されたわけではない。しかし、道外で再就職した者の大半は鉱業以外、特に製造業への再就職だった。本章の第2節で詳述する。

(3) 住所録には指定店七人も記載されているが、本章では除外して分析した。

(4)「北海道新聞」一九七〇年二月二十七日付

(5) 同紙

（6）同紙
（7）木村至聖／嶋崎尚子／新藤慶／笠原良太「尺別炭砿閉山後の移住と定着――尺別炭砿から広島県への移住者のインタビュー・座談会記録 改訂版」「ＪＡＦＣＯＦ釧路研究会リサーチ・ペーパー」第十六号、産炭地研究会（ＪＡＦＣＯＦ）、二〇二〇年
（8）吉田秀和「広域移動離職者の生活歴」、髙橋伸一編著『移動社会と生活ネットワーク――元炭鉱労働者の生活史研究』所収、高菅出版、二〇〇二年
（9）「不明」に分類した百七人の多くは、閉山後の転居先が北海道内である。住所は確定しているものの、再就職先がブランクであるため、その多くは未就職であったと考えられる。
（10）前掲「広域移動離職者の生活歴」一二九ページ
（11）前掲『労働組合解散記念誌 道標』三一―三三ページ
（12）「その他」には、「農業・林業」「鉱業・採石業・砂利採取業」「電気・ガス・熱供給・水道業」「卸売業・小売業」「専門・技術サービス業」「宿泊業・飲食サービス業」「生活関連サービス業・娯楽業」「医療・福祉」「複合サービス事業」「サービス業その他」「自営」を含む。
（13）企業の数については、同企業の支店や営業所、工場もそれぞれ一社としてカウントした。
（14）「その他」に含まれる業種は、「鉱業・採石業・砂利採取業」「電気・ガス・熱供給・水道業」「卸売業・小売業」「宿泊業・飲食サービス業」「生活関連サービス業・娯楽業」「複合サービス事業」「自営」の七業種である。
（15）道内の訪問は、事務局長、教宣部長、書記の三人でおこなわれたが、道外については、執行委員長も訪問している。
（16）前掲『労働組合解散記念誌 道標』四二ページ
（17）同書二七―四七ページ
（18）同書四二ページ
（19）同書三〇ページ
（20）同書三一ページ
（21）同書三一ページ

(22)同書三二ページ
(23)同書三三ページ
(24)同書三六ページ
(25)同書三六ページ
(26)同書三六ページ
(27)同書三九ページ
(28)同書三九ページ
(29)同書四三―四四ページ
(30)同書四五ページ
(31)同書四五ページ

第9章
尺別からの転出
――「縁」を活用した再就職と移動

嶋﨑尚子

1　突然の閉山と再就職

慌ただしい転出

炭鉱閉山とその後の労働者と家族の転出は、にわかには想像できない慌ただしさでなされた。写真1は、尺別炭砿と同年の一九七〇年に閉山した北海道留萌炭田の羽幌炭砿跡地を、筆者が二〇一三年に訪問した際に撮った炭鉱住宅跡である。閉山直前の生活が文字どおり「時が止まったまま」五十年間残っている。ミシンがあり、壁には子どもが描いた絵が貼られ、カーテンは下がったままである。ここに住んでいた家族が、日常生活を唐突に中断して慌ただしく出発したことが手に取るようにわかる。多くの旧産炭地に同様の光景が残っている(1)。

一九六〇年代後半から七〇年代の第四次石炭政策下で発生した大手炭鉱の閉山では、労働者たちは非常に短期間のうちに別産業に転換した。当時は高度経済成長期で、炭鉱以外の産業界は、製造業などの成長産業で旺盛な求人があった。炭鉱労働者と家族は、閉山提案から閉山反対闘争、条件闘争、閉山協定妥結、最後の入坑と閉山、退職金の受け取り、組合の解散という動きのなかで、いち早く再就職先を決めて炭山を離れていった。本書第7

写真1　羽幌炭砿の炭鉱住宅跡（2013年6月、筆者撮影）

章「尺別炭砿の閉山と地域崩壊――閉山ドキュメント」（笠原良太）と第8章「閉山後の再就職――離散からの再出発」（畑山直子）で詳述したとおり、尺別炭砿でも「突然、閉山になった。あれよあれよという間に尺別を離れた」「感傷に浸っている間もなかった」というような状態で四千人近い住民が、数カ月のうちに転出したのである。その混乱ぶりがどれほどかは想像にかたくない。彼らは再就職先や具体的な移動、そして移住先での暮らし方を決める際には、尺別で培ってきた職場の縁や、傍系親族（兄弟姉妹）を中心とする「血縁・姻縁」関係を活用した。本章ではその様子を具体的にみていく。

これまでの研究では高度経済成長期での閉山離職者の再就職・移転について、以下のことが知られている。[2] ①成長産業への再就職が中心であり、②その多くが大都市への移住を伴った。③こうした移動は、国・企業、労働組合の斡旋で短期間のうちに実現し、その後の定着率も相対的に高い。④対照的に旧産炭地の多くは新規産業の誘致が進まず、閉山によって地域社会は丸ごと消滅した。

尺別の場合、音別町は閉山が現実的になった一九六九年秋から石炭産業に代わる産業の誘致を積極的に進めた。音別町工業振興条例を設置し、産炭地域振興事業団などを通じて本州の企業に積極的にはたらきかけたが、具体化しないまま閉山を迎えてしまった。結果的に炭鉱離職者の収容はかなわず、ほぼ全員が転出する事態に陥ったのである。音別町の誘致活動に応じて企業が進出してきたのは、閉山翌年以降のことだった。七六年には大塚製薬釧路工場、八〇年には大塚食品工業釧路工場が操業を開始し、現在にいたっている。[3]

成長産業への再就職——どのように就職先を決めるのか

炭鉱閉山で離職させられた労働者たちの就職先は、一般に炭鉱の第二会社、系列・グループ会社、地元誘致会社、他炭鉱、一般企業に分けられる。[4] 高度経済成長期には、成長産業の一般企業から、膨大な数の求人が集まった。労使で離職者対策本部を設置し、求人内容を精査した。尺別では、具体的には「三十五歳くらいで基本給五万円以上、住宅が完備されて、老人や未亡人もセットで雇うこと」を条件に求人を選別したという。選別後でも雄別三山全体で求人企業約九百社、求人総数三万三千人に達した。[5] そのほとんどが大都市圏への移住を前提とする「広域職業紹介」で、実際、企業による求人活動は、写真2のように「不公正求人活動の禁止」の看板を出すほど旺盛だったのだ。

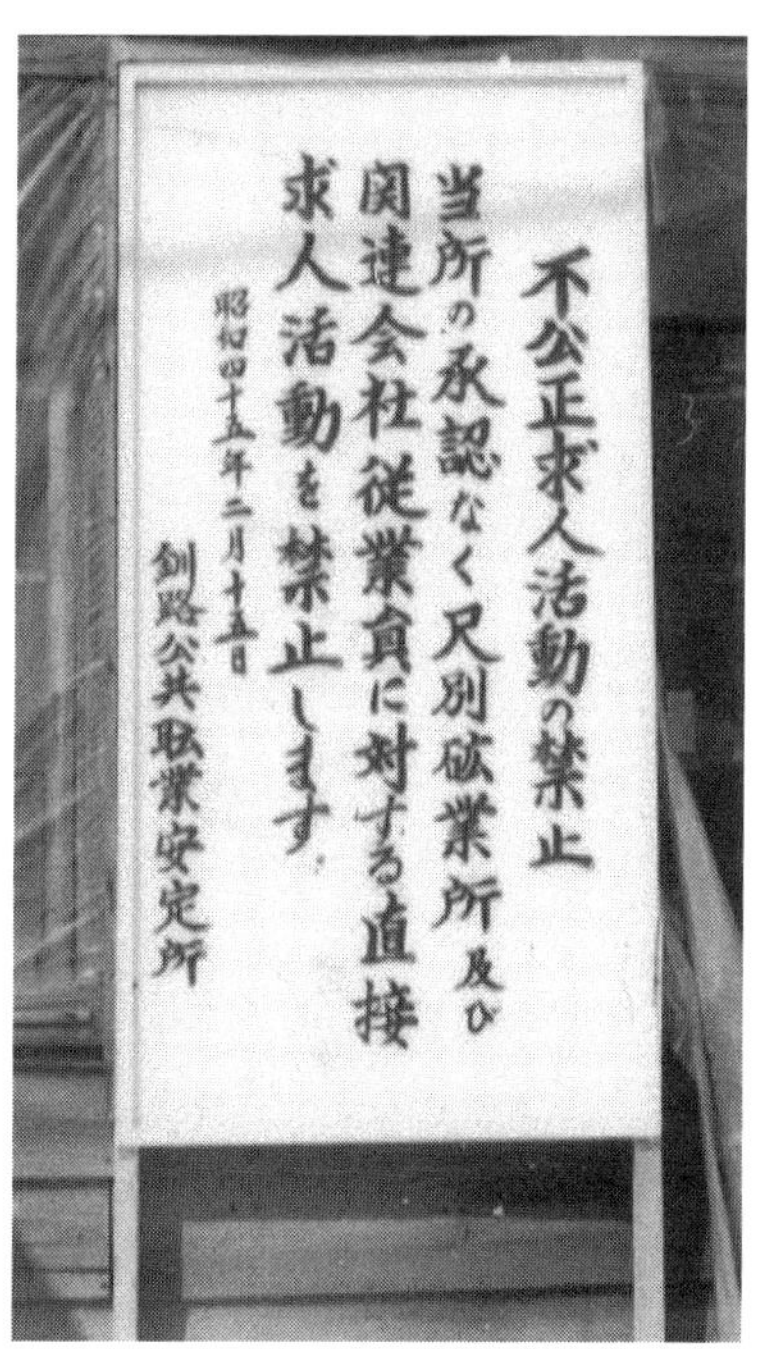

写真2　「不公正求人活動の禁止」の看板（1970年2月15日、O教頭提供）

炭鉱労働者たちは、突然に閉山を言い渡され、すぐさま膨大な求人情報を提示され、どのように再就職先を決めたのだろうか。求人と求職のマッチングは、専門機関である職業安定所の臨時相談所が担当したが、離職者と職安の仲介者として山元相談員が置かれた。雇用促進事業団の嘱託扱いで正式には「炭鉱離職者援護協力員」という職名である。多くの場合、当該炭鉱の職員や組合専従者が担った。[6] 尺別の場合には、後述する労働組合教宣部長だったRさん一人が嘱託として担当した。[7] 離職者たちの相談事項は、再就職先での給与や手当、住宅と子どもの学校関係、老親の問題、移住後の妻の就業機会など広範にわたったという。さらに移動先地域の気候条件も心配事だった。相談員をしていたRさんによると、年長者はなかなか再就職先が決まらず苦労していた。「私がいろいろやってみると、どんどん決まっていくんだけども、やっぱり年配の人たちはなかなか決まらない。決まらなくて、北海道に残るべきかということになる。できれば「北海道のなかでいたい」という人たちが、年配の人たちには多い。出る場合には、誰かが声を掛ければ、出られる。ひとりじゃなきゃね、というのがあった[8]」

実際、求人は若い労働者を求める内容がほとんどで、年長者や事務系職員に適当な求人は少ない。そこで斡旋側は、大口求人を活用して、若年者と抱き合わせで年長者の雇用確保を試みた[9]。尺別炭砿の場合には、第8章でみたように十人以上の再就職先を大口とすると、十三社に百八十四人が再就職し、これは名簿掲載八百十八人中の二三%に当たる。最多の就職先だった富士バルブ藤沢工場には、組合名簿では四十三人が就職したが、若年者と年長者の抱き合わせ採用がみられる。四十三人のうち、年齢が判明する四十一人の年齢は、二十三歳から五十四歳にわたり、四十五歳以上が十八人で四四%を占める。

就職先の最終決断は難しい。九州の貝島炭鉱の第六次合理化（一九六六年）で離職者支援を担当した者は、「離職者自身で判断の基準を持っている者は、数少なかった。結局のところは、身近な有力者の意見に従うか、安定所の指導官の奨めに従うか、就職斡旋課又は労働組合の助言によるか、そのいずれかに決めるほかないものと思いながらも決めかねているという人達が多かった[10]」と指摘している。尺別の場合には、職場で信頼のおける人やリーダー的人物の判断に従う傾向があった。つまり「あの人がいくのなら自分もいきたい」と決めるケースである。リクルーター側もその点を心得ていて、人望の厚そうな人物や職員層に声がけし、彼らに仲間集めを依頼して、同時に職員を抱き合わせ採用した。その結果、大口の就職先はとりわけ早くに決定したという。

たとえば尺別鉄道で働いていたMさん（一九三四年生まれ。コラム2「戦争・引き揚げ、閉山を乗り越えて――田村豊穂さんインタビュー」を参照）は、その例である。彼の兄は、三菱芦別炭鉱閉山（一九六四年）後に千葉で再就職していた。兄の就職先会社が、尺別閉山を聞きつけてMさんに直接電話で二十人を確保したいと求めてきた。彼は自分の兄がいる会社に斡旋するのだからと、候補者を厳選したという。[11] そして自分も含めて十七人と一緒に同社に就職した。十七人のうち年齢がわかる十二人をみると、二十一歳から四十二歳で、年齢からすると即戦力の精鋭部隊であった。このように、大口の就職では、影響力がある人物に声がけがあって集められたようだ。先の富士バルブの場合も、坑内助手だった人物が中心になって就職者を決めたという。このように、親族の「縁」と職場の「縁」を活用して、再就職先が決まっていったのである。これは集団就職にほかならない。集団就職は、一九五〇年代以降にみられた農村から首都圏企業への中卒若年者（いわゆる「金の卵」）の就職だけでなく、このような炭鉱離職者という熟練労働力を成長産業に供給する方法にもなった。

2　誰と移るか

集団就職と集団移住

続いてMさんたちの尺別からの転出の様子をみよう。一九七〇年四月十六日木曜日、十七家族、総勢約七十人が客車一両を貸し切って、全員一緒に北海道釧路市から千葉県船橋市へ移動した。二十四時間をかけての移動だった。この日程は、学校の始業に合わせて決めたので、組合の解散式前になった。第7章の表1をみると、四月十六日を含む週に全体で七百七十五人が転出しているが、うち百三十六人が千葉県への移動だった。Mさんたちがその半数を占めたことになる。移動の手続きは、鉄道勤務だったMさんがコンテナや特急列車などをすべて手配した。兄の会社は何も苦労せずに、Mさんたちという大口の就職者を確保したわけである。移住資金は、雇用促進事業団から給付金として手当てされた。Mさんのような人物がいない場合には、先の山元相談員が移住を支援した。集団移住のための準備手配（鉄道の増発運行なども含む）、連絡、赴任先への同行引率、家財輸送の手配、見送りなどの一切を担った[12]。そうした支援を得て、四千人もの人たちがごく短期間に尺別から転出できたのである。

炭鉱離職者たちには移住後に、雇用促進事業団住宅が用意された。Mさんたちの場合は、千葉県船橋市の雇用促進事業団住宅に全世帯が入居した。五階建ての住居が六棟あり、一棟に約五十世帯、全体で二百八十世帯あったという。居住者の多くが、尺別を含む北海道からの炭鉱離職者家族だった。彼らは、現在まで五十年にわたって近所付き合いが続いている。

閉山前からの連鎖移住

さて再就職先の斡旋や紹介は、職安や会社によるものだけではない。縁故の紹介も多くあった。そのなかには閉山を見越して、個人のつてで仕事を見つけて、早期に炭鉱を離れるケースも多くあった。この場合には「連鎖移住」の形態をとりやすい。連鎖移住とは、親族や近隣関係者のつてで移住する方式で、具体的には先発した親族が、就職先や移動先の決定、移住先での定着を手助けするというものだ。移住後も移住元との関係が維持され、必要に応じて移住先と移住元とを行き来することもある。つまり連鎖移住は、危機的な状況に直面した際に親族が重要な援助を提供する現象であり、労働者たちの都市への移住に共通してみられた[13]。第4章「炭鉱家族の「血縁」――〈つながり〉と暮らし」（嶋﨑尚子）で紹介した樺太から尺別への転入例も、連鎖移住である。

ここでは、比較的長期にわたって進められた連鎖移住の例としてWさん一家を紹介しよう（図1）。aさんは一九四八年に尺別で六人きょうだいのいちばん下に生まれた。高校卒業と同年の六四年に東京へ出た。当時すでに炭鉱は景気が悪く、尺別炭砿は自社で雇うのではなく、炭鉱従業員の子弟に他産業・他地域での就職を斡旋していた。aさんは会社の紹介で、関電工での仕事と中野の寮を得た。彼はともかく東京へ出たかったという。ちょうどおば（母の姉）一家が東京でクリーニング屋を営んでいたこともあり、彼らが面倒をみるという約束で、両親も許してくれた。仕事は電柱を立てる夜間作業で、一年半働いた。その後、いとこ（図中d）の紹介で、彼

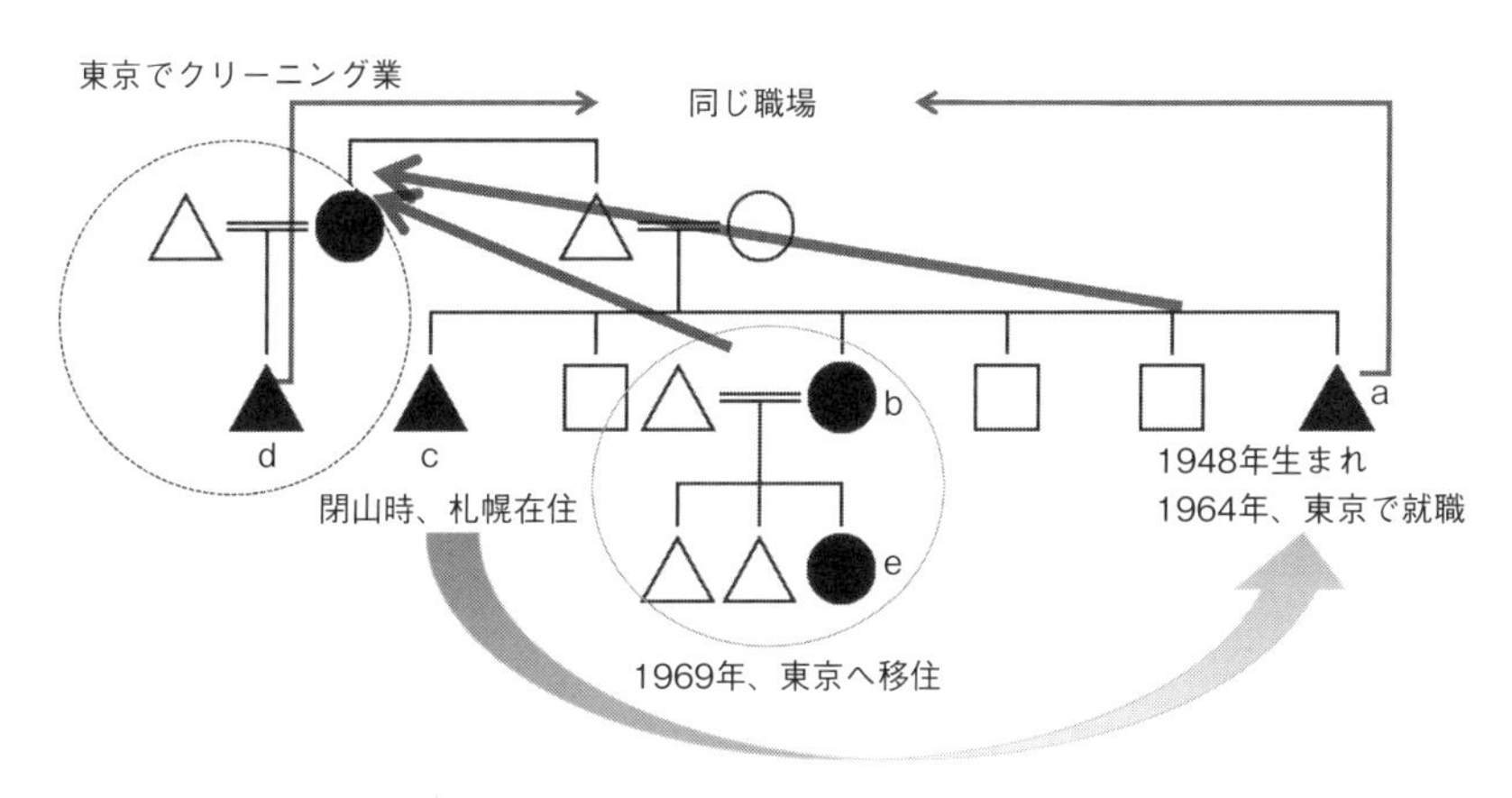

図1　連鎖移住の事例（Wさん一家）

の勤め先の印刷屋に転職した。いとこを含めて従業員三人くらいの小さな工場だった。その後、当時札幌で暮らしていた長兄（図中c）が大手電鉄会社で社員の募集があると教えてくれた。二十三歳までという年齢制限があったが、ぎりぎり間に合って試験を受けて合格した。その後は五十七歳で定年退職するまで、駅業務をずっとやった。駅は二十四時間のシフト業務で大変だったという。若い頃はともかく遊んで、毎晩飲んでいた。給料では足りなくて、兄弟姉妹、特に長兄にいつもお金を融通してもらった。本当に世話になった。自分が定年退職したあと、長兄はすでに亡くなっていたが、兄弟姉妹を呼び寄せて恩返しの大旅行をプレゼントし、みんなとても喜んでくれたという。

　尺別閉山の半年前の一九六九年八月に、姉（図中b）家族が尺別から東京へ移ってきた。炭鉱を辞めて、おばのクリーニング業を引き継ぐことにしたのである。一家五人で移り、店の二階に住んだ。aさんは、当時中学生で上京した姉の息子（図中e）をさまざまに支援して、現在でも関係が続いている。

　この連鎖移住の事例では、若年者の上京や就職、二度にわたる転職を親族が支援している。かつその支援は、地理的距離があったにもかかわらず、札幌に住む長兄が中心だった。その後、尺別閉山直前には、中年夫婦家族が炭鉱を辞して転職したが、そこでは、おば―姪の関係でクリーニング業を継承している。このように長期にわたって、複数の親族員が互いに支援しあって、尺別炭砿から東京に移住したのである。

3　福山への集団就職と集団移住

造船会社への集団就職

さて、第7章で詳述したように、尺別で最後まで残って残務処理や再就職斡旋に当たった会社の幹部職員や労働組合関係者たちは、最終的に広島県の沼隈にまとまって移住した。この移住は尺別から最も遠い移動だった。その差配をしたのは労働組合教宣部長のRさん、三十二歳だった。再就職先の決定と移住の様子を確認しよう。

再就職先は常石造船で、具体的な移住先は広島県沼隈郡沼隈町（現・広島県福山市沼隈町）であった。常石造船は、九州の三池炭鉱や筑豊各炭鉱を中心とした石炭の輸送で興った企業であり、そうした縁から石炭産業の合理化が進むなか、一九六〇年以降、積極的に炭鉱離職者を受け入れてきた。このような背景をもつ常石造船がはじめて北海道の炭鉱離職者を求人し、それに応募したのが尺別のRさんたちだった。ちなみに、尺別からの常石造船への再就職決定を知り、雄別炭砿からも再就職者が移動した。当時の地元の新聞には以下のように記されている。

北海道の炭鉱離職者五十九人を集団で誘致　福山職安　初めてルート開く

福山職業安定所は、底をついた労働力の補充をはかるため、炭鉱離職者の誘致に全力をあげているが、このほどはじめて北海道の閉山炭鉱から五十九人の集団誘致に成功、ひきつづき明るい見通しを立てている。

こんど同所管内に移転就職したのは、北海道釧路職安管内の雄別、尺別両炭鉱の離職者、平均年齢四十二―三歳で家族持ちがほとんど、受け入れ先の沼隈郡沼隈町、常石造船が定年制をとっていないこと、三

DRK（ママ）の従業員住宅が完備していることなどがきめ手になったという。

同社にはひきつづき二十人の就職がきまっているが釧路職安からの連絡によると、福山産業地帯に対する炭鉱離職者たちの印象はきわめて好意的で、受け入れの条件しだいでは、こんご相当数の誘致が可能だといっている。

福山職安が四十五年度になって誘致した炭鉱離職者は、福岡県の日鉄嘉穂から四十人、長崎県の飯野松浦から四十人、山口県から五人足らずとなっており、新しく北海道の〝労働力鉱脈〟を発掘した成果は大きい(14)。

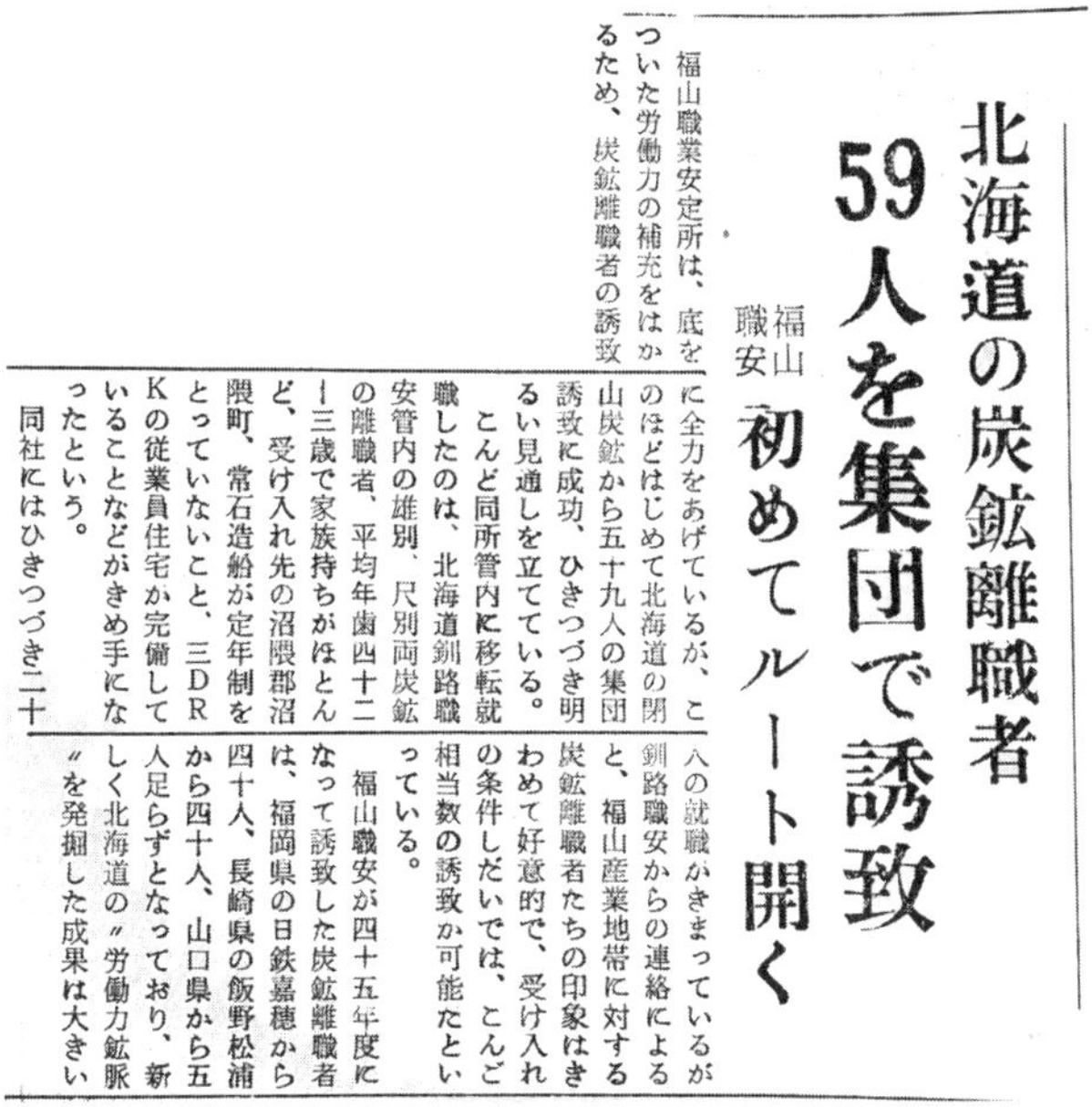

北海道の炭鉱離職者　59人を集団で誘致

福山職安　初めてルート開く

福山職業安定所は、底をついた労働力の補充をはかるため、炭鉱離職者の誘致に全力をあげているが、このほどはじめて北海道の閉山炭鉱から五十九人の集団誘致に成功、ひきつづき明るい見通しを立てている。

こんど同所管内に移転就職したのは、北海道釧路職安管内の雄別、尺別両炭鉱の離職者、平均年齢四十二—三歳で家族持ちがほとんど、受け入れ先の沼隈郡沼隈町、常石造船が定年制をとっていないこと、三DRKの従業員住宅か完備していることなどがきめ手になったという。

同社にはひきつづき二十人の就職かきまっているが釧路職安からの連絡によると、福山産業地帯に対する炭鉱離職者たちの印象はきわめて好意的で、受け入れの条件しだいでは、こんご相当数の誘致か可能たといっている。

福山職安が四十五年度になって誘致した炭鉱離職者は、福岡県の日鉄嘉穂から四十人、長崎県の飯野松浦から四十人、山口県から五人足らずとなっており、新しく北海道の〝労働力鉱脈〝を発掘した成果は大きい

図2　尺別炭砿閉山離職者の集団就職に関する記事
（出典：「大陽新聞」1970年6月1日付）

Rさんがいくつもある求人のなかから常石造船への就職を決めた理由は、三点の魅力があったからだという。第一に定年がなく高齢になっても勤められること、第二にこれまでも九州からの炭鉱離職者を多く受け入れた実績があること、そして第三に新たに尺別からの移住者用に住宅を用意したこと、具体的には雇用促進事業団住宅として六十棟のアパートを建てたことだった。とはいえ、心配事も多くあった。たとえば、北海道から非常に遠いこと、さらにこの土地が寒冷な北海道とは気候が大きく異なること、文化も異なることなど、であった。そこで、ま

ずRさんの義父（妻の父、図3のa）に、閉山二カ月後に沼隈に行ってもらい、詳細を確認したという。[15]

さて造船業での仕事は、炭鉱と同様に非常に危険な作業が多い。Rさんはその点について次のように話している。

それなんです。私はね炭鉱が閉山になって、炭鉱ってものがなんなのかを考えた。私も炭鉱のなかに入ったことがあるわけですから。思ったんだけど、非常に危険であると。入ったら、出てこれないんじゃないかという時代があった。それと当時、三池炭鉱で爆発事故があって四七六人亡くなってる。炭鉱ってのは、よほど安全対策をしたにしても、非常に危険だと。「炭鉱を守れ」とか言うけども、この危険なところで働くことが、生活の場のなかでほんとに安心してできるんだろうかと、私はそう思ってた頃があった。だからと言って、炭鉱を出ても、他に仕事があるだろうか。ところが、この造船所っていうのがね、危険だと。危険であるけどね、太陽さんの下で働くでしょ。クレーンはちょっと危険だけどね。太陽さんの下で働けるということは、穴のなかでやる、閉塞的なところでやるよりはいいかなと。ましてや、炭鉱が閉山になるという、固体エネルギーから液体エネルギーに移る時代で、はたして守り通せるのか。こういう方法（再就職）でもし対応できるんであれば、どっか太陽さんの下で働けるような場所がいいんでないかと思ったんです。閉山が近づくにつれて、新しい道を選んでもらうのであれば、どこでも働けるじゃないの、というふうに思いましたね。[16]

最終的に尺別からの二十五人と、親族を頼ってよそから合流して再就職した二人を含む二十七人が、常石造船とその関連会社に就職した。表1は、常石造船への再就職者のプロフィルと移住形態の一覧である。尺別炭砿での職位・職種は、砿業所長一人、組合役員三人、職員一人、嘱託一人、坑内直接員五人、坑内間接員三人、坑外四人である（不明を除く）。このうちの砿業所長（四十八歳）と組合役員の事務局長（四十二歳）、教宣部長（三十

表1　常石造船への再就職者：プロフィルと移住形態

No.	閉山時職位・職種	閉山時年齢	帯同世帯員数（本人含む）	移住世帯形態	常石造船に就職した親族クラスター	備考
1	砿業所長	48	単身	単身	単独	
2	組合事務局長	42	4人	夫婦と子	単独	
3	坑内直接	54	7人	夫婦と子	単独	
4	坑内直接	49	3人	夫婦と子	単独	
5	坑外	50	6人	夫婦と子と親	単独	
6	嘱託	不明	単身	単身	単独	途中退職して北海道へ
7	坑内間接	54	単身	単身	単独	途中退職して北海道へ
8	不明	不明	単身	単身	単独	途中退職して北海道へ
9	不明	不明	単身	単身	単独	常石造船関連会社に就職
10	組合教宣部長	32	3人	夫婦と子	親族①	
11	不明	52	2人	夫婦	親族①	
12	不明	31	2人	夫婦	親族①	よそから合流して就職
13	坑外	23	単身	単身	親族①	
14	職員	46	5人	夫婦と子	親族①	
15	不明	40代後半	5人	夫婦と子	親族①	
16	組合書記	25	4人	本人と子と親	親族②	
17	坑内直接	25	4人	夫婦と親	親族②	
18	坑内直接	39	5人	夫婦と子と親	親族③	
19	坑内間接	32	3人	夫婦と子	親族③	
20	坑外助手	36	5人	夫婦と子と親	親族③	
21	不明	不明	単身	単身	親族③	途中退職して北海道へ
22	坑内直接	25	単身	単身	親族④	
23	不明	28	単身	単身	親族④	
24	坑内間接	20	単身	単身	親族④	
25	不明	不明	2人	本人と子	親族⑤	26の父、両名だけで移動
26	坑外	不明	2人	本人と親	親族⑤	25の息子、両名だけで移動
27	不明	不明	単身	単身	親族⑤	よそから25・26と合流して就職

二歳、Rさん）、書記（二十五歳）の四人が、尺別炭砿の残務処理を担い、七月に尺別地域を閉じたあとに広島に移住した。なお砿業所長と労働組合事務局長は、常石造船会社と交渉の結果、保安課を新設し、保安監督業務を担当したという。再就職者の年齢は、二十三歳から五十四歳と幅広い（不明を除く）。二十歳代四人、三十歳代四人、四十歳代四人、五十歳代三人である。この年齢分布は、常石造船に「定年の定めがない」ことが決め手になったこととも合致している。

沼隈への移動は、十一人が単身で、それ以外は家族帯同であった。これには再就職者のライフステージが関連している。つまり、単身の移動者は年長者と若年者である。そのうち年長者は、常石に再就職したのち数年以内に離職して北海道に戻っていった。他方で、家族帯同の場合には、総じて大所帯で移動した。帯同の世帯類型をみると、七人が「本人夫婦と子」の核家族、四人が三世代「親と本人（夫婦）と子」、二人が「本人（もしくは夫婦）と親」「夫婦のみ」であった。常石造船への再就職者二十七人とその家族、合わせて七十人が、尺別から沼隈へ移動したことになる。なお、沼隈への移住は一斉にではなく、四月から七月まで数カ月をかけてなされた。

親族での集団移住

このように常石造船への就職は、富士バルブなどと同じ集団就職であった。しかし、ほかの集団就職と大きく異なるのは、就職者のなかに親族関係者が含まれ、親族クラスターを形成している点である。具体的には、表中「親族クラスター」で「単独」とある九人を除く十八人が、自分以外の親族と一緒に常石造船に就職した。彼らは五つの親族クラスターに分類される。このうち親族クラスター③が最初に常石造船への就職と移住を決めたという。このクラスターでは、家族帯同で移動した三人（十八番、十九番、二十番）と単身者（二十一番）の四人が就職している。彼らの親族関係は、十八番の妻の弟が十九番と二十番である。妻の兄弟姉妹という傍系親族の縁での就職と移住というパターンであった。このクラスターでの移住者は総勢十四人だった。

親族での集団移住の詳細を、Rさんの親族クラスター①を例にみよう（図3）。図中の★印が常石造船への就

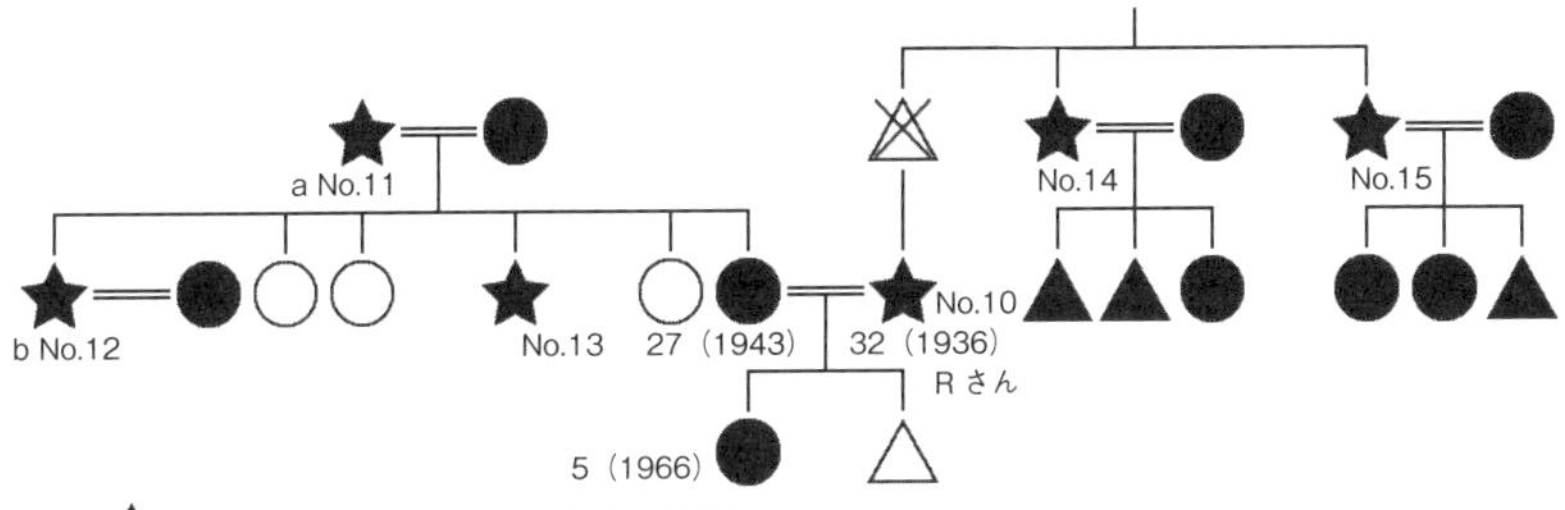

★：常石造船・関連会社就職者（男性）

▲：沼隈への移住者（女性）

●：沼隈への移住者（女性）

No. は表1中の番号

（　）出生年、1971年時年齢

図3　親族での集団移住（Rさんの事例）

職者で、Rさんを含めて六人である。内訳は、Rさんの父親の弟（おじ）二人、妻の父、兄、弟である。Rさんは当時三十二歳で、彼は妻と娘、二人のおじとその家族、そして妻の両親、兄夫婦、弟、という親族十八人で移住した。ここで注目すべきは、沼隈が北海道から非常に遠いため、すでに尺別を出て道内のよそで暮らしていた親族、妻の兄夫婦（図中b）をも沼隈に呼び寄せたことである。つまり、沼隈を拠点に、新たな故郷の創生を目指したのである。この集団移住のメンバーたちは、Rさんを中心に地域に溶け込むよう苦労を重ねたという（詳細は第12章「継承される炭鉱の「縁」と文化」〔木村至聖〕を参照）。五十年を経た二〇二〇年時点でも、彼らは沼隈で暮らしている。ちなみに子ども世代のなかには、現在でも常石造船で働いている者もいる（コラム7「助け合いが「ふるさと」をつくる――千葉怜二さん・ユキさんインタビュー」を参照）。

常石造船への集団就職の事例では、尺別炭砿に最後までとどまって残務処理に当たった者たちの職場の縁と、彼らの親族関係をもとに、二十七人、五つの親族クラスターを含む総勢七十人が集団移住していた。この移住は、当時三十二歳で労働組合役員を務めていたRさんが中心になって実現したが、その特徴は三点ある。第一に就職者の顔ぶれは尺別での職位・年齢とも多様だった。とりわけ年長者の再就職は、新たな職務の設置を含めて、若年者との抱き合わせで実現した。第二に就職者のなかには親族関係者が含まれ、その関係は、夫方の親族にとどまらず、妻方の親族も含んだ「双系」の傍系親族に広がっている。第三に移住先が遠方であるため、道内のよそで暮らす親族をも呼び寄せ、いわば新たな故郷の創出を目指した。その結果、尺別からの大規模な移住者集団が形成されたのである。

「縁」を活用した移動と家族

炭鉱閉山によって解雇された労働者とその家族が経験した再就職と移動は、炭鉱で培ったさまざまな「縁」を活用して展開された。とはいえ、それは「協力して、一緒に乗り越えよう」という〈つながり〉の活用ではない。むしろ、エゴイズムが露呈した場面だったとさえいえる。「我先に少しでもいい条件の仕事を見つけて、いち早く尺別を離れたい」と思うのは、当然のことである。そのため職場の縁よりも、家族・親族の縁が重視され、活用された。つまりヤマの〈つながり〉やヤマの仲間は、炭鉱での仕事・職場があってこそ成立し、したがって閉山時にはきわめて限定的なものにとどまらざるをえなかった。

こうして閉山後の再就職と移住は家族・親族を中心に進められたが、家族メンバーが同じようにこの事態を受け入れ、認識していたわけではない。むろん、労働者本人と妻はある程度閉山を予期していた。しかし、多くの子どもにとっては、閉山はまさに青天の霹靂といえる事態だった。彼らの受け止め方は多様で、かつ学齢に応じて異なった。[17] 詳細は第11章「「学縁」の展開――閉山時高校生・中学生の五十年」(笠原良太)でふれるが、大変心細い思いを抱きながら、父親・母親たちの決断を待ってそれに従った。多くの子どもたちは、みずからの不安を口にすることができなかった。彼らは当事者として説明する言葉をもっていなかったのだ。不幸なことに、大人たちには、子どもたちの不安を理解し配慮する余裕がなかった。離職者支援の中核を担ったRさんであっても、気づかなかったという。二〇一六年におこなった私たちの調査研究[18]で、子どもたちが当時抱いていた不安をはじめて理解した際に、Rさんはつぎのように語っている。本章の最後に引用しておく。

私はね、「これはまずかったな」と思うのは、子どもたち、それから学校というものに、全く触ってない。全く知らないっていうかね。いや、先生（のこと）は知ってるんだけど、先生と話してる間もなくて、ただ走り回っていた。自分がこっち（広島）来ないかんいうことなんで。これ（「尺別炭砿の閉山と子どもたち」）を見てねえ、「あっ、そうかあ」ということで。近けりゃ色々と連絡もできたんだろうと思うんだけども。私は「来た人間と土地の人たちが、なんとかやってほしい。そうすれば、子どもたちもなんとかいけるんじゃないか」と思っていたんだけど、そうはいってないんだなあと。私たちがここへ来て、ふるさとをどこに求めてたんだろう。子どもたちは、私たちという親はいるんだけど、その歴史を果たして知ってるんだろうか、そうしたことが全くできてないと。大変申し訳ないと。[19]

注

（1）第7章「尺別炭砿の閉山と地域崩壊——閉山ドキュメント」（笠原良太）でふれたとおり、尺別の場合には、こうしたみじめな姿を回避すべく、閉山直後にすべての社宅や設備を撤去した。

（2）髙橋伸一／高川正通「石炭鉱業の盛衰と離職者対策——筑豊・貝島炭礦の事例研究」、仏教大学社会学研究所編「社会学研究所紀要」第八号、仏教大学社会学研究所、一九八七年、嶋﨑尚子「炭鉱閉山と家族——戦後最初のリストラ」、中澤秀雄／嶋﨑尚子編著『炭鉱と「日本の奇跡」——石炭の多面性を掘り直す』所収、青弓社、二〇一八年、八六—八七ページ

（3）音別町史編さん委員会編集『音別町史』上、音別町、二〇〇六年、二八〇—二八四ページ

（4）前掲「炭鉱閉山と家族」八六—八七ページ

（5）「閉山をねらい撃ちする求人合戦 北海道・雄別」「アサヒグラフ」一九七〇年四月十日号、朝日新聞社

（6）嶋﨑尚子「石炭産業の収束過程における離職者支援」「日本労働研究雑誌」二〇一三年十二月号、労働政策研究・研修機構、四—一四ページ

(7) 北海道では、一九六八年に設立された北海道炭鉱離職者雇用援護協会が各種相談に応じた(同論文)。

(8) 木村至聖/嶋﨑尚子/新藤慶/笠原良太「尺別炭砿閉山後の移住と定着——尺別炭砿から広島県への移住者のインタビュー・座談会記録 改訂版」「JAFCOF釧路研究会リサーチ・ペーパー」第十六号、産炭地研究会(JAFCOF)、二〇二〇年、三六ページ

(9) 嶋﨑尚子「炭砿離職者の再就職決定過程——昭和四十六年常磐炭砿KK大閉山時のミクロデータ分析」、早稲田大学大学院文学研究科編「早稲田大学大学院文学研究科紀要 第一分冊」第四十九輯、早稲田大学大学院文学研究科、二〇〇四年、五二—五三ページ

(10) 前掲「石炭鉱業の盛衰と離職者対策」一〇ページ

(11) Mさんヒアリング、二〇一九年十一月十五日

(12) 前掲「石炭産業の収束過程における離職者支援」

(13) 代表的な例として、十九世紀後半から二十世紀初頭にかけて世界最大の紡績会社があったアメリカ・マンチェスターへのカナダケベック州からのフランス系カナダ人たちの大規模な移住(タマラ・K・ハレーブン『家族時間と産業時間』正岡寛司監訳、早稲田大学出版部、一九九〇年)、アパラチア山脈からオハイオ州に移住した人びとの例(Harry K. Schwarzweller, James Stephen Brown, and J. J. Mangalam, *Mountain Families in Transition: A Case Study of Appalachian Migration*, The Pennsylvania State University Press, 1971.)、ボストンのウェストエンド地区に住むイタリア系住民の例(Herbert J. Gans, *The Urban Villagers: Group and Class in the Life of Italian-Americans*, Free Press of Glencoe, 1962.)などがある。

(14)「大陽新聞」一九七〇年六月一日付

(15) 前掲「尺別炭砿閉山後の移住と定着」三六ページ

(16) 同論文一九ページ

(17) 新藤慶「炭鉱閉山がもたらす子どもの生活と意識の変容——尺別炭砿閉山前後の中学生の作文・手紙を通して」「JAFCOF釧路研究会リサーチ・ペーパー」第九号、産炭地研究会(JAFCOF)、二〇一六年、笠原良太「一九七〇～八〇年代における炭鉱閉山と青年たちの進路危機——中学三年生の作文分析」「WASEDA RILAS

JOURNAL」第六号、早稲田大学総合人文科学研究センター、二〇一八年、新藤慶／嶋﨑尚子／石川孝織／木村至聖／畑山直子／笠原良太「中学生からみた尺別炭砿の学校生活と閉山の影響――尺別炭砿中学校23・24・25期生の座談会記録」「ＪＡＦＣＯＦ釧路研究会リサーチ・ペーパー」第十四号、産炭地研究会（ＪＡＦＣＯＦ）、二〇一九年

(18) 嶋﨑尚子／笠原良太編集「尺別炭砿の閉山と子どもたち――元尺別炭砿中学校教頭 松実寛氏による講演の記録」「ＪＡＦＣＯＦ釧路研究会リサーチ・ペーパー」第七号、産炭地研究会（ＪＡＦＣＯＦ）、二〇一六年

(19) 前掲「尺別炭砿閉山後の移住と定着」二一ページ

コラム4　看護婦として、炭鉱とともに――宗村達江さんインタビュー

プロフィル　宗村さんは、一九三〇年、樺太生まれ。四八年、函館に引き揚げ、奥尻を経て、尺別に移住。樺太時代から看護婦見習いに従事し、准看護婦資格を取得、尺別炭砿病院でも勤務する。閉山後、夫の再就職に伴って、茨城県、神奈川県に居住。その間も、看護婦として病院などに勤務。退職後、長女の嫁ぎ先に転居。福島県会津若松市在住。

――樺太ご出身だそうですが、どのような経緯で尺別にいらしたのですか？

父は、私が八歳のときまで樺太で林業の仕事をしていました。しかし姉の話では、不景気でお金をもらえなくなったらしいです。そのとき、炭鉱で鉱員を大募集していたので、炭鉱に行ったらしいです。それで、三菱塔路炭鉱で働くことになり、家族で生活していました。

昭和二十年（一九四五年）四月に樺太で看護学校に入りましたが、戦局の悪化で講義なんて一度も受けたことがありませんでした。三菱塔路炭鉱病院に配属されましたが、塔路の飛行場が爆撃されてけが人がたくさん出たので、その手術をするのに防空壕に機械を取りにいったり、病院のみんなで逃げたりしました。

ようやく昭和二十三年（一九四八年）に函館に引き揚げました。しかし、父が五十歳を過ぎていたので炭鉱への再就職ができず、仕事を求めて奥尻島に行きました。ところが、樺太では大きな炭鉱で、電気だって一晩中つけていようとどうでもいいような暮らしをしていたのが、奥尻ではランプ生活で、とても耐えられなかったんで

す。そのとき、看護学校の先輩のお父さんが、尺別の寮の舎監をしていたんです。それで、そのお父さんに頼んで、同居させてもらいました。私は寮の厨房の担当として働けることになり尺別にやってきました。奥尻には四カ月しかおらず、家出同然で一人で尺別に行ったんです。その後、母と姉や弟たちも尺別にやってきました。母は、弟を高校に上げたくて、出てきたようです。父と弟の一人は、奥尻に残りました。

――尺別の印象はどうでしたか？

樺太の炭鉱はすごく大きくて、文化が進んでいました。あの頃で、学校にグランドピアノがありました。図書館もあったし病院も大きいし。だから、われわれは本当にいい暮らしをしてたんですよ。なので尺別に来たときは、規模の小ささに正直がっかりしました。

――その後、尺別ではどんなお仕事をされたんですか？

厨房でしばらく働いていると、尺別炭砿病院に空きが出て、看護婦見習いとして働くことになりました。あの頃、見習いを三年やると准看護婦免許の試験を受験する権利がいただけたんです。しかし、家出娘の私だったので、「試験を受けにいくお金がない」って言ったら、炭鉱で出張旅費を出してくれました。それで、帯広で学科試験を受けて、受かったら札幌医大で実地試験を受け、免許証をもらえました。

炭鉱の寮（清風寮）で生活していました。そこには八十人ほどの寮生が生活していました。広い食堂に卓球台を持ち出してみんなで遊んでいました。しかし、清風寮は昭和二十五年（一九五〇年）に火災があって丸焼けになってしまい、長屋を小さな寮とし、そこで主人と知り合って、昭和二十七年（一九五二年）に結婚しました。

――結婚後も仕事は続けたんですか？

あの頃は、看護婦は結婚しちゃいけないことになってました。小さな病院でも、結婚したらクビです。昔は絶対ダメです。辞めざるをえないの。昭和二十七年（一九五二年）に長女が、昭和三十年（一九五五年）に次女が生まれました。

――その後は、別の仕事はしなかったのですか？

仕事を辞めて、十数年たってから、子もちでも働いていいですよっていうことになりました。ただ、うちの主人は「女は家にいるものだ」という考えだったので、出してもらえなかったんです。人が足りないときに、ときどきアルバイトで病院に一カ月か二カ月行ったことはあるんですけど、正式に働いたことはなかったです。

――ご主人はご近所の目も気にしていたのでしょうか。

主人が登用試験に合格し職員になったので、昭和三十三年（一九五八年）頃に錦町に引っ越しました。錦町の職員住宅の奥さんは、働いてはダメだっていう噂がありました。私の病院のアルバイトは、「これは病院で人手が足りないから、頼まれていっているから」って言ってたんですけれど、それでも「アンタんちのお母さん、働いているんだってね」って娘が言われました。誰も、働いていないの。

――錦町の雰囲気はどうでしたか？

地域による違いはあんまりなかったようだけど、娘が年をとってから、同級生から当時「錦町は別格なんだもんな」っていうようなことは言われているようです。たしかに、錦町の子どもさんは、あまり緑町には行かないっていうのもあったような気がします。

錦町は一丁目から三丁目まであり、職員の家族が住んでいました。二丁目、三丁目の住宅はお風呂がなく、共同風呂でしたが、一丁目は風呂付き住宅で、子ども同士の会話では、「一丁目の子どもは共同風呂に入るな」などがありました。

――小学校のＰＴＡで副会長も務めたそうですね。

会長は男なんだけれど、仕事もってるでしょ。だから、副会長はウチで遊んでる女の人がなることになってました。私はいつも娘を連れて遊んでたから、暇人だとみられたんだと思うのね。大した活動はしていませんが、先生たちと会うのも楽しかったです。

――閉山後はどのようにされたのですか？

うちの旦那は、坑口の密閉処理までやっていましたので、なかなか再就職先が決まりませんでした。義母がちょうど胃がんの手術をしていましたから、内地へ連れていきたくなかったんです。暑いっていうのばっかり頭にあって。でも、義母が「みんな就職が決まるのに、うちはどうして決まらないの」っていうから、「おばあちゃんを内地に連れていきたくないし」「でも、北海道は若い人しか募集がないし」「もし内地に行くっていっても、東京から東にしたい」って言ったら、義母は「どこでも結構です」「私は息子が行くというなら、アメリカでも行きます」って。それで、鉱務の課長さんの紹介で、電信柱のパイルなどをつくるセキサン工業（現・三谷セキサン）という会社に再就職し、茨城県境町に引っ越すことになりました。

——いつ頃転居したのですか？

昭和四十五年（一九七〇年）の五月です。次女は中学三年生で、札幌に修学旅行に行きました。それで、主人が札幌まで行って、修学旅行の最終日に札幌で娘を引き取ってそのまま茨城に行きました。

長女は白糠高校の三年生でしたが、試験を受けて茨城の境高校に編入しました。でも、尺別出身の同級生は寮生活をして、白糠に残った方が多かったですね。長女は、「残る勇気はなかったけど、茨城に行ってからは、寮に残りたかった」と言っていました。

尺別から境町に行ったのは、うちともう一軒でした。あの頃、再就職先に一人で行ったという人はほとんどいないです。数人で同じところに再就職しました。また、東京尺別会は、東京音別会の頃から参加していました。

——転居後は、仕事をしたのですか？

尺別でも、最後の二年間だけ、病院で本採用になっていました。当時、昭和の何年何月までに准看の免許証をもらった人は正看として認めるっていう制度がありました。それで、釧路の保健所に行って、正看に直してもらってきたの。免状は、茨城に来てから受け取りました。

義母が胃がんの手術をしていたので、病院で働いていたほうがいいだろうと考え、看護婦や雑用係としていくつかの病院で働きました。

——炭鉱の生活を振り返って、どのように感じますか？

炭鉱って、樺太の炭鉱もそうですけれど、働く人は大変かもしれませんが、家族は気楽なところなんですよね。釧路や札幌あたりから、事務関係でえらい人が転勤してくるでしょ。うちの隣に来た人も、「私はヤマへは来たくなかったんだけど、病院にお金もっていかなくてもいいもんねえ」って言いました。だから、家族は楽なんですよ。

私が小学校のPTAの役員をやっているときに、校長先生が「俺、ずっとここにいたいよ」って言っていました。「どうして?」って聞くと、「だってさ、尺別はPTA会費も給食費も一週間あったら全部集まる」って。「こんないいとこない」って言ってました。みたところ、子どもたちの服装も全然違わないしね。だから、みんないい暮らしはしてたのよ。

『フラガール』(監督:李相日、二〇〇六年)という映画を観にいったことがあるんですけど、驚きました。うちの夫は、「バカにしてんなあ」なんて言ってました。だって、おばさんたちが継ぎをしたモンペをはいているんですもの。当時の尺別で、そんな服を着た人みたことないしね。ただ、閉山になって、炭鉱にいたっていうことを抵抗があって言わないっていう人はいました。

でも、炭鉱は複雑さがあったのかねえ。最初は、閉山になって募集にきた会社は、「炭鉱の人って、怠け者みたいで、仕事に出ない」と。「「働かないんでないか」というイメージがあって、採用を躊躇したけど、実際には炭鉱の人はよく働く」って言われたと聞いたことがあります。

(インタビュー実施日:二〇一八年二月二十二日、五月十四日、コラム執筆:新藤慶)

コラム５　ヤマの子がヤマの先生に、そして閉山——川端紀一さん・佐藤巧さんインタビュー

プロフィル　川端さんは、一九四一年、雄別炭砿で生まれる。小学校五年で尺別へ。尺別炭砿中学校、湖陵高校、学芸大学釧路校を経て、中学校教師に。母校尺炭中で教員生活を始める。閉山まで勤め、その後、釧路管内の小・中学校で勤務し、桜が丘中学校で定年退職。北海道釧路市在住。ヒアリングは、尺炭中・湖陵高校の同級生の佐藤巧さん（尺別原野在住）にも同席していただいた。

——学校の先生になるきっかけはあったのですか？

川端さん　尺炭小六年生で担任の大友孝一先生の指導を受けて、教員になろうと決めました。エピソードを話していいですか？　小学校のすぐ横に、川が流れてるんですよ。炭鉱で選炭した水が流れて真っ黒なんで、「黒川」と呼んでいた。春先のある日の昼休みに、ガキ大将と十人ぐらいでその川で「ダム遊び」といって、いろんな石とか木とかで水を止めて、たまったらダァーッと流す、そういう遊びをしていたんです。楽しいもんですから、休み時間が終わったのがわからなくて、遅れて戻ったんです。

もう授業が始まってますよね。そしたら大友先生が「お前たち、授業に遅れるってことは、悪いことなんだから、これから俺が叱ってやる」って。「叱る前に俺の頭を殴れ。そしたら、俺も思いっきり殴れるから」と。一人ずつ先生の頭をゴンッとやるの。自分の番にきたんですよ。殴れないですよね。殴れるわけないんで、軽く、ポンッとやったんですよ。そしたら「バカッ」って。「そったら、力入れないでやったら、俺だって思いっきり

打てないべ」って。「ダメだっ、もう一回やり直し」って。それでゴーンって、痛いこともあったけれど、先生の頭を殴るなんていうことはですね、当時としては許されないことなので、悲しくなってボロッボロッと泣いたんです。「学校の先生って、こういう教え方するんだなぁ。僕も先生になりたいなぁ」って、そのときに、「先生になろう」と決めたんです。だから中学校に行ってから勉強しました。

――尺炭中には炭鉱出身の先生方が多かったのですか？

川端さん　そうですね。炭鉱育ちの先生は、たとえば市橋大明先生、吉田範正先生、豊嶋豊先生がそうです。中学生のときに教わったので、余計につながりが強いと思います。そういう先生はやっぱり、炭鉱の子どもたちの気持ちがわかるのかもしれませんね。炭鉱出身に限らず、われわれは先生方に恵まれていました。

――当時、市橋大明先生はどんな先生だったのですか？

佐藤さん　市橋先生は僕らが中学に入る前の年まで野球部の顧問でした。僕らが入ったあとも、教室にバットを持ってきて、悪いことをするとおっかなかったですね。その後、小学校の校長や幼稚園の園長もやったんです。幼稚園の先生が子どもたちを怒ると、市橋先生が「いいいい、子どもなんだから、あんまり怒るな」って言うんだって。先生もずいぶん変わったなぁって思います。先生はいまもお元気でおとといも歯医者で会って、「もう九十過ぎた」って言っていました。

川端さん　市橋先生は、われわれの同期会に参加してくれて、そこでいろいろな資料をつくって配ってくれます。

――中学卒業後、釧路の湖陵高校へ進学しますが、当時は家のために進学を諦めることはあったのですか？

川端さん　われわれの学年では十人が湖陵に進学しました。炭鉱の給料、坑内は結構よかったので、男の子の場合は、希望すれば工業高校や定時制など行けたと思います。進学は半々くらいだったと思います。私の下の弟たちの頃は高校まで進学できました。

佐藤さん　炭鉱は上流社会だもの。尺別原野のわれわれは百姓だから。こっちは麦飯だったけれど、炭鉱は白米だから、すぐ隣だけれど生活が全然違う。

――湖陵高校には、汽車通学したのですか？　佐藤さんも一緒でしたか？

川端さん　一緒に始発に乗って汽車通学していました。湖陵は厳しい高校で成績が悪いと出されてしまうんです。僕は高校三年で、釧路にあった雄別寮に入りました。そのきっかけは二年のとき英語で赤点を取ったんです。「汽車通(きしゃつう)してたらだめだ」と思って入りました。雄別炭砿と尺別炭砿の子どもたちが入る寮で、釧路の駅裏新栄町にあって、一人部屋でした。大学三年まで寮に入って、四年はそれほど大変でないので、汽車通に変えました。

佐藤さん　私はずっと汽車通でした。でも雄別寮に同級生が何人もいたので、よく遊びにいきました。湖陵祭のときは泊まったこともあります。大学生もいましたから、まぁいろいろな面で指導を受けました。

――お二人の年代にとって、炭鉱は主な就職先だったのですか？

佐藤さん　中学卒業時点で何人か就職しました。それから高校卒業時点でも、尺別に戻ってきて就職した人は結構いました。それから高卒後に一度別のところに就職して、そこを辞めて戻ってくることもありました。当時は、下請けの組なんかでも仕事がたくさんあったので、組に入った人もいました。

川端さん　はっきり言って、炭鉱は普通の企業と違って給料が高いから、それがあったのかもしれませんね。

佐藤さん　給料だけでなく福利厚生や施設も整っていました。僕らの同級生が炭鉱に就職して、健保会館でビリヤードやってましたから。ほかの企業からすると、ちょっと考えられない。

――大学を卒業して最初の赴任校が母校の尺別炭砿中学校ですが、希望したのですか？

川端さん　中学三年間の担任が平沢啓子先生なんです。大学卒業するときに学校訪問をして、「先生、僕、オヤジもここに働いてるし、まだ下に弟たちが四人も五人もいるので、国語の先生が転勤になるようだったら、校長先生に話していただけますか？」ってお願いしたのです。そうしたらたまたま、国語の先生が転勤になって赴任できたのです。ツイてたんです。やっぱり自分が出た学校に行きたいという気持ちでした。

――尺炭中ではどのように受け入れてくれましたか？

川端さん　昭和三十八年（一九六三年）に赴任しました。当時父はまだ坑内で働いていて、親元の炭住から通いました。弟三人と妹が一緒でした。その後昭和四十年に結婚して出ました。尺炭中には平沢先生や野球部の池端先生など、私が習った先生方もいらっしゃいました。

私が赴任したとき、十二歳下の弟がまだ生徒で在学していて、私が教員なのに母親がPTAの役員で来ていました。弟を直接教えたことはありません。

――PTAとしてお母さんから新米の先生に指導がありましたか？

川端さん　いえ。それはなかったです。いまだから言えるけれど、当時私はまじめの「ま」だったからね。

――炭鉱は職員や鉱員、組など階層がありますが、教員として意識したことはありましたか？

川端さん　子どもたちに差をつけないことは意識的にはしていませんでした。ただ、やっぱり一般労働者よりも職員のほうがPTA役員に合うという意識がPTAのなかにもあったと思います。職員のほうが子どもを高校や大学に入れるという意識は強いと思う。組員の場合は、それよりも「自分のいまの生活を守るのが大事」という印象はありました。

――中学生たちが閉山で転校していくつらさをどういうふうにみていましたか？

川端さん　僕は当時結婚して双子の子どもが生まれたばかりで、錦町の職員風呂場を利用していたんです。ある日午後四時すぎに、子ども二人を家内と一人ずつ抱っこしながら風呂場に向かっていったら、炭鉱の上のほうからバスが来た。危ないから、道の反対側に黙って立ってたんです。バスが前を通り過ぎると、女の子の声で「先生、さよならあ〜」って言ったんですよ。でもバスですから、顔も名前もわかんない。女の子が、「先生、さよならあ〜」って手を振ってくれた。それがいまでも私の耳に残っているんです。この話はいまはじめてしたんですけど。それがいちばん、心に残っています。その女の子、私が返事も何もしなかったもんだから、残念がってるかなあと。だいたい、そういうふうにして、みんな寂しがって、故郷を離れたと思うんです。

――残った子どもたちに、なるべく通常どおり教育をおこなったということですが、どのように接していましたか？

川端さん　閉山は現実なんだけれど、そういう気持ちを、学校では子どもたちにもたせない。こんな「さよならあ〜」って悲しい別れはイヤだもの。そういう意識は、強かったね。

（インタビュー実施日：二〇一八年三月十八日、コラム執筆：嶋﨑尚子）

［付記］尺炭教育については、笠原良太「尺炭教育史――尺別炭砿地域における独創的な教育実践の記録」（「ＪＡＦＣＯＦ釧路研究会リサーチ・ペーパー」第十五号、産炭地研究会［ＪＡＦＣＯＦ］、二〇一八年）を参照のこと。

第3部　「炭鉱の縁」の展開

——故郷喪失からの五十年

第10章　「地縁」のゆくえ
——同郷団体にみる新たな〈つながり〉

新藤　慶

1　尺別出身者の同郷団体・同郷集団

第2部「炭鉱閉山と「縁」の離散——一九七〇年二月」では、尺別炭砿の閉山から再就職までと、それに伴う移動のあり方を、職縁や血縁の観点から詳述してきた。このような「縁」のあり方は、さらに移動先での新たな生活を確立していくうえでも大きな存在になっていた。そこで第3部「「炭鉱の縁」の展開——故郷喪失からの五十年」では、閉山・移動後の生活における尺別での「縁」のあり方を、同郷団体・集団や同期会を中心に検討していく。

一般に、炭鉱会社の職員たちはOB組織をつくって閉山後も職縁を維持していることが多い。たとえば、本書の執筆者の何人かが調査研究した北海道釧路市の太平洋炭砿には、「太平洋炭砿管理職釧路倶楽部」という職員OBの組織がある。また、本書で対象にしている尺別炭砿を経営する雄別炭砿社にも、「雄社の会」という職員OBの会がある。

一方、鉱員の場合も、労働組合を母体にやはりOB組織がつくられている。たとえば北海道では、いくつかの炭鉱別に「山の会」と呼ばれる鉱員OBの組織が結成されていて、北海道炭鉱離職者雇用援護協会が山の会同士をつないでいた。二〇一一年時点では「三菱大夕張」「北炭夕張会」「札幌芦別会」など七つの山の会が名を連ねていて、このなかには「鉱婦史会（こぶしかい）」という炭鉱主婦会で活動したメンバーで構成されているものも含まれていた。[1]

しかし、これらの組織は、基本的には炭鉱従業員だけで構成されている。これに対して芦別出身者は、炭鉱従業員だけでなく、芦別に暮らした人びとを包括する同郷者の〈つながり〉をつくっている。本章では、芦別の人びとによる同郷団体のうち、最も大きな規模を誇る東京芦別会についてみていきたい。

「同郷団体・同郷会とは、地方とくに農山漁村の出身者が、出身地が同郷であることを契機として、移住した都市で形成している集団・団体[2]」のことである。鰺坂学は、「市町村やそれよりも狭域（例えば旧行政村や自然村・集落）の出身者が移住した先の都市で結成している団体を「同郷会」という用語であらわし、県レヴェルで形成されている県人会とは区別する。そして同郷会と県人会を総称する用語として「同郷団体」を用い、さらに故郷性ともいえる地域性（＝場所性）をもつ小・中学校（町村部や地方都市の高等学校を含む）の同窓会を含む用語として「同郷諸団体」を使用する[3]」としている。本章で検討する東京芦別会は、ここでの捉え方でいえば「同郷会」になり、「同郷団体」でもあるということになる。

一方、第12章「継承される炭鉱の「縁」と文化」（木村至聖）で検討する広島県福山市の事例は、「団体」と呼ぶほど組織性が高いものではない。そこで、本書では「同郷団体」より組織性が低いものを「同郷集団」と位置づけることにする。

同郷団体の社会学的研究では、松本通晴らによるものが一つの到達点をなしている。松本は、神島二郎の「擬制村」（第二のムラ）の議論[4]をもとに、同郷団体を〈第二のムラ〉と位置づけている。そこでは、出身農村と都市との「隔絶」、あるいは大衆化現象の増大に基づき、〈第二のムラ〉たる同郷団体が必要とされる状況が指摘されている。[5]ここからは、都市移住前の縁と移住後の縁との関係に着目する視座の重要性が提起される。

また、松本は、離村一代目と二代目以降の「世代間の差異[6]」についても言及している。これは、「離村者が大都市の中で同郷団体を形成し、維持しているのは、そこに彼らの指導者の群像が見出されることによるところが大きい[7]」こととも関係している。つまり、同郷団体は第一世代の「指導者」が核になって形成される。そのため、世代交代に伴って指導者の交代も進むかどうかが、その同郷団体の行く末を左右する。その点では、世代に着目して同郷団体をみていくことも必要である。

そこで以下では、東京尺別会について、その前史を確認したうえで、世代の差異にも着目しながらその内実を明らかにしていきたい。

2　東京尺別会の結成と展開

「尺別会」の活動

尺別の同郷団体を調べてみると、「東京尺別会」に先立って、「尺別会」と「東京音別会」という二つの団体が活動していたことがわかる。尺別会という名称が記録に登場するのは、一九七〇年一月三日のことである。このとき、第一回尺別会が、神奈川県横浜市の綱島温泉にあった行楽園センターで開催されている。これは、尺別炭砿閉山前に希望退職した人や、病気などで早期退職して東京近辺に移住していた人たちが開いた会合である[8]。このときは、男性三十八人、女性十四人の計五十二人が参加している[9]。まだ閉山が現実のものとなる前から、離尺した人びとの集まりがつくられていた。このことが、大きな意味をもつことになる。

第二回の尺別会は、やはり同じく行楽園を会場に、一九七一年一月二日に開催されている。このとき、閉山離職者の人びとが加わることになり、参加者は男性九十六人、女性十六人の計百十二人と、第一回の倍以上になっている[10]。くしくも閉山直前の七〇年一月に第一回尺別会が開催されていたことで、同年二月の閉山を機に、道外に移動した人びとが尺別を共通項に集まる基盤がすでに確保されていたと捉えられる。

さらに、第二回尺別会に参加した閉山離職者が中心になり、同じ一九七一年八月一日に、千葉県船橋市にあった船橋ヘルスセンターで第一回尺別懇親会が開催された。閉山離職者の多くが転居した雇用促進住宅などがあったことが、船橋での開催につながったと思われる。こうして閉山直後に、一定の地域や産業、勤務先のまとまりがあったとはいえ、基本的には道内外のさまざまな場所に離散していった尺別の人びとのうち、特に東京近郊に移動した人びとを新たにつなぐ場が確保されたと捉えられる。

しかしこのあと、尺別会も尺別懇親会も開催された記録がない。移動後の職場や地域での新たな生活の確立に注力していたため、尺別のつながりを深める余裕がもてなかったのかもしれない。

「東京音別会」の活動

尺別の人びととの集まりが確認できるつぎの記録は、一九八六年一月十九日に開かれた第一回東京音別会である。これは、東京近郊に居住する音別町出身の人びとで構成された同郷団体である。この団体の結成は、音別町が八五年に開基七十周年を迎えたことに関わっている。このときの記念事業として、「在京・在札音別会の結成」が掲げられた。[11] このような形で、音別町は町自体や町出身の人びとのつながりを強める活動を進めていたようである。

ここで挙げられた「在札音別会」に当たるのが、「札幌音別会」である。これは、札幌近郊に暮らす音別町出身の人びとからなる同郷団体である。この札幌音別会の会則をみると、附則の第一項に「会則は、昭和六十一年二月二十八日から施行する」と記載されている。この規定から判断すれば、一九八六年二月二十八日に札幌音別会が結成されたものと考えられる。

そして、これらの東京音別会・札幌音別会については、行政の関わりが大きい。会には会長以下、副会長、事務長兼会計、幹事、監査からなる役員会が置かれている。ただし、年一回開かれる定期総会の準備（案内状の送付など）や運営は、釧路市音別町行政センター地域振興課が担当している。[12] さらに助成金として、釧路市から毎年四万円が拠出されている。[13]

このように、東京と札幌音別会の結成には、当時の音別町が大きな関わりをもっていた。実際、東京音別会の初代会長は、元音別町議会議員だった。[14]

東京音別会はその後、第二回（開催年月日不明）、第三回（一九九〇年五月開催）、第四回（一九九三年十月開催）、第五回（一九九六年十月十九日開催）と、三年置きに開催している。[15] しかし、東京尺別会の作成資料には、これ以降の東京音別会の開催記録は載っていない。だが、東京音別会も札幌音別会も、少なくとも二〇一八年には会合を開いている。東京音別会の会員は百四十三人、札幌音別会の会員は八十三人で、いずれも現在も活動を継続している。[16]

この第五回の東京音別会以降については、初代会長を務めた元町議会議員が体調不良になったことで、関わりが薄くなったとのことである。これは、音別町の尺別出身者と尺別以外の出身者の間の意識の相違によって生じたとされる。その結果、「町の音別会とわだかまりがあるのなら、尺別だけで集まる尺別会をつくろうじゃないか」ということで、東京尺別会が結成されることになった。[17]

東京尺別会の結成と展開

こうして結成された東京尺別会の第一回会合が、一九九八年十一月二十三日に開催された。東京尺別会の規約の第二条では、会員は「尺別炭鉱（ママ）に生まれ、育ち、居住し尺別炭砿又は関連企業等に勤務した者」となっていて、基本的には尺別炭砿のOB・OGに限定されていることがわかる。特に、尺別炭砿閉山三十年の復興記念祭を控えた時期に結成されていることは看過できない。尺別炭砿で働いた者たちの職縁をベースとするのが、東京尺別会であった。このことは、尺別炭砿で働いた者以外に対する排他性であると同時に、会の凝集性の基盤でもあった。

ただし、実際には、「旧国鉄（ＪＲ）尺別駅近郊と尺別原野居住者で尺別炭砿中学校に在籍した者も会員となっています」と東京尺別会の資料で説明されるように、岐線と原野の居住者で、尺炭中に在籍経験があれば会員資格を得ることができる。さらに、「家族会員」という枠があり、「共稼ぎ夫婦と結婚した妻が尺炭中卒であること、又親と子（尺炭中卒）で同居であること等」が条件になっている。つまり、尺別炭砿労働者の家族で、尺炭中に在籍していたことが条件になっている。そのため、「尺別を離れてから生れた子は含みません」とされ、さらに「尺別で出生していても幼少のあまり尺別の記憶が思い出せない者は除いています」ともされている。一方で、「閉山時、尺別炭砿小学校の六年生だった会員が一名おります」ということで、尺炭中に在籍していなくとも、そのままであれば尺炭中に在籍するはずだったことや「尺別の記憶」を有することなどを勘案し、会員に含められる場合もあることがわかる。[18]いずれにしても、東京音別会から尺別出身者が分かれて東京尺別会が結成されたことが、この会員資格からもうかがえる。

もちろん、「音別会と仲たがいした」というわけではない。一回目・二回目の会合までは、尺別以外の音別町出身者も東京尺別会の会合に招かれていた。しかし、その後は交流がなく「再開しにくい」状況になっている。「尺別会は炭鉱だけの話になりがちなので、〔尺別以外の〕音別町の人にとっては、退屈な話なんですね。それで、別々になっている状態です」[19]と説明している。

こうしてスタートした東京尺別会は、第二回（二〇〇〇年五月四日開催）、第三回（二〇〇二年五月八日開催）と二年置きに総会を開催してきた。しかし、「毎年やれ」という声が高まったことで、第四回を二〇〇三年五月十日に開催して以降、基本的に毎年五月に総会を開催している[20]（写真1）。

会員数は、第一回（一九九八年）の時点で二百七十六人だった。以降、増減を繰り返しながら、第八回（二〇〇七年）で最高の三百六十四人を記録している。会員数の増加には、尺炭中同期会へのはたらきかけが奏功していた。尺炭中卒業生のなかには同期会を盛んにおこなっている学年があり、その同期会にはたらきかけて、東京尺別会への入会を呼びかけたということがあった。また、「平成二年に閉山二十周年の集い、平成一二年には、二八〇人を超える人の参集を得て、同三〇周年の集いが持たれ[21]」た。この閉山三十周年記念の際に、『尺別炭砿中学校閉校三十周年記念誌『あこがれ』の作成もなされている。この記念誌作成の際に各期の幹事の組織をつくって、この幹事を通じて東京尺別会への入会を呼びかけたことも会員数の増加につながった。

さらに、血縁を通じたリクルートも大きい。親が子を誘う、あるいは上のきょうだいが下のきょうだいに呼びかけるなど、血縁を介した組織の拡大もみられた。

その後はやや減少して、二〇二〇年時点で三百八人になっている。だが、このことは東京尺別会の勢いが衰え

写真1　東京尺別会の様子（尺炭中23期生提供）

ていることを意味しているわけではない。東京尺別会では、毎年の総会の際に案内状を送付しているが、このときに「欠席」の連絡も含め、二年続けて返信がない場合は会員名簿から機械的に削除することになっている（コラム6「東京にも尺別の絆をつなぐ――菖蒲隆雄さんインタビュー」を参照）。したがって、東京尺別会には、活動にまったく関わらない「幽霊会員」はほとんどいない。実際、総会には毎回百人前後が参加していて、高い参加率になっている。[22]したがって、これまでに名簿から削除された元会員も累積すれば、相当数の尺別出身者が名を連ねたと考えられる。

3　東京尺別会がもつ意味と展望

閉山離職者世代にとっての東京尺別会の意味

このような形で展開してきた東京尺別会について、実際に参加している会員はどのような意味を見いだしているのだろうか。閉山離職者世代のある会員は、「尺別炭砿に暮らした人びと調査」のなかで「妻が昨年死亡しました。生前よく尺別時代が一番良かった、暮らしやすかった、と云っていた。周囲の人が親切で優しかった。尺別会が今に続いているのも、妻と同じように思って居る人が多いのではないでしょうか」（閉山時世帯主）と述べている。尺別の地域の魅力を共有できる場として、東京尺別会が位置づけられていることがわかる。

そうであるがゆえに、世代間の断絶が大きく感じられてもいる。たとえば、「三才で尺別を離れた息子も五十才になります。孫は男の子二人、上は二十五才で、すでに就職し、下は現在大学四年で就活中、三人共尺別の事は何も知りません。興味もない様です」という指摘もある。そのことを、「尺別会に出席しても知ってる人が少くなり次世代の人達が増えて来たのを感じ寂しい気持ちと、永く続いてくれます様にと祈る気持ち」（世帯主）という両義的な感情で表現している。

これに対して、限られたデータだが、「毎年東京尺別会に出席する度に閉山して四十六年にもなったと思うと感無量です。毎年同級生七人に逢うのを楽しみに参加しています。昔を語り合ういい機会だと思います」（妻）と、妻の言葉には世帯主が感じるほどの寂しさや、東京尺別会の行く末のはかなさはみられない。むしろ、ともに青春時代を謳歌した仲間たちとの交流の場として楽しみに思っている。こうしたジェンダー差は、第3章「炭鉱労働での「職縁」――〈つながり〉と信頼」（嶋﨑尚子）でみたような炭鉱労働を中心とした関わりか、第6章「炭鉱コミュニティの「暮らし」――尺別の地縁の多層性」（新藤慶）でみたようなオカでの生活を中心とした関わりかという、尺別時代における両性の関わりの場の違いが関連しているのかもしれない。

子ども世代にとっての東京尺別会の意味

一方、子ども世代からは、つぎのような声が聞かれた。閉山を中学一年生で迎えた尺炭中二十五期の男性は、「東京尺別会は、親〔の世代〕が出るものだと思っていた[23]」と話していた。このように、閉山時に現役の労働者だったか、子どもだったかという世代の違いによって、東京尺別会に対する意識の違いも存在する。

子ども世代であっても、東京尺別会に一定の意味を見いだしている会員もいる。閉山時尺炭中の三年生から一年生だった二十三・二十四・二十五期を対象に二〇一七年九月に東京で実施した座談会の記録から、その一端を確認したい。このなかで、二十四期の女性はつぎのように語っている。

〔尺別に〕行っても、何もないし、誰もいないじゃないですか。そこに、人がいるから故郷なわけじゃないですか。語れる人がいないし、見るものがないし。こっち（尺別会）では、しゃべってると、ここの方に尺別があるわけです。同じお風呂に入って、同じ映画館で映画を見たり、共通点がすごく多いってことですよね。それは、誰と話しても、「あぁ、あの映画見た」、「あそこの映画館で見たよね」、「あの階段昇ったよね」と、ピッタリ同じなんですよね。[24]

また、二十三期の女性はつぎのように話している。

私が感じたのは、私は転勤族と結婚したもんですから、大阪にいたことがあって、大阪で、近所の人で、すごく仲よくしてくれた方が夕張出身だったんですね。それで、「私も北海道だよ」って、「尺別にいたことがあるよ」っていったら、その夕張の人が、「私、夕張炭鉱だったんだ」って、すごく懐かしそうに、そういう態度で近づいてきて、お友だちにはなったんですけど。大きく、夕張と尺別の違いはですね、夕張はまだあるんですよね、町が。そして、産業もまだある。だから、夕張の、たとえばメロンとか、お土産に持って来てくれたり。そういう感じで、今でも田舎があるわけです。ところが、尺別はないんですね。それで、それと同じ感覚を受けたのは、ダムで消えた町の人に会ったことがあるんです。その人の感覚と、すごく似てるんですね。なんか、故郷のことを語るときに、どうせわかんないだろうけど、こうだったんだろう。それで、こっちも、聞いてもわからないわけで。でも、その寂しさみたいなものは、やっぱり、私も尺別にいたことがあるから、そのダムに消えてしまった町って話も、なんか、わかるような気がするっていうような感じで、話してくれるんだと思ったんですね。それから、たぶん、そういうことなんじゃないかな。だから、「炭鉱街（たんこうまち）」だからどうのじゃなくて、やっぱり、「なくなってしまった町」っていう、やっぱり、故郷っていう、そういう郷愁なんじゃないかなと思います。(25)

これらの語りからうかがえるのは、「なくなってしまった町としての尺別」という捉え方と、そのような尺別を「たしかにあった町としてよみがえらせる東京尺別会という場」という意味づけである。閉山後の尺別を訪れた経験がある者なら誰でもわかるように、その後の尺別には、かつてここに四千人もの人びとが暮らしていたとはにわかに信じがたいくらい、往時の痕跡はほとんど見いだせない。そのことによるある種の「剝奪感」は、夕張のような同じ炭鉱街の出身者とも共有しがたい。この感覚は、尺別に暮らした人びと同士でないと分かち合えない。そして、たしかに尺別があったということも、確認しあえない。そのことを可能にするのが東京尺別会であり、第11章「「学縁」の展開――閉山時高校生・中学生の五十年」(笠原良太)で詳述する尺炭中の同期会なのである。

また、「尺別炭砿に暮らした人びと調査」でも、「同期生に声をかけて、プチ同窓会を催しています。会う度に尺別炭砿の事を話し、いろいろな情報を交換しています。この調査についても、忘れている事がたくさんあり、記憶が薄れている自分にちょっとショックでした。両親もすでに他界していて、もっと炭砿の話を聞いておけば良かったと反省しています。炭砿に居たということで、これだけ同じ気持ちで繋がっていることに今は幸福さを感じます。尺別炭砿の記憶をぜひ残して下さい」(閉山時子ども、女性)という声が寄せられた。尺別の記憶が自身のいまを支える非常に重要なものであり、そのための記憶の保存を要望するものになっている。

尺別というコミュニティと、そのコミュニティがたしかに存在し、自分の人生の重要な部分がそこで形成されていたことを確認するために、東京尺別会という新たな〈つながり〉が形成されていると捉えられるだろう。

東京尺別会の新たな展開の可能性

このように、子ども世代は、東京尺別会に参加してそこに彼らなりの意味を見いだしていることがわかる。ただし、もともと尺別炭砿OB・OGで結成された東京尺別会は、こうした労働者や妻として炭鉱を経験している世代からすると、子ども世代の増加で東京尺別会のあり方が揺さぶられることへの懸念も感じている。会員拡大のために、尺中の同期会に積極的にはたらきかけたことが、かえって「庇(ひさし)を貸して、母屋を取られる」ことになりはしないかという声もある。

しかし、炭鉱OB・OGの世代は、月日の経過とともに減少している。そのなかにあっては、「むしろ、母屋を取ってもらってもいい(26)」という声も出始めている。そのときの状況や、会を構成する人びとに合わせて会のあり方を変えていくようなしなやかな東京尺別会になっていく可能性も高い。

特に、子ども世代は尺別炭砿の職縁をもたない分、尺別炭砿小・中学校での学縁が大きな意味をもつ。端的にいえば、同期会の〈つながり〉の強さである。同期会は、東京だけでなく釧路や札幌にも拠点をもつ。つまり、同じ学年を過ごした仲間の〈つながり〉が、東京・釧路・札幌とヨコに広がっているのである。実際に、現在の東京尺別会の中心を担う八十歳前後の世代よりも下の七十歳前後の世代へのバトンタッチや、北海道に在住の尺別の元教員を東京尺別会に招くといった企画も進みつつあることも聞かれた。[27] こうした動きと、東京尺別会で築かれるタテの縁が交われば、ナナメにも張りめぐらされる複雑で強固な〈つながり〉が築かれることも考えられるだろう。

4 しなやかな〈つながり〉へ

本章では、東京尺別会を中心に、離尺後の移住先での新たな〈つながり〉についてみてきた。ここでは、第一に、尺別会・東京音別会・東京尺別会とさまざまな場が存在したが、総じて尺別の交流を継続しようとする意識が尺別出身者の間に強固にみられた。それは、第1部「炭鉱コミュニティでの「縁」の集積――尺別の戦後史」で詳述した職縁・血縁・学縁・地縁のなかで暮らしてきた尺別の人びとが、それと同等の〈つながり〉が移住先で確保されないなかで、その喪失を補おうとしていたものと捉えられる。

したがって、第二に、同じ東京尺別会という場であっても、世代やジェンダーによって、そこで満たすことを望む〈つながり〉のあり方は異なる。端的にいえば、閉山時に尺別炭砿に勤務していた世帯主層は職縁、その妻たちは地縁、そして子ども世代は学縁が尺別での中心的な〈つながり〉だった。従来の同郷団体研究が対象としてきた事例は、学卒から就職のタイミングと離村のタイミングが基本的に一致していた。また、長男か次三男かという違いはありながらも、多くが男性の移住であり、ジェンダー差への関心を生じにくくさせていた。しかし、東京尺別会に集う人びとは、世帯主層は就業の途中で、妻たちは主婦生活の途中で、子ども世代は就学の途中で離尺を余儀なくされた。その点で、東京尺別会は既存の同郷団体とは異なった性格をもつ。そして、そうであるがゆえに、会員たちが東京尺別会に求める姿も異なる。とりわけ世帯主層は、子ども世代の増加と、自分たちの世代の減少のなかで、当初の東京尺別会のあり方が変えられてしまうことへの懸念も抱くようになっていた。

ただし第三に、子ども世代が相対的に増加することは、東京尺別会を介した移住後の〈つながり〉が、さらに新たな変貌を遂げる可能性も示している。世帯主層は、子ども世代も尺別での生活を経験しているがゆえに、家族縁が尺別の共有の場ともなる。しかし、子ども世代は、尺別を離れてからほとんどが尺別とは縁がない配偶者を得て、尺別に行ったこともない子どもや孫たちと暮らしている。そのなかでは、ともに尺別を希求する同窓生にベクトルが向かうことになる。

これは、尺中同期会の活発さにつながる。そして同期会では、東京だけでなく釧路や札幌など、一定のヨコの広がりもみられる。この点は、世帯主世代では地域を超えたつながりがあまりみられないことと対照的である。そこで、世代のタテの関係がみられる東京尺別会での〈つながり〉も生かし、さらに尺別の新たな〈つながり〉が築かれることになるかもしれない。

世帯主世代がつくった器を、子ども世代が壊さないようにつくり変えつつある。こうした〈つながり〉のしなやかさが、移住後の新たな〈つながり〉だと捉えられるだろう。

注

(1) 北海道炭鉱離職者雇用援護協会資料から。ただし、これは主に石炭鉱業年金の受給者名簿に基づいてつくられているものであり、選挙の際のはたらきかけに活用されるのが実情だったようである。

（2）鰺坂学『都市同郷団体の研究』法律文化社、二〇〇五年、二ページ
（3）同書二二ページ
（4）神島二郎『近代日本の精神構造』岩波書店、一九六一年
（5）松本通晴「都市の同郷団体」、日本社会学会編「社会学評論」第三十六巻第一号、日本社会学会、一九八五年、四五ページ
（6）同論文四六ページ
（7）同論文四六ページ
（8）Eさんヒアリング、二〇一五年七月五日
（9）東京尺別会「東京尺別会の生立ち（設立の経緯）」参照
（10）同資料参照
（11）音別町史編さん委員会編『音別町史』音別町、一九八五年、二八五ページ
（12）Fさんヒアリング、二〇一七年三月九日
（13）札幌音別会「平成二十八年度 定期総会議案書」参照
（14）Tさんヒアリング、二〇一五年七月五日
（15）前掲「東京尺別会の生立ち（設立の経緯）」参照
（16）「ふるさと交流」釧路市ウェブサイト（https://www.city.kushiro.lg.jp/machi/kouryuu/cat00000346.html）［二〇二〇年一月三十日アクセス］
（17）Tさんヒアリング、二〇一五年七月五日
（18）この段落はすべて、二〇一六年二月三日に東京尺別会から送付されたファクシミリから引用。
（19）Eさんヒアリング、二〇一五年七月五日
（20）前掲「東京尺別会の生立ち（設立の経緯）」参照
（21）音別町史編さん委員会編集『音別町史』上、音別町、二〇〇六年、七〇三ページ
（22）前掲「東京尺別会の生立ち（設立の経緯）」参照

（23）Sさんヒアリング、二〇一七年六月九日
（24）新藤慶／嶋﨑尚子／石川孝織／木村至聖／畑山直子／笠原良太「中学生からみた尺別炭砿の学校生活と閉山の影響――尺別炭砿中学校23・24・25期生の座談会記録」「ＪＡＦＣＯＦ釧路研究会リサーチ・ペーパー」第十四号、産炭地研究会（ＪＡＦＣＯＦ）、二〇一九年、四三ページ
（25）同論文四三―四四ページ。なお、原文では「炭鉱町」としていたが、本書での表記の統一のため「炭鉱街」に改めた。
（26）Eさんヒアリング、二〇二〇年二月一日
（27）Eさんヒアリング、二〇二〇年二月十八日

第11章 「学縁」の展開
——閉山時高校生・中学生の五十年

笠原良太

1 閉山と「学縁」

第5章「炭鉱の学校と「学縁」——子どもたちの〈つながり〉」(笠原良太)でみたように、尺別炭山に生まれた子どもたちは、中学卒業までほぼ同じメンバーで過ごし、炭山に育てられた。そして、中学卒業とともに尺別を離れ、それぞれの人生を歩み始めた。彼らのほとんどが炭山の外の社会で職業・家族生活に追われるようになった。炭鉱があった頃は帰省すれば友人や恩師に会えたが、閉山でそれもかなわなくなり、尺炭の「学縁」は次第に潜在化していった。しかし彼らは、半生を振り返るようになる中年期[1]以降、同期会を開いて「学縁」を結び直してきた(表1)。同期会は、釧路や札幌、東京など、同期生が多く住む地域を中心に開催され、恩師も招かれる。卒業前に転校した同期生も参加する学年もあり、彼らの〈つながり〉の強さがうかがえる。

尺別炭山に生まれた子どもたちは、みな閉山による「故郷喪失」という共通の経験をもつ。そのため、彼らは同郷会にも参加して、異なる学年の同郷者・同窓生とともに尺別を思い出している(第10章「「地縁」のゆくえ——同郷団体にみる新たな〈つながり〉」〔新藤慶〕を参照)。一方、同期会で同期生としか共有できない思い出も多

表1　主な学年の同期会結成時期・展開

中学卒業期	中学卒業年	閉山時年齢	同期会（全体会）				
			初回	年齢	場所	行程・参加者など	展開
4期	1951年（昭和26年）	35歳	1995年（平成7年）	60歳	釧路	元教員4人参加、尺別炭砿訪問	1995年（還暦）、2005年（古希）など
6期	1953年（昭和28年）	33歳	1986年（昭和61年）	49歳	釧路	H 先生激励記念	2018年など
7期	1954年（昭和29年）	32歳	1994年（平成6年）	56歳	帯広	尺別炭砿訪問	1998年（還暦）、2016年（喜寿）など
9期	1956年（昭和31年）	30歳	1993年（平成5年）	53歳	釧路	元教員1人参加	2000年（還暦）、2010年（古希）など
15期	1962年（昭和37年）	24歳	1992年（平成4年）	46歳	札幌		2000年、2016年（古希）など
16期	1963年（昭和38年）	23歳	1992年（平成4年）	45歳	不明		1995年、2007年（還暦）など
22期	1969年（昭和44年）	17歳	1998年（平成10年）	45歳	阿寒	元教員5人参加、尺別炭砿訪問	2001年、2018年など
23期	1970年（昭和45年）	16歳	2004年（平成16年）	50歳	阿寒	元教員2人参加	2009年、2014年（還暦）など
24期	（中学3年時に閉校）	15歳	2006年（平成18年）	51歳	釧路	元教員1人参加、尺別炭砿訪問	2010年、2019年など

（各同期会資料とヒアリングから作成）

くある。特に、閉山については、それぞれの学年・世代で捉え方が異なっている。

「尺別炭砿で暮らした人びと調査」で尋ねた「尺別炭砿の閉山が当時の生活に及ぼした影響」（図1）をみると、三十代で閉山を経験した世代（一九五〇年代までに尺炭中を卒業[2]）は、「近所の人たちとの別れ」や「今後の生活への不安」を多く挙げている。この世代には、尺別炭山で就職して結婚・出産を経験した者が含まれるため、彼らは閉山が職業・家族生活に危機をもたらす出来事だったと捉えている。また、二十代で閉山を経験した世代（一九六〇年代半ばまでに尺炭中を卒業[3]）は、当時すでに尺別を離れていた者が多く、「尺別への思いを新たにした」など、故郷喪失に関する思いを多く挙げている。閉山で「兄、父、母、妹達が尺別から出なければならず、大変だったと思います[4]」（十四期生）と述べるように、彼らにとって閉山は間接的だが衝撃的な出来事だった。

一方、閉山時の高校生・中学生は、「友だ

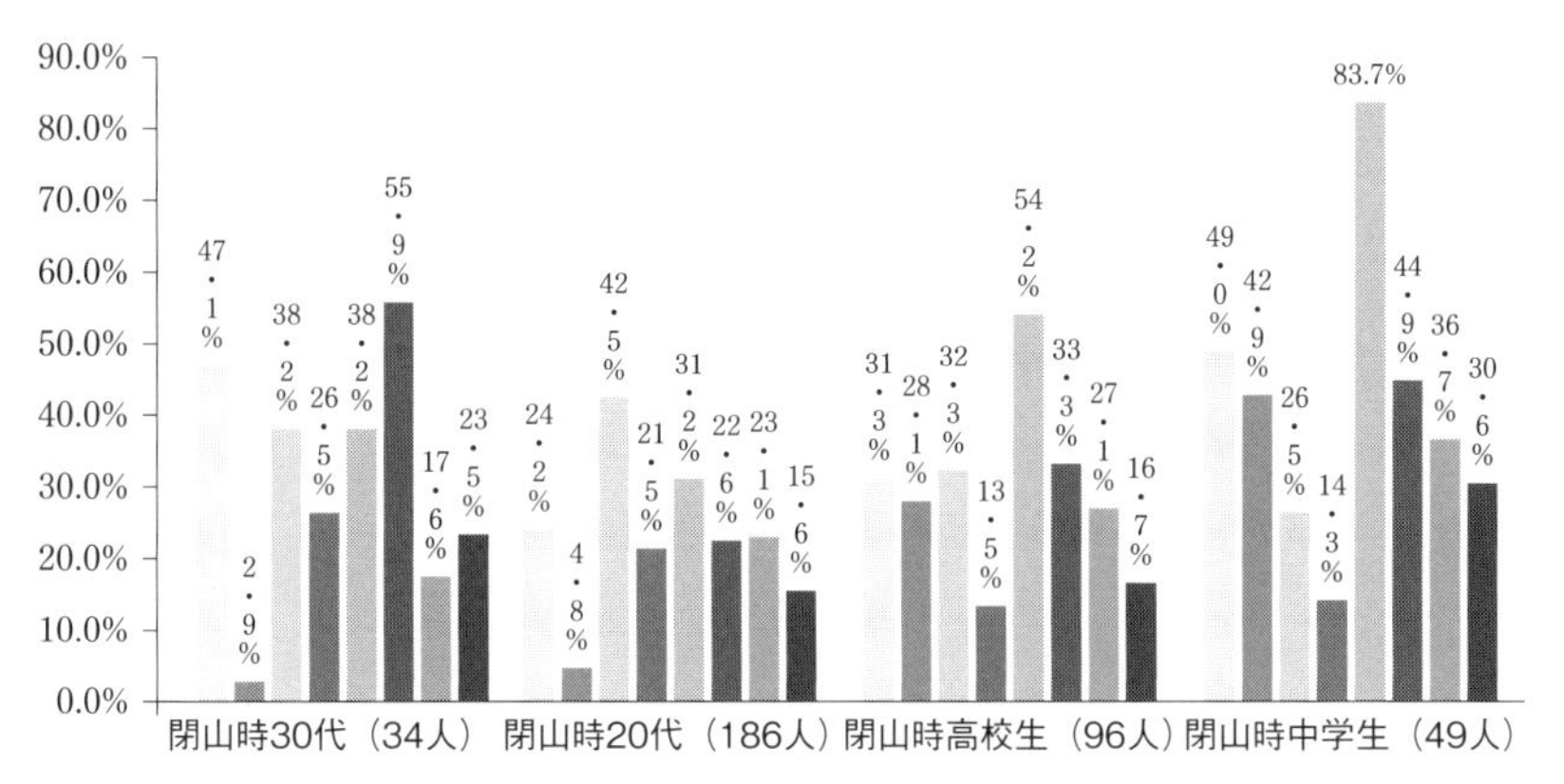

図1　尺別炭砿の閉山が当時の生活に及ぼした影響
（「尺別炭砿で暮らした人びと調査」から作成）

ちとの別れ」や「今後の生活への不安」など、多くの項目を挙げている。彼らは、年配世代のようには対処能力がない段階で閉山に遭遇し、多岐にわたる影響を受けたと振り返る。また、彼らは、年末年始やお盆の帰省先を失い、友人や恩師と尺別で再会する機会を失った。さらに、中学二年生以下は、中学卒業という一つの区切りを経ないままに尺別を去ることになった。閉山当時のO教頭が述べるように、彼らは「最も多感で」「あまりにも人生経験が乏しい」[5]ときに閉山に遭遇したのである。そのため、閉山の衝撃は大きく、尾を引いた。『尺別炭砿中学校閉校三十周年記念誌　あこがれ』には、ほとんどの学年がノスタルジックな思い出をつづっているが、最後の卒業生（二十三期生、閉山時中学三年）は、閉山に伴う心理的負担を訴えるような文章を残している。

閉山が帰る故郷を無くし、友との再会の場を無くし、寂しいものです。卒業後、一度も会うことのない友の多いこと。北海道内より道外へ出た友の多いこと。住所すら判らない友の多いこと。閉山があと一年早くか、遅ければ、みんなの人生がかなり変わっていたかなと思います[6]。

彼らの「学縁」の結び直しは容易ではなかったが、彼らは中年期以降、同期会を結成した。むろん、尺炭中に限らず、人は中年期を迎えると同期会などを結成して、過去の縁を求める。本章ではそうしたライフコース上に普遍的にみられる性向を前提に、そこに閉山と故郷喪失の影響があるのかについて、閉山時の高校生・中学生を例に検討する。

2 「学縁」の潜在化

閉山直後の進路変更、友人との別れ

閉山のときの高校生・中学生たちは、一九六〇年代に小学・中学生活を送り、炭住街の同質的環境下で友人らと育った。学校では「一人はみんなのために、みんなは一人のために」という「尺炭教育」を受けた（第5章）。炭鉱への就職はほとんどなくなり、卒業後は隣町の高校に進学して、炭鉱以外の産業に就職する予定だった。そのため、閉山による予期しない離散と進路変更は、彼らにとって衝撃だった。

当時の資料をみると、閉山時の高校生（二十一、二十二期生）は、それまで主に隣町の道立白糠高校や釧路市内の高校に通学していたが、閉山によって尺別からの通学が困難になり、転校か残留か、家族についていくか別居か、という選択を迫られた（コラム4「看護婦として、炭鉱とともに――宗村達江さんインタビュー」を参照）。道内では編入試験の優遇措置[7]がとられたが、道外の高校には特別措置はなかった。レベルが異なる高校への転校は適応が難しく、なかには高校を中退する者もいた。一方、高校の寮に入って通学を継続した生徒たちも、「両親

がいないという淋しさからか、問題を起こす生徒」や「夜、布団をかぶって泣いていた生徒も何人も[8]」いたという。

また、閉山時の中学三年生（二十三期生）は、閉山から二週間後の三月十三日に尺炭中を卒業する予定だった。しかし、ほとんどの生徒は卒業時点で進路が決まっておらず、親の再就職次第では進路変更を余儀なくされた。高卒学歴が普及しつつあった当時、[9]最も葛藤を抱えたのは進学を断念して就職する者たちだった。[10]進学断念を決めたある男子生徒は、「これからの一年間又二年間くろうするのは、かく実だ。それが人生かもしれない。閉山がなかったのなら！[11]」と、卒業二日前の作文に記している。

他方、閉山時の中学二年生・一年生（二十四・二十五期生）は、尺炭中で卒業することがかなわず、全国各地に転校していった。O教頭がまとめた「生徒達の転出先」によれば、道内への転出者百十五人、道外は百五十四人であり、そのうち神奈川県四十八人、千葉県三十八人になっている。義務教育課程にあった彼らに、親との別居、尺別残留という選択肢はなかった。O教頭は、転校する生徒たちに封筒と原稿用紙を渡して、余裕ができたら手紙を送るよう伝えた。すると、多くの生徒から手紙が送られてきた。そこには、炭鉱の学校とは対照的な都会の学校の文化に苦戦する様子や、「私はもう神奈川県の子になったのだから、もう尺別と比べず、楽しく暮らします[12]」というように転校先で奮闘する様子が記されていた。彼らは、新しい友人関係を次第に築き、尺炭中の友人や教員との連絡・交流は少なくなっていった。

また、七月まで尺炭中に残っていた生徒たちは、毎日のように友人との別れを経験し、崩壊する炭山に取り残されていく感覚を抱いていた。教員の尽力で五月に修学旅行が十六人で敢行されたが、途中、札幌駅で道外に転校予定の三人と離別した（写真1）。閉校時の三年生（二十四期生）は九人にまで減少し、七月二十一日から音別中学校に転校することが決まっていた。ある女子生徒は、閉校直前の作文に「にくい閉山。国は政府は、合理化合理化と言う。（略）いくらもんくを言っても、不満を訴えても誰も聞き入れてくれない[13]」と記している。転校先の音別中学校には原野・岐線の友人たちが先に転校していたが、炭鉱の学校と文化が異なり、転校のタイミン

写真1　尺炭中最後の修学旅行（1970年）（尺炭中24期生提供）

グが遅れたために適応が難しかった。彼女はのちに、卒業までの半年が「寂しいというか、孤立してしまったというか、自分だけが取り残されたという、すごく悲しい[14]」期間だったと振り返っている。

成人期への移行

彼らの多くはその後、進学・就職を経て、同年代の人たちと同じように成人期に移行していった。「尺別炭砿で暮らした人びと調査」の結果によれば、彼らの多くが高卒以上の学歴を取得して炭鉱とは異なる産業に就職していった。[15]これは、第四次石炭政策下で閉山したほかの炭鉱と共通している。たとえば、尺別炭砿閉山の翌年に閉山した常磐炭砿の子どもたちにも当てはまる。[16]高度経済成長期と高学歴化（高校進学率の上昇）という時代効果、閉山離職者（高校・中学生の親世代）の再就職がスムーズに進んだこと（第8章「閉山後の再就職――離散からの再出発」〔畑山直子〕、第9章「尺別からの転出――「縁」を活用した再就職と移動」〔嶋﨑尚子〕を参照）などが要因として挙げられる。特に、道外に転出して高校を卒業した者は、道東にとどまった者よりも大学などに進学する傾向がみられた。

成人期を迎えた彼らは職業・家族生活に追われ、「尺別のことをあまり考えなかった[17]」。また、閉山によって深刻な不安や葛藤を抱えた者を中心に、尺別を忘れるためにあえて「尺別関係には、年賀状すら出さないように努めた[18]」という者もいた。閉山の経験をふと思い出しても、共有できる相手は周囲におらず、彼らは故郷を喪失した感覚を一人で抱えて生きていくことになった。

3　「学縁」の結び直し

教え子の「学縁」を結び直す尺炭の教員たち

全体的な同期会は中年期まで開かれなかったが、一部の同期生たちは、元尺炭小・中学校の教員を介して「ミニ同期会」を開いていた。閉山のとき高校一年生だった二十二期生は、二十九歳（一九八二年）のときに、「仲間の集い」という小さな同期会を釧路で開いた。主催者は尺炭小で彼らを担任したP教諭だった。彼は、初任校である尺炭小で「集団づくり」の手法を学び、ほかの教員と同様、全人格的教育を実践した。尺別を離れたのちも釧路管内で教鞭を執りながら、閉山によって全国に離散した尺炭小の教え子たちを気にかけていた。彼は、機会があれば「仲間の集い」を開いて、教え子たちの再会の場を設けた[19]。そこで、P教諭は参加した教え子たちに「みんなみんな仲間の心を持っていた」「これからも仲間でいよう。いつまでも[20]」と伝えた。教え子たちも彼を頼り、結婚や転職など、人生の節目に彼を訪ねた[21]。このように、尺炭小時代の全人格的な関係が、大人になっても続いていたのである。二十二期生は、教員を介して維持したヨコの〈つながり〉をもとに、中年期（四十五歳、一九九八年）になって全体の同期会を釧路で開催した。

さらに、尺別炭山出身で長年勤めた教員は、自分の代の同期会はもちろん、教え子の同期会にも参加して、学年を超えたタテの〈つながり〉を形成した。ある世帯のすべての子ども（きょうだい）と再会することも珍しくなかった。尺炭の教員たちは、このようなタテ・ヨコの〈つながり〉を活用して、二〇〇〇年に『尺別炭砿中学校閉校三十周年記念誌　あこがれ』を編纂した。この記念誌には、尺炭小・中学校や尺別炭砿に関する写真や文

写真2　尺炭中24期生同期会（2006年、尺別炭砿復興記念碑前）（24期生提供）

書資料に加え、尺炭中を卒業した全学年（一期生から二十三期生）の名簿が掲載されている。連絡先不明の卒業生には、同期生やきょうだいを介して情報を収集した。編集委員長を務めた元尺炭中教員のHさんは、発行に際して「尺別が、尺炭中が育ててくれた絆が、この記念誌によって、さらに深まり広がることを期待したいと思う[22]」と述べている。

最後の卒業生である二十三期生は、この記念誌の名簿をもとに、同期会を結成した。閉山・卒業によって離散した彼らは、二〇〇〇年時点で四十代半ばになっていて、「ちょうど、「みんなどうしてんだろう」というとき[23]」だった。彼らは、〇四年、五十歳のときに阿寒で同期会を開催して三十四年ぶりに再会した。当日は、幹事の予想を上回る四十七人の同期生と釧路在住の元教員二人が参加した。配布されたしおりには、「閉山と同時に、それぞれの道に出発した私たち」「ふる里の地は、なくなったけど尺別の友の居るところが、私のふる里だったんだ!![24]」という幹事のあいさつが掲載されている。

共通の経験をもつ友人を探す

一方、閉山時の中学二年生・一年生（二十四・二十五

期生）は尺炭中を卒業していなかったため、閉校三十周年記念誌の名簿には登載されなかった。そのためまさに、どこに誰がいるかわからない状態だった。しかし、五十歳を過ぎたあたりから再結合の動きがみられた。二十四期同期会の主催者は、それまで閉山を忘れるために尺別関係者との再会・連絡を「必要以上に拒み続けた」[25]が、五十歳になり、自分を「少しずつでも、解放していく」ために、「共通した記憶を持ってくれている人たち」[26]を探し始めた。彼は、何一つ手がかりがないなか、「ネットで見つけた二名からスタート」して、一年後には約三十人を探し出した。そして二〇〇六年、五十一歳のときに同期会を開催した。当日は、十五人の同期生と一人の元尺炭小教員が三十六年ぶりに再会し、尺別炭砿跡地を訪問した（写真2）。閉校まで尺別に残っていた前述の女性もこの会に参加した。彼女は、「住所録もないんだけど、一生懸命探してくれて、（略）すごく助かるっていうか、嬉しい」[27]と述べている。

このように、閉山時の高校生・中学生は、釧路在住の元尺炭小・中学校教員の存在、閉山・閉校三十年と中年期への移行のタイミング、インターネットの普及といった条件のもとで、再結合が可能になった。ちなみに、閉山当時の小学生は、同じく中年期に移行した現在でも同期会は結成されていない[28]。「最も多感」な中学生という時期を、炭山や炭鉱の学校で過ごしたという共通経験・記憶が、彼らの再結合を促したといえる。

4　「学縁」と人生の再検討

アイデンティティの再確認——炭山での生活・教育の振り返り

「学縁」を結び直した彼らは、炭山での生活や炭鉱の学校について、どのように振り返るのだろうか。まず彼らが思い起こすのは、尺別炭山での共同生活や、人びとの〈つながり〉である。長屋での人間関係、自然のなかでの子どもたちの遊び、運動会や山神祭、盆踊りなど、炭山に育てられた経験を語る。「山に囲まれたゴチャッとした狭い炭鉱街で、いちばん多感な時期を過ごしたことは、自分にとって大事なこと[29]」だったというように、彼らは、炭山での生活が人間形成にとって重要だったと振り返る。

また彼らは、炭鉱の学校で受けた教育や恩師との思い出も数多く想起している。「尺炭教育」の名のもとに掲げられたスローガン「一人はみんなのために、みんなは一人のために」(第5章)は、「忘れられない言葉」だという[30]。特に、中学生活途中で転校した二十四・二十五期生(閉山時中学二年生・一年生)は、転校先の学校と比べながら、尺別の特殊性を述べる。

教え方が根本的に違う。たとえば、国語で「文章読んで、感想述べなさい」というのが、都会では「三十字で切り抜きなさい」と求められる。それが出てくるようになってから、まったく国語が嫌になっちゃった。尺別炭砿だと、先生たちは、子どもが十人いたら、十人違う答えでいいわけで[31]。

ほかにも転校先はテストが多かったり、成績順に掲示されたりすることが「嫌だった」と振り返る。これらは、先にみた転校先から送られてきた手紙の内容とほぼ一致する。彼らは、尺炭中の教員に、「君達は特殊な環境の中で生活をしている」と言われていたことも、「今になって理解できた[32]」としている。このように、同期会は、彼らに炭山社会と炭鉱の学校の特殊性を再認識させ、友人や恩師と共有する機会になっている。

一方、炭山の思い出は、ノスタルジックで肯定的側面ばかりではない。「幼少の頃から共有する部分が多かった炭砿での生活」は、「今では考えられない人々との結びつきの強さ」がある半面、「煩わしい面もありました[33]」と述べている。また、当時はそれほど意識していなかった階層差や「いじめ」について言及する者もいる。錦町に住み、バレエやバイオリンを習っていたという幹部職員の子どもは、数十年ぶりに会った同期生に、「「あの時はいじめてごめんなさい」、「うらやましかった」と言われ[34]」たという。同期会は、こうした炭山社会にある否定的側面も共有し、自分たちのアイデンティティを再確認する場になっている。

転機としての閉山

そして彼らは、自分たちの人生に大きな影響をもたらした閉山について振り返り、それぞれの経験を共有している。彼らの閉山に対する評価は閉山後の人生経路によって異なる。都会に転出して大学などに進学した者は、閉山を肯定的に捉える傾向にある。短大卒業後、公務員になった者（閉山時中学二年、二十四期生、女子）は、「尺別にいたら、父が（坑外で）給料が安かったから、短大も行かなかったかもしれない」ので、閉山は「結果的によかった[35]」と話す。また、大学に進学して、卒業後、サービス産業に勤めた者（閉山時中学二年、二十四期生、男子）は、「内地の給料は、（北海道に比べて）倍とか、三倍と言われていて、そういう生活のよさがあった」ため、同期会では「（閉山は）よかったんじゃないか[36]」と話している。「仕事を選ぶ際、つぶれない会社、長く勤めることができる職場を無意識に強くのぞんでいた[37]」というように、閉山は、尺別では実現できなかったであろうライフコースを可能にする転機だったと振り返る。

一方、閉山によって進路変更せざるをえなかった者や道東に残留した者は、閉山を否定的な転機として捉えている。卒業間際に進学を断念して道外に就職した前述の男性（閉山時中学三年、二十三期生）は、閉山直後に書いた作文を読んだうえで、つぎのように振り返っている。

作文を書いたとき、みんなはだいたい進路が決まっているなかで、私は何も決まってなかった。（略）親もだいぶ悩んでいるような姿を見ていて、自分もちょうど受験はしたんですけど、どうしようかというときで。だから、尺別炭砿への思いは、あまりいい思いはしてない[38]。

また、閉校まで尺別に残った前述の女性（閉山時中学二年、二十四期生）は、高校進学後は適応できたと振り返るが、閉山に関しては否定的な感情をずっと抱いてきたと話す。

閉山のとき、友だちは、新しいところに行く不安もたくさんあったけど、まだ選べる。(父親が病気で)私にはそれがなかったから、すごく悲しかった。自分だけが、取り残されるという感じ。(略)もう四十何年も前の話ですけど、そういう気持ちがずーっとありました。[39]

彼らは、尺別炭山で幼稚園から中学校まで、ほぼ同一のメンバーで育ってきただけに、閉山による離別と進路変更の衝撃は大きかった。特に、閉山によって家族が深刻な影響を受けた場合はなおさらだった。彼らは、それまで一人で抱えてきた「閉山」に対する思いを、中年期・高齢期に、尺別の仲間たちに打ち明けている。むろん、彼らは当時の葛藤を完全に払拭したわけではない。友人の閉山経験を知り、自身の経験を相対化しながら、年齢を重ねてなお「閉山」と向き合っているのである。

故郷への思い

そして、「故郷喪失」も周囲に理解されにくい出来事であり、彼らは同期会で故郷に対する思いを共有している。閉山に肯定的な評価をする者も、「やっぱり、故郷がなくなったのが、取り返しのつかないことで、ものすごく寂しい[40]」と述べる。しかもその喪失感は、「自分の今の家族に言っても理解してもらえない。周りの友だちに言っても理解してもらえ」ないため、彼らは、ずっと孤独感を抱いてきた。閉山に対する評価や社会経済的地位が異なっても、「故郷喪失」については、「ここ(同期会)にいる方しかわからない[41]」ため、彼らは同期会でそれぞれの話に耳を傾ける。「その辺が、「絆」につながって[42]」いて、同期生がいる場が「故郷」になっているのだという。

一方、同期会不参加者からは、「尺別の事は忘れたい」「もう連絡してほしくない」「炭鉱出身を隠している[43]」という意見もある。また、閉山のときの小学生は同期会が結成されず、「帰る場所は、いま、どこにもありません」[44]と述べる。本章でみた「学縁」は、閉山や故郷喪失に対して、ある程度「気持ちの整理がついた」者たちによって結び直された縁であり、依然として多くの尺別出身者が故郷喪失感を一人で抱えていることがわかる。小学生のときに閉山を経験したNさんは、つぎのように述べる。「故郷というのは、きっと、自分の心のなかに永遠にあって、それが自分を支えていると感じている」[45]。尺別との〈つながり〉がない彼らは、自分自身のなかに「故郷」や「心の拠り所」を見いだし、半生を振り返っている。〈つながり〉を再形成した者、していない者ともに、閉山から五十年たった現在も「閉山」や「故郷喪失」と向き合いながら「自分探し」[46]を続けている。

注

（1）ここでは、J・A・クローセンの定義により、「四〇～四五歳から六〇～六五歳までの間」とする（J・A・クローセン『ライフコースの社会学 新装版』佐藤慶幸／小島茂訳、早稲田大学出版部、二〇〇〇年）。
（2）一九五七年以前に尺炭中を卒業した学年（第一―十期）。
（3）一九五八年から六六年までに尺炭中を卒業した学年（第十一―十九期）。
（4）笠原良太／嶋﨑尚子／新藤慶／木村至聖／畑山直子「尺別炭砿で暮らした人びと調査（2）――最終集計結果集［内部利用版］」「JAFCOF釧路研究会リサーチ・ペーパー」第十七号、産炭地研究会（JAFCOF）、二〇一九年、一八七ページ
（5）嶋﨑尚子／笠原良太編集「尺別炭砿の閉山と子どもたち――元尺別炭砿中学校教頭 松実寛氏による講演の記録」「JAFCOF釧路研究会リサーチ・ペーパー」第七号、産炭地研究会（JAFCOF）、二〇一六年、一一ページ
（6）記念誌編集委員会編『尺別炭砿中学校閉校三十周年記念誌 あこがれ』記念誌編集委員会、二〇〇〇年、一三二ページ
（7）一九七〇年三月五日、北海道教育庁は、釧路支庁で炭鉱子弟が多く通う白糠・阿寒両高校生徒の転入対策を検討し

て、釧路教育局に「雄別炭砿閉山緊急教育相談室」を設け、適切な転入指導をおこなう体制を整えた（「内外教育」一九七〇年三月十七日号、時事通信社）。そして、四月六日・二十八日、五月以降毎月二十八日に、釧路市内高校での一斉転入試験の実施、道外高校への受け入れ要請文書の送付を決定した（「北海道新聞」一九七〇年四月三日付）。

（8）北海道白糠高等学校創立三十周年記念協賛会編著『三十年史』北海道白糠高等学校、一九七九年、七ページ

（9）香川めい／児玉英靖／相澤真一『〈高卒当然社会〉の戦後史——誰でも高校に通える社会は維持できるのか』新曜社、二〇一四年

（10）笠原良太「一九七〇～八〇年代における炭鉱閉山と青年たちの進路危機——中学三年生の作文分析」「WASEDA RILAS JOURNAL」第六号、早稲田大学総合人文科学研究センター、二〇一八年、一二七—一三九ページ

（11）O教頭提供資料

（12）前掲「尺別炭砿の閉山と子どもたち」二六ページ

（13）尺別炭砿中学校『地底の灯——尺別炭砿中学校廃校記念誌』尺別炭砿中学校、一九七〇年、二四ページ

（14）新藤慶／嶋﨑尚子／石川孝織／木村至聖／畑山直子／笠原良太「中学生からみた尺別炭砿の学校生活と閉山の影響——尺別炭砿中学校23・24・25期生の座談会記録」「JAFCOF釧路研究会リサーチ・ペーパー」第十四号、産炭地研究会（JAFCOF）、二〇一九年、一三ページ

（15）本調査は、同郷会と同期会を通じた追跡調査であるため、回答時点の社会経済的地位が高い回答者に偏る傾向がある点は注意しなければならない。

（16）正岡寛司／藤見純子／嶋﨑尚子／澤口恵一編著『炭砿労働者の閉山離職とキャリアの再形成——旧常磐炭砿K．K．砿員の縦断調査研究』第十巻、早稲田大学常磐炭砿アーカイブ研究所／大正大学人間学部人間科学研究室、二〇〇七年

（17）前掲「中学生からみた尺別炭砿の学校生活と閉山の影響」四三ページ

（18）尺炭中二十四期生提供「自分史」二〇〇五年

（19）P教諭ヒアリング、二〇一八年七月二十九日

（20）尺炭中二十二期生提供「仲間の集い」一九八二年

(21) 尺炭中二十二期生インタビュー、二〇一八年六月十二日
(22) 前掲『尺別炭砿中学校閉校三十周年記念誌 あこがれ』三ページ
(23) 前掲「中学生からみた尺別炭砿の学校生活と閉山の影響」四三ページ
(24) 「尺別炭砿小学校・中学校同窓会」二〇〇四年
(25) 前掲「自分史」
(26) 尺炭中二十四期生提供手紙、二〇一七年
(27) 前掲「中学生からみた尺別炭砿の学校生活と閉山の影響」二三ページ
(28) 元尺炭中教諭の長男であるNさんは、閉山前年まで尺炭小に在籍して閉山時は雄別炭砿小学校に在籍していた。しかし、いずれも同期会は結成されていないという（ヒアリング、二〇一九年九月十九日）。
(29) 前掲「中学生からみた尺別炭砿の学校生活と閉山の影響」四四―四五ページ、一部修正
(30) 前掲「尺別炭砿で暮らした人びと調査（2）」二二〇ページ
(31) 前掲「中学生からみた尺別炭砿の学校生活と閉山の影響」二八ページ、一部修正
(32) 前掲「尺別炭砿で暮らした人びと調査（2）」二二二ページ
(33) 同論文二二〇ページ
(34) 尺炭中二十二期生提供手紙、二〇一八年
(35) 前掲「中学生からみた尺別炭砿の学校生活と閉山の影響」四一ページ
(36) 同論文四二ページ
(37) 前掲「尺別炭砿で暮らした人びと調査（2）」二二〇ページ
(38) 前掲「中学生からみた尺別炭砿の学校生活と閉山の影響」三〇ページ、一部修正
(39) 同論文二三ページ、一部修正
(40) 同論文四二ページ、一部修正
(41) 同論文四二ページ
(42) 同論文四二ページ

（43）前掲「尺別炭砿で暮らした人びと調査（2）」二一八ページ

（44）Nさんヒアリング、二〇一九年九月十九日

（45）同ヒアリング

（46）前掲「自分史」

第12章　継承される炭鉱の「縁」と文化

木村至聖

1　尺別の絆とその継承

第10章「「地縁」のゆくえ――同郷団体にみる新たな〈つながり〉」（新藤慶）、第11章「「学縁」の展開――閉山時高校生・中学生の五十年」（笠原良太）でみたように、尺別炭砿の閉山によって全国に散らばっていった人びとは、他地域への移住後も、同郷団体や学校の同窓会・同期会などを通じて結び付きを維持することがあった。そのなかでも、東京尺別会のように、閉山後五十年を経ても百人を上回る規模で出身者が参加するという事例は注目すべきものである。

故郷をともにする人びとの団体、いわゆる同郷団体は戦前から存在し、山村や離島出身者によるものを中心に全国に分布している。[1] 先行研究では、同郷団体は住居と職を斡旋して都市生活への適応を助けるなど重要な役割を果たすものだったが、その役割は学校時代の体験を懐かしむなど親睦の機能の比重が次第に高まる傾向があるとされている。[2]

東京尺別会もまたこうした同郷団体の一つと考えられるが、先行研究で事例が蓄積されてきた農村出身者による同郷団体と異なる事情もいくらかみられる。第一に、炭鉱の閉山という大きな出来事を契機としてほぼ同じ時期に移住が起こったことである。そのため、同郷団体としては、集団が移住したときの一世代に限定され、かつ後続集団のまとまった加入がないため、職住の斡旋よりも移住先での適応や親睦といった役割が主となる。第二に、これは炭鉱の場合はすべてというわけではないが、尺別の場合は集落としての故郷が完全に消滅してしまっていることである[3]。そのため、ほかの同郷団体にみられるように、移住者たちが故郷との間を行き来するなどの交流は起こりえない。故郷を訪れても、かつて暮らしたときの面影はほとんど残っていないのである。

移住した当時の世代が新しい生活環境に次第に適応して後続集団も発生しえないことは、同郷団体の役割の終焉を意味しそうである。しかし、東京尺別会の場合、そうなっていないことはこれまでにみたとおりである。たしかに移住の後続集団はほとんどなかったわけだが、閉山時に中学の卒業を迎えた世代がいままさにリタイアのタイミングになり、同郷団体が学校の同期会の活性化とともに自然に次世代に引き継がれつつある[4]（第11章）。特にこの尺別の場合は、一つの炭砿に一つだけの小学校・中学校があったため、学校が地域を代表する再結集の核になりえた。そして、閉山前後に中学生という多感な時期を過ごし、短期間に仲間が全国にばらばらになってしまうという劇的な経験を共有した世代が、ちょうどみずからの半生を振り返り再結集し始めたのである。さらに付け加えれば、二〇〇〇年代に入って国内では石炭産業がほとんど終焉し、尺別炭砿もまた二〇年に閉山五十周年を迎えるというマクロな社会状況や節目もまた、再結集の後押しになっているかもしれない。

こうしたなかで、移住時の子ども世代も含めて、同郷団体がもつ意味を考えたとき、親睦にとどまらない役割がみえてくるのではないだろうか。もちろん、参加している当事者自身が「ただの親睦団体である」と考えている場合も多いだろうし、団体に参加する理由は人によってさまざまであることは当然である。ただ、この事例を先にみたようなマクロな社会状況に位置づけ、社会学的にみたとき、同郷団体のまた別の意義もみえてくると考える。

そのうえで、本章で取り上げるのは、尺別炭砿の同郷団体のなかで最も規模が大きい東京尺別会ではなく、尺別から最も遠く離れた同郷集団[5]である広島移住者の集まりである。尺別炭砿からの広島への移住者の概要は第9章「尺別からの転出――「縁」を活用した再就職と移動」（嶋﨑尚子）で紹介したとおりだが、この同郷集団の特徴は、尺別から最も遠方で、かつ尺別を離れたのが最後だったということである。それは、この移住集団の中心になったRさんらがほかの組合員の再就職の世話に最後まで当たっていたためでもあるが、そのなかには比較的年齢が高く、再就職先を見つけるのが難しい人びとも含まれていた。Rさんの言によれば、最終的に広島への移住を決めた背景には、受け入れ先になった常石造船が再就職者の年齢を問わずまとめて面倒をみると約束してくれたことがあった。仕事の内容は、たしかに危険も伴い炭鉱とは違うもので不安もあるものの、「太陽さんの下で働く」のは悪くないと考えたという。そしてRさんは義父に実際に現地をみてきてもらい、会社が新たに3DKのアパートを建設していること、現地は二毛作だから食べるものに心配はないことといった、食・住に関する生活環境についても確認している。このようにRさんらの周到な心配りと、主な受け入れ先だった常石造船の理解もあって、尺別からの最後の移住は成し遂げられたのである[6]。

この広島移住者の集団は、東京尺別会と比べれば規模は決して大きくないが、尺別炭砿閉山時に雇用促進事業団の相談員として多くの従業員の再就職を支援するとともに、労働組合教宣部長として組合員の再就職先を訪ねて回ったRさんの家族・親族を中心にして非常に親密な同郷集団を形づくっていて、それは現在でも続いている。もちろん、閉山・移住から五十年がたった現在では、第一世代は退職などを機に社宅を出て家をもったり、第二世代も市外・県外へと移っていったりしている。最初はほとんどの移住者が常石造船に就職してその社宅に住んだわけだが、当時はちょうど常石造船が経営を多角化し始めた時期でもあり、関連企業などに移っていくケースも次第に増えた。だがそれでも、第二世代のなかには現在でも常石造船に勤めている人がいたり、新しい故郷になった広島の近隣で職住を求めて定着したりする傾向は強いという。このように定着後、それぞれの人生を歩み出してからも、広島移住者たちは機会があるたびに集まり、親睦を深める機会をもっている。

地域的に比較的広いエリアをカバーして多様なメンバーで構成されている東京尺別会の事例に対して、この広島移住者の集団についてみることで、より純化された形で同郷集団がもつ意味と今後の展開について考えることができる。この集団が尺別を離れ、広島に移動するまでの経緯はすでに第9章で記しているため、本章ではまず、新たな生活の場である広島での定着過程でこの尺別の〈つながり〉が果たした役割について紹介し、続いて移住時の子ども世代、さらに移住後に生まれた世代や現地での結婚によって新たにこの集団の一員になった人びとの視点から、この集団・〈つながり〉の継承の意義について考えてみたい。

2 移住後定着過程での同郷集団の役割

炭鉱社会という特殊なコミュニティを離れた人びとは、再就職・移住後もさまざまな困難に直面した。移住時の世帯主は、しばしば炭鉱とは大きく異なる新しい労働環境に適応しなければならなかっただろう。そして世帯主だけでなく、その妻や子どもたちも移住先での生活習慣の違いなどに戸惑い、不安を抱えていたのである[7]。

出てみて初めて、炭鉱の生活っていうのは、特殊な場所だったんだなあって、つくづく感じましたね。炭鉱で生活してて、外へ出てみて、ええ～って思うことがたくさん。まず、電気、水道、光熱費はタダですしね。食べるものだって、たとえば冬になったら、リンゴは一箱まんま買ってきて、室（ムロ）に入れてみたいな生活をしてきた。だから、お店に買い物に行ったら、炭鉱の人はすぐわかるって言われました。買い方が多い、大雑把な買い方するから。すごく、それは感じましたね。炭鉱って、すっごくありがたい生活してたんだなあって思いましたね。出てみて初めて。買い物してたら、すぐ言われます。とくに、九州の方もいっぱいいらっしゃったけど、北海道の炭鉱から来られた方はすぐわかるって[8]。

このように、尺別で炭鉱住宅に住んでいたときは光熱費がかからなかったため、そのときの習慣から電気や水道をぜいたくに使ってしまったり、炭鉱でのツケ払いの習慣のため買い物の仕方も（炭鉱以外の人からみて）派手になったりしたようである。[9]そのことを近所の人から指摘されることが心理的な負担になり、また電気代や水道代に想像以上にお金がかかることは経済的な負担にもなっていたようだ。実際、給料が転職前の炭鉱のときよりも下がってしまい、そのためにそれまで専業主婦だった女性たちが縫製工場などに働きに出ることも多かったという。

一方で、尺別の人びとが広島に移住した一九七〇年代初め頃には、ちょうど九州などほかの地域の炭鉱からも閉山による移住者が集まってきていて、いわゆる「団地」コミュニティを形成していた。そうしたなかで、むしろ団地に住むようになった「よそ者」が多数派にさえなる環境だったようだが、「団地そのものを、ちょっと受け入れてもらえがたいところはありましたね。最初の頃は[10]」という発言もあった。たとえば地域の祭りに参加させてもらえず、仕方なく別のイベントを企画したこともあったようである。だが、こうした「よそ者」扱いに対しては、ＰＴＡ会長や民生委員の役員をみずから引き受けるなど、地元の人びととの関わりを積極的にもつことを通して次第に克服していったという。[11]

このようなライフスタイルの急激な変化や、地域に溶け込んでいくうえでの困難に直面するなかで、同じ尺別出身者同士の人間関係が心の支えになっただろうことは想像にかたくない。実際、尺別からの移住者は、困ったときには必ず助け合うようにしていたようだ。たとえば尺別出身者が亡くなったときなどには、「当時こっちに来た最初の人たちは、必ず顔を出して、通夜から葬儀は全部面倒みるということをしてました[12]」というように、仮に自身の家族の葬儀ではなくても、会社の理解を得て仕事を休み、会計や食事の準備など出身者同士で役割を決め、協力するということが習慣化していたという。

それはまた結婚式などのときも同様であり、日常でも、毎年の花見など、ことあるごとに尺別の人びとは集まっていたようだ。こうした尺別の〈つながり〉の支えがあったからこそ、各人はそれぞれの立場で新しい環境で奮闘することができたのではないだろうか。

3　第二世代にとっての同郷集団

つぎに、移住当時の子ども世代の視点からみてみたい。第9章でもみたように尺別炭鉱閉山によって全国に離散した人びとの移住と適応に尽力したRさんをもってしても、「「これはまずかったな」と振り返るのは、子どもたち、それから学校というものについて、全く触っていない[13]」ということだった。閉山に伴うもろもろの出来事が、「地震や何かと一緒」（Rさん）のように一挙に押し寄せ、「感傷に浸ってる間もなかった」（Rさんの妻）というのが実際だったようだ。

閉山という経験は、子どもたちにも大きな影響を与えた。とりわけ就職や進学を控えた中学生は、親の再就職先や転居先によってみずからの先行きも左右されるため、将来が見通せず不安な思いを抱えていた。そして、転居・転校があとになるほど、仲間が減っていく寂しさが切実なものになったこともしばしば語っている。そして移住後、「もうまったく知らない土地だし。なんか外国人を見るような感じ[14]」とあるように、子どもたちは新しい環境への適応を迫られた[15]。たとえば言葉の問題や、体育の授業で水泳があったが最初はまったく泳げなかったことなど、現地の子どもたちとの違いを感じることはたしかにあったようである。だが、広島の事例では、比較的スムーズにほかの子どもたちに溶け込むことはできていたようだ。

このように、子どもたちはその過酷な状況にもかかわらず、多くの場合たくましく移住先の環境に適応していった。もっともその背景には、子どもたちの移住時の年齢が比較的低かったことや、想像ではあるが、転校先の教師の配慮などもあったのかもしれない。そして移住後も相変わらず維持されていた尺別の人間関係も、家族の枠を超えて子どもたちを守っていたといえるだろう。先にもふれたとおり、尺別出身者は引っ越しや葬儀などことあるごとに協力したり、家族ぐるみの付き合いを続けたりしていた。それはあたかも、「だれが親戚で、だれが親戚じゃないか、よくわからない[16]」という不思議な関係性であった。

こっち来ても、まだ向こう（尺別）の町名とかで、「二丁目のおばちゃん」とか、そういうふうに呼ぶから、その「二丁目」っていうのが、私は四つぐらいでこっちに来たので、どこの二丁目なのか、まったくわからないけど、いつも「二丁目のおばちゃん」っていうのはあの人のことだっていうのはわかるんだけど、「なんで、二丁目なんだろう、自分の家とそんなに変わらない距離にいる人が」。でも、みんなやっぱりそうで、昔の町名とかで呼び合ってたりするので[17]。

これらの発言から、同郷集団という実際の家族や親戚を超えた身内のような関係が子どもの意識に自然になじんでいて、かつ自覚的にではないものの、出身地である尺別と移住先のコミュニティが地理的・時間的に連続性をもったものとして扱われているということがわかる。このことは、おそらくは移住による環境の大きな変化のショックを和らげ、子どもたちが安心して新しい環境に適応していくうえでの助けになったのではないだろうか。先にも紹介したRさんの発言のように、大人たちもまた新しい環境で暮らすために必死であり、子どもたちの不安や葛藤まで気にかける余裕がなかったとしても、同郷集団の存在は子どもたちの適応にも、実は非常に大きな役割を果たしていたといえるだろう。

4　尺別の〈つながり〉のこれから

この広島移住者の同郷集団の特徴としてもう一つ特筆すべきなのは、「尺別出身」ではない関係者にもメンバーシップが拡大しているということである。たとえばそれは移住後に結婚によって尺別出身者の家族になった地元広島出身者や、移住後に生まれてもともと尺別での暮らしを知らない世代などが、「同郷集団」に緩やかに参加していったことによる。こうした現象は東京尺別会にもみられるが、比較的小規模なこの広島移住者の集団の場合は、単純な血縁・地縁・職縁だけによる集団というより、ともに気に掛け合い、助け合って生活する集団としての緩やかな〈つながり〉が、Rさんのリーダーシップによってしっかりと維持されてきたのである。それは先にみたとおり、「だれが親戚で、だれが親戚じゃないか、よくわからない」ような関係性でありながら、ことあるごとにたびたび集まり、絆を確認し合ってきたことによるのだろう。

とはいえ、尺別出身の第二世代が移住先で家族を新たにつくって定着し、さらにその次の世代の時代になりつつある現在、かつてのように移住のショックを緩和し、移住先コミュニティへの同化を助けるという意味では、同郷集団はその役目を終えつつあるのかもしれない。そのようななかで、尺別から最も遠く離れた広島の地での尺別の〈つながり〉がどのような意味をもっているのか、最後に考えてみたい。

その一つの手がかりとして、尺別出身者と結婚してこの同郷集団に関わるようになったQさんは、花見などの親睦行事にも参加するなかで尺別出身者の団結力に驚き、また会費制の結婚式などにもカルチャー・ショックを覚えたという。

食べるものでビックリしたのはお赤飯。お赤飯が、私らのところは小豆で作るんだけど、ここ（尺別出身者の家庭）は違う。甘納豆なんですよ。だから、赤い色はなんで作るんか思ったら、色粉いうか、あれで作って、ピンク色のお赤飯で、大粒の甘納豆。ビックリで、それは、ほんとにもう、私らじゃ考えられないもの。[18]

このように、カルチャー・ショックは行事のときの団結力の強さだけでなく、料理の作り方にも及んでいる。

先にみたリンゴを一箱ごと買ってしまうというような炭鉱の生活文化は、ほかの地域ではぜいたくや無駄遣いとしてネガティブに捉えられ、消えていくものかもしれない。だが、甘納豆の赤飯などは尺別（北海道）出身者の出自を示す文化として、場合によっては次の世代に受け継がれていく可能性もある。

また、移住以来この広島の同郷集団をまとめてきたRさんの次のような発言も、重要な示唆を与えてくれる。

ここの人間そのものが故郷（ふるさと）という形に思ってもらえて、集まってもらったらね、そこに居場所がなかった人でもね、ここにいればなんとなく居心地がいいじゃないかというふうになってもらえばいいかなあということは思いますね。これもまあひとつのつながりだから、相談したり、「あ、そうだ、あそこに行ったら人がいる」っていうなかで、人が育っていって、大人になって、「あそこで、大きくなったんだ」というふうにしていくような形になれば、いいんじゃないかなあと。[19]

同郷集団はたしかに、移住に伴う不安や不便のさなかで、有形無形の助け合いを促すという役割をもっていた。しかし実際にはそれだけでなく、尺別という場所としての故郷を失ってしまった人びとにとって、新たな「居場所」を提供するという意義をもっていたのである。移住後はもちろん、場所としての故郷は新たな移住先である広島になるわけだが、それだけでなく、「人間そのもの」、〈つながり〉としての人間関係こそが「故郷」の本質的要素であるという思想がこの発言から読み取れる。そしてそのことは、次のRさんの長女の発言にもみられるように、たしかに次の世代に継承されている。

娘から見ると、父がみなさんに、すごく強引に、色んなこと頼んだり……してるんじゃないかなあって、思うこともよくある。ちっちゃい頃からそう。みんな、そういうの迷惑じゃないかなあと思うことも、すごくたくさんあったんですけど。……でも、なんかやっぱり、父が、だいぶん前に……「結局自分が北海道から、遠く広島まで、みんなを連れて来た形になって、それがほんとにみんなの幸せだったかどうかっていうのは、ずっと考えてる」って言ってたので。きっとみんなが幸せになってほしいと思って、ちょっと押しつけがましいこととかもしてしまうんだろうなあというのは、……きっとみんなにも楽しんでもらいたい、みんな幸せになってるか、みたいな感じで、きっとやっちゃうんだろうなあっていうふうなことは、ちょっと思って。まあでも、こんな遠くまでみんなを連れて来てしまったっていう、そういう思いが、根底にはあるかなあと思いますね。[20]

移住先で定着し、移住後に新たな職場や家族などの人間関係を手に入れた現在となっては、ともすればこうした同郷集団の維持は「強引」だったり「迷惑」だったりするかもしれない。しかしながら、この発言にみられるように、移住第一世代の思いは一歩引いた形ではあっても、次の世代に確実に受け止められているのである。そこでは、移住第一世代の経験や記憶が、「居場所」への思いとともに継承されているのである。

ここで知ることができた定着のプロセスは、あくまで尺別から広島へと移住した小グループの一事例にすぎないかもしれない。しかし、石炭産業という巨大産業の終焉に伴う労働者家族の大移動という出来事自体が人びとの記憶のなかから消えかけている今日、こうした大きな歴史の転機をその渦中にあった個々の人びとがどのように体験したのかを、いまだからこそ歴史的に評価しなければならないのではないだろうか。そしてそこから得られる知見は、たとえば東日本大震災による避難者の移住、あるいは外国からの移民などの事例について考える際も、状況は違っても少なくない示唆を与えてくれるはずである。

注

(1) 松本通晴「都市移住と結節」、松本通晴／丸木恵祐編『都市移住の社会学』(SEKAISHISO SEMINAR) 所収、世

界思想社、一九九四年
（2）山本正和「都市の同郷人関係と同郷団体」、同書所収
（3）炭鉱が閉山しても、代替になる産業がある場合は大規模な移住は起こらないはずである。しかし、地域社会が石炭産業によって歴史的に急激に発達した場合などは、炭鉱離職者の再就職先を地域で吸収しきれないことが多々ある。極端な例として、三菱高島炭鉱の端島坑があった長崎市の端島（通称・軍艦島）は、島そのものが社有地だったため、閉山とともに集落は完全に消失することになった（木村至聖『産業遺産の記憶と表象――「軍艦島」をめぐるポリティクス』京都大学学術出版会、二〇一四年）。
（4）二〇一六年に実施した「尺別炭砿で暮らした人びと調査」によれば、「東京尺別会以外に、尺別のことを語り合える集まりに参加しているか」に対して、世帯主や妻では約七〇％が「特に参加していない」と答えている一方で、子やきょうだいでは、「年に一回以上」だけで約三〇％、「二〜三年に一回」も合わせれば六〇％近くにのぼり、学校の同期会などと並行して参加しているメンバーが若い世代ほど多いことがうかがえる（嶋﨑尚子／新藤慶／木村至聖／畑山直子／笠原良太／石川孝織「尺別炭砿で暮らした人びと調査（1）――二〇一六年度東京尺別会調査報告書」「JAFCOF釧路研究会リサーチ・ペーパー」第十号、産炭地研究会〔JAFCOF〕、二〇一七年、四八ページ）。
（5）規約もあり組織としてある程度専門化した同郷団体である東京尺別会に対して、ここでみる広島移住者の集団は比較的緩やかなつながりだといえるので、同郷「集団」と呼ぶことにする。
（6）コラム7「助け合いが「ふるさと」をつくる――千葉怜二さん・ユキさんインタビュー」も参照。
（7）二〇一六年に実施した「尺別炭砿で暮らした人びと調査」によれば、男性よりも女性のほうが、閉山によって「進路変更を余儀なくされた」と答えた傾向が強く、また一九五〇年代以降生まれ（閉山時二十歳以下）のほうが「進路変更を余儀なくされた」「友だちとの別れを強いられた」と答えた傾向が強かった。世帯主だけでなく、女性や子どもに閉山は非常に大きな影響を与えたのである（前掲「尺別炭砿で暮らした人びと調査（1）」四五ページ）。
（8）木村至聖／嶋﨑尚子／新藤慶／笠原良太「尺別炭砿閉山後の移住と定着――尺別炭砿から広島県への移住者のインタビュー・座談会記録 改訂版」「JAFCOF釧路研究会リサーチ・ペーパー」第十六号、産炭地研究会（JAFCOF）、二〇二〇年、二三ページ

(9) 二〇一七年に実施した尺別炭砿中学校二十三・二十四・二十五期生（閉山時の一年生から三年生に当たる）の座談会でも、尺別からは比較的近隣の釧路に転居した参加者から「釧路の生活はお金がかかる。炭砿の生活はお金がかからない、光熱費など」といった発言があった（新藤慶／嶋崎尚子／石川孝織／木村至聖／畑山直子／笠原良太「中学生からみた尺別炭砿の学校生活と閉山の影響——尺別炭砿中学校23・24・25期生の座談会記録」「JAFCOF釧路研究会リサーチ・ペーパー」第十四号、産炭地研究会［JAFCOF］、二〇一九年、七ページ）。

(10) 前掲「尺別炭砿閉山後の移住と定着」五三ページ

(11) 千葉県船橋市の雇用促進事業団住宅に転居した人びとの間では、この住宅に暮らす人びとによる自治会が結成された。この自治会は、一九七二年頃に、尺別からの閉山離職者が中心になってつくられている。その背景としては、「炭鉱（出身者が居住する雇用促進事業団住宅）では、あっちから、こっちから、集まってるから、そこでもって自治会をつくらないとまとまりがなかった」という事情があった（Tさんヒアリング、二〇一八年六月十三日）。このとき、自治会を成り立たせるために規約の整備が進められた。この際に活用されたのが、尺別出身者のネットワークである。つまり、尺別からほかの地域に移り、先行して自治会をつくった人びとから情報や規約の現物を得て、それらを参考にすることで船橋の事業団住宅でも自治会の整備が進められたというわけである。さらに、このときの自治会規約づくりには、尺別炭砿の労働組合の規約も参照された。こうして、移住先コミュニティの基盤になる自治会の形成には、尺別炭砿の労働組合の規約や尺別出身で自治会結成に長けている人びととのネットワークが活用されることで、尺別のつながりが機能していることが見いだされる。

(12) 前掲「尺別炭砿閉山後の移住と定着」二一ページ

(13) 同論文二〇ページ

(14) 同論文五〇ページ

(15) 二〇一七年に実施した尺別炭砿中学校二十三・二十四・二十五期生（閉山時の一年生から三年生に当たる）の座談会では、転校先ですでに人間関係ができているなかに入っていかなければならなかったことへの苦労（前掲「中学生からみた尺別炭砿の学校生活と閉山の影響」八ページ）や、「尺別は近所づきあいが深い。都会は気を使う」といった発言（同論文一二ページ）があった。そのほか、言葉の問題はこちらでも指摘されている。

(16) 前掲「尺別炭砿閉山後の移住と定着」四〇ページ
(17) 同論文四一ページ
(18) 同論文五五ページ
(19) 同論文五六―五七ページ
(20) 同論文五七ページ

コラム6　東京にも尺別の絆をつなぐ――菖蒲隆雄さんインタビュー

プロフィル　菖蒲さんは、一九三八年、尺別生まれ。高校卒業後、尺別炭砿に入社。掘進に従事したのち、坑務課・労務課で賃金・保険関係の事務に携わる。閉山時に失業保険の処理に携わったあと、関東に移住。荏原製作所で保険や不動産関係の業務を担当。その傍ら、尺別出身者の交流の場になる東京尺別会の発足に関わり、現在は会長を務める。神奈川県座間市在住。

――尺別炭砿に入社したきっかけを教えてください。

父も尺別炭砿に勤めていましたが、私が小学校二年生（一九四六年〔昭和二十一年〕）のときに病気で亡くなりました。その後は、おふくろが育ててくれました。小学六年生から近所のお店でアルバイトをしながら、釧路工業高校土木科に進学しました。高校進学も経済的な理由から母親に難色を示されたので、私の「断食」と担任・吉田範正先生の説得があって、何とか進学させてもらいました。

高校時代は、夏休みに、炭鉱で使う軽い矢木などの材木を運ぶ仕事もしていました。太くて重い丸太を担ぐのは自信があり、「アルバイト・キング」なんて、ニックネームももらいました。大学に行きたい気持ちもありましたが、経済的に難しくて、就職することになりました。

就職先を決める際、たまたま私たちが卒業する年には尺別炭砿で採用がありました。その当時の土木系の会社と比べると初任給も四倍から五倍違うこともあって、尺別炭砿に就職しました。おふくろに世話になった分、

「早く返さなくちゃなあ」っていうのが頭にあったんです。二百人以上が応募して、三次試験まであって、最終的に十六人が採用になりました。それでも、高卒のわれわれの仲間は、ほとんどがみんな入れました。ただ、われわれの一学年先輩とか後輩も、こういう採用試験がありませんでした。このあとはごくわずかしか採用がなくて、私らの先輩も、私らよりあとに採用になっている人もいました。

――尺別炭砿での仕事はどうでしたか？

入社時は、掘進の仕事をしていました。しかし、入社して十カ月後の昭和三十三年（一九五八年）一月に、大きなけがをしてしまいました。丸太が落ちてきて、手の先の骨が砕けてしまうけがだったんです。それで、掘進の仕事を休みました。

当時は、職場に「保安大学」というものがありました。軽度のけがで、歩くのに不便でない人を欠勤にさせないものです。日当は安いんですが、欠勤になるとボーナスもカットされてしまうので、そのための救済制度でした。保安大学では、けがの発生件数のグラフやポスターなどを描いていました。

この保安大学に行っていた頃、坑務課の賃金係の人がもう少しお金がほしいので坑内の仕事をしたいと言っていました。その人と交代して、賃金係の仕事をすることになりました。その後、労務課の賃金係、保険係へ異動し、閉山を迎えました。

――閉山時の様子はいかがでしたか？

茂尻炭砿の閉山時に、残務処理の応援で一カ月くらい現地に行っていました。そのとき、「もう尺別は閉山だ」という雰囲気だったので、心構えはできていました。一方、雄別のみなさんは、閉山しないという見解が強く、「尺別がつぶれたら、どうぞ雄別へいらっしゃい」というような調子だったんですよ。ですから、「企業ぐるみ」で閉山になって、ショックを受けたのは雄別のみなさんだったようです。

――一九七〇年二月二十七日閉山というのは理由があったようですね。

なんで二十七日かっていうと、厚生年金料も健康保険料も、二月二十八日を喪失日にすると、二月の一カ月分を期間として算定しないといけなくなります。だから、二十七日に切ることで、その月の保険料を払わなくてすむことになります。会社としても、従業員に対する賃金の未払い分が残っていたので、苦肉の策でした。

――保険関係の業務は、複雑で難しそうですね。

当時の健康保険法の継続療養の規定では、資格喪失時に治療を受けていた場合には、治療開始から五年間は継続療養を受けることができるとなっていました。ですから、閉山前に五年以上病院にかかっていると、継続が効かないんです。そのため、これに該当しないように継続療養の証明書などを作成しました。

こういった証明書や厚生年金証書の発行などもしました。労務一区詰所に外勤詰所がありまして、そこからマイクで全山放送ができるんです。それで、たとえば、「継続療養の給付について説明するから、協和会館に集まってください」などと放送するんです。集まったみなさんに説明して、結局、厚生年金証書の再発行なんかも二百件以上ありました。釧路社会保険所の多大なご協力がありました。

――そのほか、閉山処理で覚えていることはありますか？

健保会館の五百坪（約千六百五十平方メートル）くらいの敷地にたくさんの植木がありました。これを引き取ってもらおうと、釧路の園芸屋に来てもらいました。「いくらで売ってくれるか」と聞かれたのですが、こちらは素人ですから、全然見当がつかない。そこで適当に「百万円」と言いました。すると、「いま持っていけるなら、それでもいい」と言われました。ところが、三月でまだ地面がカチカチに凍っています。とてもすぐに持っていける状態ではない。それで、五月まで待ってもらうことにして、値段も四十五万円に落ち着きました。

――尺別を離れたあとの生活はどのようなものでしたか？

閉山から一カ月後の三月三十日に尺別を離れ、埼玉県大宮市（現・さいたま市）に移りました。四月から不動産会社に再就職しましたが、営業の仕事が合わず八月に辞めました。そうしたところ、妻の父親がかつて仲人をした人の縁で、荏原製作所の面接を受けるチャンスがもらえました。それで、炭鉱でも経験していた「健康保険の仕事につけてくれたら、百パーセントの力を出せます」と話したら採用になり、健康保険組合の配属になりました。その後、寮やクラブなどを扱う不動産部の担当になり、定年まで二十八年間勤めました。さらに、座間市の会社で十年勤め、さらにシルバー人材センターで、現在も働いています。

——お勤めの傍ら、東京尺別会の活動にも参加するようになるのですね。

閉山前に希望退職や病気などで早期退職した人たちが、昭和四十五年（一九七〇年）一月に、横浜・綱島で「尺別会」を開いたのが最初です。翌昭和四十六年（一九七一年）一月に、われわれも閉山になってこっちに来ていたので、同じ場所で尺別会をやったんです。そのときに、われわれも加わりました。その後、同年の八月に、今度はわれわれ閉山離職者が中心になって、船橋のヘルスセンターで閉山組の尺別会をやったんです。

それからしばらく間が空いて、昭和六十一年（一九八六年）に「東京音別会」が開催されます。この東京音別会は、音別町の本町の人と炭鉱出身者が会員でした。この東京音別会は三年に一回の集まりでした。

——ただ、東京音別会では、音別町本町の方々と尺別の方々の話があまり合わないところもあったとうかがいました。

東京音別会は五回目まで参加していましたが、三年置きだと間が空きすぎるという声もあり、平成十年（一九九八年）に東京尺別会をスタートすることになりました。それで、最初は二年に一回だったのですが、「毎年やれ」ということで、三回目以降は毎年開催するようになりました。

——会員の推移はどのような状況ですか？

会を発足させてから会員数は加齢や病気などで減少していました。尺別炭砿中学校の卒業生が東京で集まっていると聞いたので、「みなさんいらっしゃいよ」と声をかけたところ、いちばん多いときで会員数が四百人くらいになりました。毎年五月に開く会の案内をして、二年続けて返事をくれない人は、機械的に名簿から抜くことにしました。そのため、現在は三百人くらいです。このうち百十人くらいが、実際の会にも出席しています。人数的には、炭砿に勤めた方は減っていくばかりですね。

——今後の東京尺別会については、どのようにお考えですか？

今後は、若い人たちにバトンタッチしていくことが必要だと思います。若い人たちは、新しいことをやりたいようです。たとえば、札幌音別会との交流や、尺別炭砿小・中学校の元教員を招待することなどを考えているようです。世代交代で、現在は尺別炭砿中学校の同窓会のようになりつつありますが、炭鉱で働いたことがある年配の人たちは、「保護者」のような立場で参加すればいいと思います。先生方も参加すれば、「ＰＴＡ」のような形になります。私たちのように、炭鉱で働いたこともあり、中学校の卒業生でもある人たちは、二つの顔で参加すればいいと思います。

また、福山の千葉さんたちのように、自分たちの子どもにも参加してもらえるとなおいいと思います。そこでは、尺別出身であることにこだわらなくてもいいかもしれません。うちの息子たちは、尺別にいた頃は幼くて尺別の記憶はないようです。そうなれば、自分の親たちが、どういうところで生活していたのかを知る機会にもなります。東京尺別会が若い人たちによって長く継続することを祈ります。

（インタビュー実施日：二〇一五年七月五日、一七年十二月十五日、二〇年二月一日、コラム執筆：新藤慶）

コラム7　助け合いが「ふるさと」をつくる——千葉怜二さん・ユキさんインタビュー

プロフィル　怜二さんは、一九三八年生まれ。尺別炭砿閉山時には、雇用促進事業団の相談員として多くの従業員の再就職を支援するとともに、労働組合教宣部長として組合員の再就職先を訪ねた報告を『労働組合解散記念誌 道標——山峡の灯』（尺別炭鉱労働組合、一九七〇年）に記録している。閉山後は広島県の常石造船に再就職。妻のユキさんは四三年生まれ。ともに広島県福山市在住。

——閉山時の様子について聞かせてください。

怜二さん　私は、雇用促進事業団の相談員をやっていて、健保会館で相談窓口をやらせてもらいました。相談するところが最終的に六百社ぐらいあったんです。私は、採用される人たちの状況だとか、「安心して勤められるか」「給料はどうだ」「社宅はどうなっているか」とか、参考までにいろいろと確認しました。東京を中心にして、神奈川とかはだいたい給料はいいけど、住居はどうなってるんだと調べると、1Kとか2Kとかいうところがほとんどなんです。炭鉱の人っていうのは、自分のとこ（住居）を改造しながらでも、物をたくさん置いているものだから、そんなん入るんかと。あるいは、働いても、これはなかなか銭がたまらんなとかね。

——短期間に、たくさんの人が移動したわけですよね。

怜二さん　ですから、「誰がどうだ」なんて相談をしている暇もない。職員たちは、自分が就職するところに、若い人をどんどん勧誘する。だから、再就職が決まるのが早い。四月頃までは雪が降るので、あんまり人が動かないんじゃないかと私は思っていたんです。ところが選考で入ってきている人たちはね、どこかに泊まり込みして、人を集めさせるということを、かなりしていたようです。だから、組合の連中がみんな残って、「こうしたほうがいい」とか話す暇がないわけなんです。

――残ってしまいがちな方たちっていうのは、いちばんは年齢ですか？

怜二さん　そうですね。それとお父さん、お母さんがおるとか、家族の構成も結構ある。

――閉山時の組合の名簿を拝見すると、千葉さんがいちばん若くていらしたんですね。

怜二さん　そうなんです。組合は、教宣部長の私と、貝瀬秀夫委員長、それから木内勇さんが、最後まで残ったんですが、ほかにも若い連中で書記をやっていた伊勢武矩さんだとかのメンバーに、最後まで手伝ってくれと頼みました。会社のほうでは砿業所長の佐藤正男さんとで、最後まで残った人たちの面倒をみようと、話をしました。

――『労働組合解散記念誌 道標――山峡の灯』に載っている名簿や写真は、どのようにつくったのですか？

怜二さん　千二百人ぐらいの人間が動いたわけだけども、誰がどこに移るのかわかるように、組合に来てもらって写真を撮りました。どんどん辞めていくので、名簿を作成することを初めにやったんだけども、二月に閉山して、閉山大会の四月二十六日までに、いる人間はなんとしても、ということで、写真を撮りました。なかには、先に行ってしまったとか、来なかったとかの人もいました。これだけの数だから、整理がつかないわけですよ。

――それでも、この名簿にはご家族の名前も入っているので、みなさんにとっても大変貴重なものですね。

怜二さん　これは当時、みんな尺別を出てから、送らしてもらうようにしたんです。木内さんと私と、それから伊勢さんの三人で一緒に、道内約四千キロぐらい回りまして、それぞれのところで働いてる人間にできるだけ会っていこうと。私も、誰がどう動いたのかはわかるんだけども、どんなところで働いているんだろうかということがいちばん心配だったので、まずそれを確認しようとしたわけですね。

――ご自身の再就職の経緯についても聞かせてください。

怜二さん　私のほうは、健保会館の管理、世話役をしてたおじさん（千葉三男さん）をどうするかっていう話もあって。ずいぶん年だから、「われわれ、どうするんだ」って言うんでね。みんな、どんどん出て行くから、ジリジリしてるんだけどね。それじゃいけないんで、いろいろ調べてみて、いちばん間違いないと思ったのが、離職者の受け入れのために3ＤＫのアパートを新しくつくっているという、広島の常石造船でした。ほかにはそんなところまったくないから、これをなんとか確保しようということになりました。

ただ私も現地の様子がわからんし、うちの家内のお父さんに現地までみてきてもらったんです。そうすると、給料はちょっと安いけども、家と、二毛作だから食べるものは心配ないということでした。ただ、常石造船には年齢が高くても採用してもらわないかんという話をしたんです。そうしたら、向こうは年齢問わず、全部面倒みるということで、じゃあ残った人、全部最後まで面倒をみて連れていく、ということになりました。

――移住後の暮らしの変化はどのようなものだったのでしょうか？

ユキさん　出てみてはじめて、炭鉱の生活は特殊な場所だったんだなあって、つくづく感じましたね。まず、炭鉱では電気、水道、光熱費はタダ同然でした。水道出しっぱなし、電気つけっぱなしは当たり前で。移住後は、うちなんか団地にいましたからね、一棟ごとに当番があって、水道代を集金したりなんかするんですよ。そしたら、当番になった人にいつも言われました。「千葉さんところは、大家族なみに使う」って。もう身についちゃってね。炭鉱から来られた方は、ほとんどがそんな感じでしたね。それを切り詰めるのが、すごく苦痛でした。ほんとに、その点は苦労しましたね。

でも、造船に来たときに、給料が炭鉱にいたときの三分の二でした。へたしたら、坑内に入ってた人なんか、半分ぐらいになったんじゃないですかね。こっちに来たら、奥さんたちがみんな働きましたものね。女性の働くところって結構あったんですよ。縫製工場とか、出版社とかね。造船の下請けなんかに一斉に行ったりとか。私の母も、炭鉱にいるときは働いてなかったけど、こっちに来てから働き始めました。母は六十歳になるまで縫製工場に行ってました。

――そういう文化の違いで、地域に溶け込むのにご苦労もあったのでしょうか。

ユキさん　団地のなかにいる分には、「よそ者」って感覚はまったくないんです。「よそ者」ばっかり集まってるわけですから。ただ、地域のお祭りだとかで、団地から外へ出たら、やっぱり「よそ者」になるんですよね。そういう苦労は、ちょっとありましたけど。だから、あらゆることに顔を出して、私も頼まれたら民生委員をしたり、主人なんかも、ＰＴＡとか役員はなんでも引き受けたりして、地元との人との関わりをもつことで、「よそ者」扱いというものがいつの間にかなくなりましたね。

――尺別出身者同士の付き合いはどのようなものだったのですか？

怜二さん　最初に亡くなった人たちの冠婚葬祭は、どんなことがあろうと、炭鉱から来た人たちみんなで集まってお世話をしました。お互いに協力し合うことを忘れないようにしようと。会社では、葬儀といっても、休まれたら困るということもあったんだけども、「絶対明日の葬儀には、出なきゃいかん」といって、当日みんな集まって手伝ってくれて、葬儀の全部をさせてもらった。そのかわり、よそに迷惑をかけるってことは、絶対なかった。ゴミ一つ落とすとかは許されない。すべてピシッと整理して、お金の精算も次の日までには整理して渡してしまう。何もかにも、全部記録を取ってね。これには「すごい、あんな葬儀、みたことない」と言われた。普通、広島では組内でやるんですよ。ところが、何もかにも尺別の方式でやった。それが当たり前だっていうことで。

――いまから当時を振り返ってみて、炭鉱での暮らしとはどんなものだったのでしょうか？

怜二さん　炭鉱もいいんですよ。あそこにいると、なんとなく癒やされるというか、安心できるというか。それがよそに出るとそうではなかった。自立しないかんというところで、違うんだろうなあと思ったけども。炭鉱っていう特殊ななかで、命かけて仕事をやってる。そこのなかで、お互いに助け合うっていうのが強かったのかなあと思って。あんなに「隣もあっちもこっちも、みんな一つだ」みたいな生活っていうのは、あんまりみたことない。「ふるさと」がなくなったっていうのは、まったくそのとおりだというのが、尺別炭砿に対する思いです。

――炭鉱で暮らしたみなさんの経験から、次の世代が学ぶべきこととは何でしょうか？

怜二さん　たとえば、大量に人が動かざるをえないような場合に、その人たちが生活する場所を設けたからいいというのではなくて、「ふるさと」でないけれど、生きていくってことと、みんなで助け合うということが、しっかり結び付かないと、心のよりどころがなくなってしまう。街のなかをみると、いまは隣の家で人が死のうが何しようが関係ないっていうのは、ちょっとどうなるんだろうかという思いがありますね。尺別炭砿も、人間が付き合ってできた「人間の渦」みたいなものが、助け合うって格好のなかでできたわけだけど。そのことを子どもたちにも伝えて、次に自分たちは何をするかを語り合えるような場所をつくっていくことを、考えなきゃいかんな。

（インタビュー実施日：二〇一七年七月二十九日、一八年三月二十四日、コラム執筆：木村至聖）

［付記］「ＪＡＦＣＯＦ釧路研究会リサーチ・ペーパー」第十六号（産炭地研究会［ＪＡＦＣＯＦ］、二〇二〇年）から抜粋。

おわりに

新藤 慶

本書の執筆者のうち、嶋﨑尚子と木村至聖が加わって刊行した中澤秀雄／嶋﨑尚子編著『炭鉱と「日本の奇跡」――石炭の多面性を掘り直す』(青弓社、二〇一八年)では、その副題に「石炭の多面性を掘り直す」とあるように、炭鉱の歴史的な意義をその多面性に着目して描き出した。姉妹篇の位置づけとなる本書では、尺別炭砿を舞台とした人びとの〈つながり〉の多層性を浮き彫りにすることを目指した。前著では、さまざまな領域から水平的なヨコの広がりの描出に力点を置いたとすれば、本書は、尺別炭砿に焦点化し、垂直的なタテの重層性を掘り下げることを試みたものと位置づけられる。

本研究グループと尺別炭砿の出合いは、釧路市立博物館の石川孝織館長補佐(学芸員)から、尺別炭砿中学校の閉山時の教頭だった松実寛さんをご紹介いただいたことに始まる。二〇一四年三月、嶋﨑が松実さんと話す機会をもった。嶋﨑が早稲田大学で受け持っているゼミでは、一三年度から釧路をフィールドとして炭鉱を対象にした調査を開始していた。そこで、一四年八月には、このフィールド調査に合わせて、松実さんに早稲田大学の学生たちへの講演をおこなっていただいた。その内容は、嶋﨑尚子・笠原良太「尺別炭鉱の閉山と子どもたち――元尺別炭砿中学校教頭松実寛氏による講演の記録」(「JAFCOF釧路研究会リサーチ・ペーパー」第七号、産炭地研究会〔JAFCOF〕、二〇一六年)にまとめられている。この論文はインターネット上での閲覧が可能だが、そのダウンロード数は二〇年十月十一日現在で二千六百四十にものぼっていて、通常われわれが発表する学術論文としては異例ともいえる数に達している。それだけ炭鉱という存在が、現在を生きる人びとにとっても、関心を喚起する対象であり続けていることがあらためてうかがえる。

一方、松実さんから受けた恩恵は、この講演でのご教示にとどまらない。松実さんは当時、尺別炭砿中学校の生徒たちに、尺別炭砿閉山を受けて考えたことや尺別を離れたあとの生活の様子などについて、作文や手紙を書かせ、そのうちのかなりのものを保存していた。これらの資料は、特に本書の第5章「炭鉱の学校と「学縁」──子どもたちの〈つながり〉」（笠原良太）、第11章「「学縁」の展開──閉山時高校生・中学生の五十年」（笠原良太）の分析に用いているが、そのほかの写真なども含め、われわれの尺別炭砿研究の土台を形成するうえで欠かせないものになった。

また、釧路市立博物館の石川さんが毎年の会合に参加していたご縁で紹介していただいたのが、東京尺別会会長の菖蒲隆雄さんである。菖蒲さんには、二〇一五年七月に、石川さんと嶋﨑・笠原でお会いしたのが最初である。以来、菖蒲さんのご高配により、東京尺別会を通じた調査の〈つながり〉が縦横無尽に拡大していくことになる。特に、一六年度におこなった「尺別炭砿で暮らした人びと調査」では、二百九十四人の方々にご協力いただき、尺別で生きた人びとの仕事・暮らし、離尺後についての全体状況を把握することにつながった（その成果は、嶋﨑尚子／新藤慶／木村至聖／畑山直子／笠原良太／石川孝織「尺別炭砿で暮らした人びと調査（1）──二〇一六年度東京尺別会調査報告書」〔「JAFCOF釧路研究会リサーチ・ペーパー」第十号、産炭地研究会（JAFCOF）、二〇一七年〕にまとめられている）。特に、このとき尺別炭砿中学校の同期会の中心メンバーをご紹介いただき、同期会を通じた調査票の配布がおこなえたことも大きかった。尺別の「学縁」の大きさを実感したことが、尺別炭砿を〈つながり〉という観点から描出するという本書の着想にも結び付いている。

さらに、菖蒲さんからは、整理された膨大な量の尺別関係の資料も提供していただいた。特に、かつての尺別の様子を収めた写真は、当時の尺別の暮らしを理解するうえで貴重な資料になった。本書にも何枚もの写真を掲載して、無味乾燥になりがちなわれわれの叙述の理解を大いに助けるものになっている。なお、菖蒲さんへの調査にも同席し、菖蒲さんとともに東京尺別会調査でお力添えをいただいた元副会長の長松俊也さんが、二〇一九年一月に逝去された。われわれの研究に時間を要したため、長松さんに本書をお届けできなかったのが大変悔やまれる。生前のご厚誼にあらためて感謝を申し上げるとともに、心からご冥福をお祈りする。

加えて、やはり石川さんから紹介していただいたのが、釧路市音別地区連合町内会会長も務められた杉山範雄さんである。杉山さんは尺別原野の出身で、大学進学を機に東京に移り、就職後も東京で生活していたが、退職後に尺別原野に戻られていた。杉山さんとは二〇一六年八月以来、尺別原野や岐線地区に暮らす方々に声をかけていただき、お話をうかがう座談会を二度、設定してもらった。第6章「炭鉱コミュニティの「暮らし」――尺別の地縁の多層性」（新藤慶）などでもふれたが、炭鉱ができて周囲から孤立した街ができる形態が多い北海道にあって、尺別は炭鉱を取り巻く原野や岐線との〈つながり〉が強い点に一つの特徴があった。こうした側面を描き出せたのは、杉山さんのお力によるところが大きい。さらに、杉山さんからも貴重な写真類や中学生時代の資料なども提供していただいた。松実さん、菖蒲さんからの資料とあわせて、往時の尺別を振り返るうえで大変重要なものになった。

尺別の〈つながり〉の重層性をより強く印象づけるのは、第12章「継承される炭鉱の「縁」と文化」（木村至聖）で扱った広島県沼隈町（現・福山市）への集団移住である。この中心になった千葉怜二さんには、菖蒲さんからのご紹介で二〇一七年七月に嶋﨑と木村でお目にかかったのが最初である。千葉さんには、広島への集団移住の状況を教えていただいたり、このとき広島に移った人びとにお話をうかがう機会を用意していただいたりしたことで、閉山後の尺別の〈つながり〉のより深い部分を明らかにすることができた。さらに、第8章「閉山後の再就職――離散からの再出発」（畑山直子）でもふれた閉山後の再就職に関わり、離尺後の人びとを訪ねて状況を聞き取ったメンバーの一人が千葉さんであり、この点でも尺別の状況を的確に把握するうえでご助力いただいた。

そして、われわれの尺別研究が立脚することになったのが、尺別炭砿中学校の元教諭の市橋大明さんの仕事である。市橋さんは、一九二五年に尺別に生まれ、現在もご健在である。生家が組の経営を担っていたという事情から、尺別の労働・生活・教育などあらゆる面で中心的な役割を果たした。特に、閉山・閉校から三十年がたった二〇〇〇年に『尺別炭砿中学校閉校三十周年記念誌 あこがれ』をまとめるなど、閉山後も節目節目に尺別の

〈つながり〉をより強めるはたらきをされていたことが、閉山から五十年を経た今日でも、尺別の〈つながり〉が強固に受け継がれていることへとつながっている。市橋さんご本人にも一七年七月以来、お話をうかがう機会を何度か得て、尺別への理解を深めるうえで大変貴重な示唆をいただけたことで、本書をまとめあげることができた。

さらに、数多くの尺別に暮らした人びとや縁をもった人びとの協力のうえに本書は成り立っている。われわれの調査にご協力いただいたのは、次の方々である。

浅野聡子さん、阿部富和さん、編田文男さん、安藤恵美子さん、泉三枝子さん、伊勢武和さん、伊勢富貴江さん、伊勢雅和さん、井田亜沙子さん、井田十吾さん、市橋大明さん、岩崎守男さん、岩淵司さん、近江元さん、大竹健一さん、小笠原美智直さん、貝瀬直幸さん、加藤俊也さん、河上成樹さん、川口津栄子さん、川端紀一さん、川村清さん、木内ミヨ子さん、木内豊さん、木下一利さん、木山敦子さん、口田良隆さん、工藤利志昭さん、工藤美彦さん、木幡一夫さん、小林栄子さん、小松由美子さん、坂野寅雄さん、坂田悠紀子さん、櫻田勲さん、佐藤巧さん、佐藤正臣さん、佐藤由紀さん、三瓶恭子さん、島田英雄さん、下山美都子さん、菖蒲隆雄さん、菖蒲紀恵さん、須貝静子さん、菅原安夫さん、杉山範雄さん、杉原勝男さん、高木貴一さん、高木憲一さん、高野靖司さん、高橋邦子さん、高橋茂雄さん、高橋茂さん、高橋正明さん、滝沢寿美恵さん、竹内悟さん、竹内紘臣さん、田中登さん、田中陽子さん、田村豊穂さん、千葉彰さん、千葉深香さん、千葉ユキさん、千葉怜二さん、鳥海良明さん、鳥海良晴さん、仲野隆さん、長濱京子さん、長松俊也さん、二本柳久恵さん、野沢和夫さん、野並英敏さん、笘崎昌晴さん、林弘志さん、平井康晴さん、広瀬恵子さん、古内武さん、古瀬悦子さん、干場晃さん、堀田里美さん、堀利男さん、本田光之さん、前田玲子さん、松実寛さん、松村日出雄さん、三浦義雄さん、湊千恵子さん、湊哲也さん、三村純子さん、三輪紀元さん、宗村達江さん、村上新一さん、村雲忠夫さん、村雲雅志さん、持田誠さん、山田和樹さん、山本仁さん、遊佐尚子さん、吉田貴久さん、吉田利巳さん、米田富美子

さん、若山則仁さん、渡辺修さん、渡辺良子さん

本書のいたらないところはすべて執筆者の責任だが、本書にみるべきところがあるとすれば、それはこうした尺別に〈つながり〉をもつ人びとからいただいたご理解とご協力のたまものである。

最後に、厳しい出版事情のなか、前著に引き続き出版の企画をご快諾いただいた青弓社の矢野未知生さんに、厚くお礼を申し上げる。矢野さんには、ご多忙のなか拙い草稿に丁寧に目を通していただき、原稿の修正について適切なアドバイスをいただいた。尺別炭砿閉山五十年の節目である二〇二〇年に本書を上梓するという試みは、矢野さんのお力なくしては実現しえなかった。また、本書の分析には、産炭地研究会での調査研究や議論で得られた知見が随所に反映されている。産炭地研究を手がける研究者仲間の〈つながり〉にも、あらためて感謝を申し上げたい。

二〇二〇年十月　著者を代表して

た

索引

［著者略歴］

嶋﨑尚子（しまざき・なおこ）
1963年、東京都生まれ
早稲田大学文学学術院教授
専攻はライフコース社会学、家族社会学
共編著に『炭鉱と「日本の奇跡」』（青弓社）、『太平洋炭砿』上・下（釧路市教育委員会）、『現代家族の構造と変容』（東京大学出版会）、共著に『近代社会と人生経験』（放送大学教育振興会）、『労働・職場調査ガイドブック』（中央経済社）など

新藤 慶（しんどう・けい）
1976年、千葉県生まれ
群馬大学共同教育学部准教授
専攻は地域社会学、教育社会学
共著に『在日ブラジル人の教育と保育の変容』『ブラジルにおけるデカセギの影響』（ともに御茶の水書房）、『北欧サーミの復権と現状』『現代アイヌの生活と地域住民』（ともに東信堂）、『教える・学ぶ』（明石書店）など

木村至聖（きむら・しせい）
1981年、神奈川県生まれ
甲南女子大学人間科学部准教授
専攻は文化社会学、地域社会学
著書に『産業遺産の記憶と表象』（京都大学学術出版会）、共編著に『巨大ロボットの社会学』（法律文化社）、『社会学で読み解く文化遺産』（新曜社）、共著に『映画は社会学する』（法律文化社）、『東アジア観光学』（亜紀書房）、『炭鉱と「日本の奇跡」』（青弓社）、『ポスト情報メディア論』（ナカニシヤ出版）など

笠原良太（かさはら・りょうた）
1990年、茨城県生まれ
早稲田大学文学学術院助手
専攻は家族社会学、教育社会学
共著に『太平洋炭砿』下（釧路市教育委員会）、論文に「石炭産業研究における作文資料の可能性と課題」（「WASEDA RILAS JOURNAL」第5号）、「1970～80年代における炭鉱閉山と青年たちの進路危機」（「WASEDA RILAS JOURNAL」第6号）など

畑山直子（はたやま・なおこ）
1983年、埼玉県生まれ
日本大学文理学部研究員
専攻は地域社会学、ライフコース研究
共著に『太平洋炭砿』下（釧路市教育委員会）、『持続と変容の沖縄社会』（ミネルヴァ書房）、論文に「「移住者」を地域とつなぐのは誰か」（「日本都市学会年報」vol.49）など

〈つながり〉の戦後史(せんごし)　尺別炭砿閉山とその後のドキュメント

発行――2020年11月27日　第1刷
定価――2000円＋税
著者――嶋﨑尚子／新藤 慶／木村至聖／笠原良太／畑山直子
発行者――矢野恵二
発行所――株式会社青弓社
〒162-0801 東京都新宿区山吹町337
電話 03-3268-0381（代）
http://www.seikyusha.co.jp
印刷所――三松堂
製本所――三松堂

ISBN978-4-7872-3477-3　C0036